Des Milliers de Plaisanteries,

revues et sélectionnées par

Christophe Noël

Des Milliers de Plaisanteries,

Naïvetés, Gasconnades, Bons mots,

Facéties, Réparties, Saillies,

Anecdotes comiques et insolites,

Inédites ou peu connues

Hilaire le Gaillard

revues et sélectionnées par

Christophe Noël

© 2022 – Christophe Noël
Édition : BoD – Books on Demand, info@bod.fr
Impression : BoD – Books on Demand, In de Tarpen 42,
Norderstedt (Allemagne)
Impression à la demande

ISBN : 978-2-3224-3650-7

Dépôt légal : Novembre 2022

Également disponibles :

Nasr Eddin Hodja/Djeha :
Les Très-mirifiques et Très-édifiantes Aventures du Hodja (Tome 1)
Nasr Eddin Hodja rencontre Diogène (Tome 2)
Nasr Eddin sur la Mare Nostrum (Tome 3 **disponible chez l'auteur uniquement**)
Le Sottisier de Nasr Eddin (Tome 4) **disponible également chez l'auteur en format A4 - grands caractères**)
Nasr Eddin en Anglophonie (Tome 5)
Avant Nasr Eddin – le Philogelos (Tome 6)
Les Plaisanteries – Decourdemanche (Tome 7)
Candeur, malice et sagesse (Tome 8)
Les nouvelles Fourberies de Djeha (Tome 9)

Humour :
Le Pogge – Facéties – les Bains de Bade – Un vieillard doit-il se marier
Contes et Facéties d'Arlotto
Fabliaux Rigolos (anonymes du XII° et XIII° s. en français moderne)
Nouvelles Récréations et Joyeux Devis – Bonaventure des Périers
La Folle Enchère – Mme Ulrich/Dancourt
Les Contes aux Heures Perdues du sieur d'Ouville
La Nouvelle Fabrique – Philippe d'Alcrippe
Le Chasse-Ennui – Louis Garon
Anecdotes de la Vie Littéraire – Louis LOIRE
Almancadabrantesque – Ch. Noël
L'esprit de M. de Talleyrand – Louis THOMAS
Les Fabuleux Résultats de la politique Sociale d'E. Macron – Ch. Noël (Amazon)

Fabliaux - Nouvelles :
Fabliaux Coquins (anonymes du XII° et XIII° s. en français moderne)
Lais & Fables de Marie, dite de France (en français moderne)
Les Nouvelles de Bandello (1 à 21)
L'Oiseau Griffon – M.Bandello et F.Molza
Le Point Rouge – Christophe Voliotis

Philosophie :
Les Mémorables – Xénophon
La Cyropédie ou Éducation de Cyrus – Xénophon (à paraître)
La République des Philosophes - Fontenelle

Romans/Divers :
L'École des Filles (chez TheBookEdition)
Sue Ann (chez TheBookEdition)
Rien n'est jamais acquis à l'homme

Nota : tous ces ouvrages sont disponibles en format papier ET e-book

Au format e-book exclusivement :

Nathalie et Jean-Jacques – recueil de nouvelles
Jacques Merdeuil – nouvelle - version française (chez Smashwords/Google)
Le Point Rouge –nouvelle - version française (chez Smashwords/Google)

Les Fabulistes :
Les Ysopets – 1 – Avianus
Les Ysopets – 2 – Phèdre – *version complète latin-français*
Les Ysopets – 2 – Phèdre – version Découverte en français
Les Ysopets – 3 – Babrios – version Découverte en français
Les Ysopets – 4 – Esope – version Découverte en français
Les Ysopets – 5 – Aphtonios – version en français

Les Fabulistes Classiques – 1 – Benserade
Les Fabulistes Classiques – 2 – Abstémius - Hecatomythia I et II
Les Fabulistes Classiques – 3 – Florian
Les Fabulistes Classiques – 4 – Iriarte – Fables Littéraires
Les Fabulistes Classiques – 5 – Perret – 25 Fables illustrées

Philosophie/Politique :
De la Servitude volontaire – ou Contr'Un – La Boétie
La Désobéissance civile - Thoreau

Humour :
Histoire et avantures de Milord Pet
Eloge du Pet
Discours sur la Musique Zéphyrienne

Commandes – dédicaces : christophenoel2020 [at] gmail.com ou https://www.bod.fr/librairie/

Préface

Oui, lecteur attentif, contrairement à ce qu'annonce le titre, cet ouvrage ne contient pas des milliers d'histoires drôles (mais quelque chose comme 715). J'en suis conscient, et avoue que le scrupule m'a longuement fait hésiter. Si j'ai choisi ce titre en fait, c'est essentiellement pour me démarquer des classiques séries de « 1001 (machins) » dont les catalogues sont truffés – et dont je doute, sincèrement, qu'ils contiennent les 1001 articles annoncés, eux aussi – effet de style.

Secondairement, c'est aussi pour corriger les titres originaux hyperboliques des livres dont ces historiettes ont été tirées, sélectionnées, revues, et corrigées, et qui me semblaient relever de l'exagération marseillaise[1] : à savoir *Un million de plaisanteries* et *Nouveau million de bêtises et de traits d'esprit*.

Ces histoires, à la base, ont été compilées par un dénommé Hilaire le Gai, pseudonyme d'un personnage sérieux a priori, et dont la position était bien assise dans la vie, professeur dans divers collèges, proviseur, inspecteur et enfin recteur des académies de Caen[2] et de Douai.

Ce brave homme cite rarement ses sources, mais j'ai pu reconnaître un certain nombre de classiques : Bonaventure des Périers, Louis Garon, le Pogge, ainsi que Tallemant des Réaux, notamment.

On retrouvera également plusieurs références communes avec le répertoire Nasreddinien, preuve s'il en était besoin que ces anecdotes étaient souvent tirées de faits réels. J'en veux pour exemple l'histoire de Tamerlan[3] et du poète Homedi, mais il y a

[1] « Arrête d'exagérer tout le temps ! Je te l'ai déjà dit des milliards de fois ! »
[2] Pour Caen, c'est où ? demandait Laspallès.
[3] Tamerlan apparaît souvent chez Nasr Eddin Hodja.

également bon nombre d'histoires plus européennes, qu'on identifiera avec plaisir.

De toute manière, peu importent les sources finalement. L'essentiel est d'en tirer le sel, ainsi que la substantifique moelle rabelaisienne.

Je tiens par ailleurs à préciser la fâcheuse tendance de Hilaire le Gai à répéter des anecdotes déjà citées. Souvent telles quelles, ça permet de faire du volume avec moins de peine ; quand elles ont été repérées, elles ont été aussitôt éliminées. Parfois en version différente (personnage précisé ou différent – s'il est vrai que l'Histoire bégaie, il arrive que certaines personnes citent un prédécesseur sans le savoir ou le vouloir, croyant innover en toute bonne foi[4]) ; dans ce cas rare il est vrai, j'ai conservé la version ; ou précisé en note l'existence d'une autre version connue.

Si donc malgré ma vigilance vous tombez sur une telle redite, je vous prie de m'en excuser. Au lieu d'une histoire déjà narrée, soyez assuré que j'aurais préféré en rajouter une inédite.

J'espère arriver à vous faire partager les moments de bonheur, ou de franche hilarité quelquefois, que j'ai éprouvés en procédant moi-même à la compilation de ces grimoires.

Christophe Noël
Bibliophile

---

4   Selon Voltaire « la plupart des bons mots ne sont que des redites. »

Le moulin à vent

On venait de mettre en vente une ferme et un moulin à vent, et l'on proposait à un riche fermier cette double acquisition. « Pour le moment, dit le fermier, je n'ai pas assez d'argent pour acquérir le tout ; mais j'achèterai d'abord la ferme, j'achèterai le moulin à vent après. »

Conseil gastronomique

M. de G. disait que, pour manger une bonne poularde, il fallait être deux, c'est-à-dire, soi et la poularde.

Prudence du maire de Beaune

Un régiment passait à Beaune et devait traverser une forêt pleine de voleurs. Le maire proposa, dit-on, à l'officier de faire escorter son régiment par quatre cavaliers de maréchaussée.

Un bon domestique

« Albert ! – Monsieur ? – Ayez bien soin de m'éveiller demain matin à quatre heures, je pars à cinq. – Monsieur aura la bonté de me sonner, n'est-ce pas ? »

La Concorde

Dans une sédition assez vive, un homme d'une excessive grosseur se présenta pour haranguer la populace. Tous les mutins se mirent à rire en le voyant. « Vous riez de ma grosseur, leur dit-il ; si vous voyiez ma femme, elle est encore plus grosse que moi ; cependant quand nous sommes d'accord, nous tenons fort bien tous les deux dans le même lit ; mais lorsque nous nous querellons, la maison elle-même n'est plus assez grande pour nous contenir. » Cet apologue fit effet sur l'assemblée ; les esprits se calmèrent et la sédition s'apaisa.

Le coq du clocher

« Il y a longtemps que je cherchais à me rendre compte du motif pour lequel on met plutôt un coq qu'une poule au haut d'un clocher, et je crois avoir trouvé, disait le bedeau d'une paroisse : c'est que si l'on y mettait une poule, et qu'elle vînt à pondre, les œufs se casseraient en tombant. »

Nathaniel Lee

Nathaniel Lee, poète dramatique dont la nation anglaise n'a peut-être pas assez honoré la mémoire, finit ses jours à l'hôpital des fous à Londres. Ce fut là qu'il composa quoiqu'en démence, la tragédie des *Reines rivales*. Il y travaillait une nuit au clair de la lune. Un nuage léger en ayant tout à coup intercepté la lumière, il prononça d'un ton impérieux : « Jupiter, lève-toi et mouche la lune. » Le nuage s'épaississant, la lune disparut entièrement ; alors il s'écria, en éclatant de rire : « L'étourdi ! je lui dis de la moucher ; il l'éteint. »

Les deux surprises

« Papa Doliban, dit Danières dans *le Sourd*, j'avais planté des pommes de terre dans mon jardin, savez-vous ce qui est venu ? – Parbleu ! répond Doliban, voilà une belle question ! il est venu des pommes de terre. – Point du tout, il est venu des cochons qui les ont mangées. »

« Savez-vous, dit le même Danières, une bonne manière d'attraper les pies ? – Il y a plus d'une manière de les attraper : les lacets, la glu, que sais-je encore ! – Vieux moyens ; voici ma manière : Je mets un fromage dans mon jardin, un fromage à la pie ; l'oiseau vient et mange le fromage. Le lendemain, nouveau fromage, nouveau régal ; la pie s'y habitue. Le troisième jour je ne mets rien ; la pie vient, croyant trouver un fromage ; votre serviteur, elle est attrapée. »

La logique rigoureuse

Un jeune homme qui venait de se marier devait être présenté par son père à sa nouvelle famille qu'il ne connaissait pas encore. Le père, qui ne s'abusait pas sur la capacité de son fils, lui avait recommandé surtout de garder le silence, ou du moins de ne parler que dans le cas où cela deviendrait indispensable. Il arrive, on l'accueille, et, comme il est d'usage à la campagne, c'est à table que doit se faire la connaissance. Notre marié, fidèle aux instructions de son père, garde un silence profond, ou répond à peine par quelques monosyllabes qui ne donnaient pas une haute idée de son esprit. Un des convives, oncle de la mariée, impatienté de cette immobilité, dit à mi-voix à son voisin : « Dis donc, Thomas, notre nouveau neveu m'a l'air d'une grosse bête. — Mon père, dit alors le marié, maintenant qu'on me connaît ici, je puis parler tant que je voudrai, n'est-ce pas ? » Je laisse à deviner si le père trouva la question aussi amusante que les autres convives.

Le roi de cœur

Un jeune enfant, de l'âge de huit ans, s'était fait une mnémonique particulière pour se rappeler le nom des figures d'un jeu de cartes. Un de ses parents voulut un jour voir si, parmi les rois, il reconnaîtrait sur-le-champ celui qu'on peut appeler le roi de France. « Le voilà, répondit-il aussitôt, le roi de France c'est le roi de cœur. »

L'à-propos était heureux, et l'enfant avait rencontré juste.

Le cadran solaire

Un homme disait à son domestique d'aller voir l'heure au cadran solaire. « Mais, Monsieur, il fait nuit, répondit le domestique. – Qu'est-ce que ça fait ? prends une chandelle » répliqua le maître.

Un autre faisait coucher près de lui son valet de chambre, et lui criait : « Georges, suis-je endormi ? – Oui, monsieur. – C'est bon. »

Le premier homme du monde

Danières dit à son beau-père : « Savez-vous quel est le premier homme du monde ? — Parbleu ! c'est Adam, lui répond M. Doliban. – Eh bien ! vous vous trompez, dit Danières, le premier rhum du monde, c'est le rhum de la Jamaïque. »

Plusieurs bêtises

En 1793, tous les privilèges et servitudes étant abolis, un noir, nommé Ziméo, signa une pétition qu'il adressait à la Convention : « Ziméo, ci-devant nègre. »

Un charcutier de Paris avait fait mettre sur son enseigne : « Saucissons *crus* de Lyon. »

Après la représentation d'une comédie en cinq actes et en vers, un particulier des quatrièmes loges demanda à son voisin si la comédie était en prose ou en vers. « Je n'en sais rien, répondit ce dernier, je suis si enrhumé que je n'ai pu distinguer si c'était de la prose ou des vers. »

On lisait dans un journal, il n'y a pas longtemps : « Cave et grenier de plain-pied, à louer présentement. » Cette annonce peut servir de pendant à celle-ci : « Bel appartement de maître, composé de huit chambres, avec jardin, écurie et remise, le tout situé au second étage, à louer présentement. »

Danières désirait vivement qu'un peintre fît son portrait de grandeur naturelle et le représentât tenant à la main un livre qu'il lirait tout haut.

Le soldat théologien

On demandait un jour à un vieux soldat de l'empire, qui avait dû, sous la restauration, assister au catéchisme qu'on faisait à ses camarades, combien il y avait de Dieux ? « Trois, répond-il sans hésiter. – Le père est-il Dieu ? – Oui. – Le fils est-il Dieu ? — Non, mais à la mort de son père, ça ne peut pas lui manquer... »

La belle grâce

Un homme étant tombé du haut d'une échelle en bas sans se faire de mal, quelqu'un lui dit : « Dieu vous a fait une belle grâce. – Comment, dit-il, il m'a fait une belle grâce ! il ne m'a pas fait grâce d'un échelon. »

Les produits de l'Angleterre

M. de Lauraguais disait, au retour de son premier voyage en Angleterre, qu'il n'avait trouvé, dans ce pays-là, de fruits mûrs que les pommes cuites, et de poli que l'acier.

— À Londres, a dit depuis un touriste, il y a huit mois d'hiver, et quatre mois de mauvais temps.

Le procès-verbal

Deux huissiers chargés d'une saisie furent maltraités en fait et en paroles. Ils verbalisèrent ainsi : « Lesquels assassins, nous maltraitant et nous injuriant, dirent que nous étions des coquins, des fripons, des scélérats et des voleurs, ce que nous affirmons véritable. En foi de quoi, etc. »

L'acompte

Un chapelier présentait sa requête à un duc et pair pour être payé de ses fournitures : « Est-ce que vous n'avez rien reçu, mon ami, sur votre mémoire ? – Je vous demande pardon, monseigneur, j'ai reçu un soufflet de monsieur votre intendant. »

Inutilité de la vaccine

Un homme très crédule disait qu'il n'avait pas de confiance dans la vaccine. « À quoi sert-elle ? ajouta-t-il, je connaissais un enfant, beau comme le jour, que sa famille avait fait vacciner... eh bien ! il est mort deux jours après. – Comment ! deux jours après ? – Oui... il est tombé du haut d'un arbre, et s'est tué roide... Faites donc vacciner vos enfants après cela ! »

Le quart de conversion

«Vous ne vous convertirez donc jamais entièrement ? disait un confesseur à un militaire. – Je le crains, répondit celui-ci, un soldat ne fait que des quarts de conversion. »

L'antithèse

Saint-Léon, acteur comique du plus bas étage, s'avisa de jouer un rôle de roi, que le parterre accompagna de coups de sifflet. Contraint de reprendre son premier emploi, il joua le lendemain un rôle de savetier, qui lui valut de grands applaudissements.

« Cela prouve, lui dit un de ses camarades, que tu as joué le roi comme un savetier, et le savetier comme un roi. »

La meunière de Pomponne

Il y avait dans les environs de Pomponne une meunière si jolie et si cruelle, que les soupirs de ses amants, disait un poète, suffisaient seuls pour faire tourner les ailes de son moulin.

Un bouillon succulent

Un Gascon entre dans une auberge et dit :« Faites-moi cuire un œuf à la coque, et, du bouillon, vous ferez une soupe à mon domestique. – Diable ! dit l'hôte, le bouillon d'un œuf ne sera pas bien succulent !— Hé ! hé ! reprend le Gascon, mettez-en deux, je les mangerai bien. »

La besogne facile

Une dame ayant trouvé sa cuisinière occupée avec son mari, lui donna son compte en lui disant : « Allez, ma chère ; pour ce que vous faites ici, je le ferai bien moi-même. »

Un pantalon unique

Un pauvre diable n'avait qu'un seul pantalon, qu'il avait donné à sa blanchisseuse. Il était forcé de l'attendre dans son lit et disait : « J'irais bien chercher mon pantalon, mais pour y aller il faudrait que je l'eusse. »

Potier, garde national

Potier, ayant mal à la jambe, reçut un billet de garde. Il dit au tambour qu'il ne pouvait pas faire son service ; le tambour lui répondit : « Alors, monsieur, je dirai donc que vous monterez votre garde quand votre jambe sera *guérite*. »

Le neveu dissipateur

Un oncle gourmandant son neveu sur ses folles dépenses, lui disait : « Tu fais des dettes partout, tu dois à Dieu et au diable.

— Précisément, mon oncle, reprit le neveu, vous venez de citer les deux seuls êtres auxquels je ne doive rien. »

La précaution ingénieuse

La fille du maire de Beaune avait perdu son serin. La première idée qui vint à l'esprit de son père fut de faire fermer les portes de la ville.

La coutume Bulloise

Un paysan du bourg de Bulles, département de l'Oise, avait épousé une femme qui accoucha après quatre mois de mariage. Pour ne point agir en étourdi, il crut devoir, avant tout, consulter sur ce cas, qui lui paraissait étrange. L'homme de loi auquel il s'adresse prend gravement un in-folio, le feuillette et dit : « Mon ami, savez-vous lire ? – Non, monsieur. – Tant pis ; mais écoutez :

Au pays coutumier de Bulles en Bullois,
Femme peut accoucher au bout de quatre mois,
Mais cela seulement pour la première fois. »

Le villageois satisfait remercia le jurisconsulte, et fit bon ménage.

Un censeur suisse

On proscrivit en même temps en Suisse la *Pucelle* de Voltaire et le livre *De l'Esprit* par Helvétius. Un magistrat de Bâle, chargé de la censure et de la recherche de ces ouvrages pour les saisir, écrivit au sénat : « Nous n'avons trouvé dans tout le canton ni esprit ni pucelle. »

La formule consacrée

Il y a quelques jours, on présenta à un maire de village un enfant âgé de trois ans, dont on avait omis de faire l'inscription sur le registre de l'état civil. Le maire, fidèle à sa routine habituelle, l'inscrivit ainsi. « Aujourd'hui, etc., d'un tel et d'une telle, et en légitime mariage, est né un enfant âgé de trois ans. »

Quand il faut prendre une femme

On annonçait à Benserade la mort d'une veuve riche, vieille et très ridicule. « On l'enterra hier, dit le conteur.
– C'est dommage, dit Benserade, avant-hier c'eût été un très bon parti. »

Les cloches et le fumier

La marquise de Richelieu demeurait près d'une église dont le son des cloches l'incommodait. Elle s'en plaignait devant le comte de Roncy, son amant, qui lui dit : « Madame, que n'obtenez-vous du lieutenant de police de faire mettre du fumier devant votre porte ; cela empêche le bruit. »

La Joconde

Les Mémoires de P... fourmillent de pensées ingénieuses dont on pourrait composer un volume dans le genre des Maximes de La Rochefoucauld. – En voici une : P... trouve que Joconde ressemble à un contrebandier ; parce que Joconde passe de la brune à la blonde, et qu'un contrebandier passe de la blonde à la brune.

Les bottes brûlées

Un voyageur transi de froid, s'étant approché du feu, dans une hôtellerie, de manière à brûler ses bottes : « Vous brûlerez vos éperons, lui dit la fille de l'auberge. – Vous voulez dire mes bottes ? reprit l'étranger. – Non, monsieur, elles sont brûlées. »

Un bon conseil
P... disait à un garçon de café qui servait mal : « Il faut vous marier.— Pourquoi ?— Parce que vous n'êtes pas fait pour rester garçon. »

L'incendie de Hambourg
Pendant le terrible incendie de Hambourg, un Anglais écrivit d'une maison que les flammes allaient atteindre : « Quel spectacle ! quelle horrible position ! Trente-six heures sans faire sa barbe ! douze heures sans manger ! »

L'élection à l'unanimité
Un garde national, nommé officier dans les dernières élections, disait : « J'ai été nommé à l'unanimité ; mais, par exemple, ceux de l'opposition n'ont pas voté pour moi. »

Un mot de Martainville
On répétait, devant Martainville, cette maxime si connue : « Qui paye ses dettes s'enrichit. – Bah ! bah ! répondit-il ; c'est un bruit que les créanciers font courir. »

La batterie de cuisine
Le marquis de Bièvre regardant deux marmitons qui se battaient, et quelqu'un lui ayant demandé ce que c'était que ce bruit : « Ce n'est rien, répondit-il ; c'est une batterie de cuisine. »

Histoires de voleurs
Plusieurs dames étant à dîner chez Voltaire se mirent toutes, après le repas, à conter des histoires de voleurs. Chacune ayant conté la sienne, on engagea Voltaire à faire aussi son conte : « Mesdames, dit-il, il était un jour un fermier général...un fermier général... ; ma foi, j'ai oublié le reste. »

La promenade de M. de Vivonne
Louis XIV raillait le duc de Vivonne sur son embonpoint excessif, en présence du duc d'Aumont qui n'était pas moins gros, et lui reprochait de ne pas faire assez d'exercice. « Sire, répondit Vivonne, c'est une calomnie, il n'y a pas de jour que je ne fasse au moins trois fois le tour de mon

cousin d'Aumont. »

Un censeur naïf

Un nommé Claude Morel, censeur royal, chargé d'examiner une traduction du Coran, déclara n'y avoir rien trouvé de contraire à la foi catholique et aux bonnes mœurs.

Le père aux treize enfants

Une femme qui avait eu douze enfants venait d'accoucher. Un plaisantin dit au mari : « Ah ! je réponds qu'à présent vous devez être à votre aise (*à vos treize*). »

Aphorismes quasi-politiques

« Deux lois gouvernent le monde, disait un avocat célèbre, la loi du plus fort et la loi du plus fin. » Ce qui rappelle l'aphorisme attribué à M. de Talleyrand : « La société est partagée en deux classes : les tondeurs et les tondus. Il faut toujours être avec les premiers contre les seconds. »

Madame Du Deffand, à son tour, partageait le monde en trois classes : les trompeurs, les trompés et... les trompettes.

La grande bouche

Un jeune homme disait à son voisin de stalle au Théâtre-Français, en lui montrant mademoiselle D., assez jolie personne, mais dont la bouche est démesurément grande : « Quels jolis yeux, quel beau teint, quelle taille fine ! c'est dommage qu'elle ait la bouche commune. – Si vous disiez comme deux » répondit l'autre.

L'historiographe chinois

Un empereur de la Chine disait à un de ses historiographes : « Je vous défends de parler davantage de moi. » Le mandarin se mit à écrire. « Que faites-vous donc ? dit l'empereur. – J'écris l'ordre que Votre Majesté vient de me donner. »

Une maîtresse de langue

Une jeune institutrice, qui cherchait de l'emploi, annonçait dans un journal qu'elle possédait parfaitement sa langue. « Si cela est bien vrai, dit quelqu'un, on ne saurait la payer trop cher. »

Variété des langues

On demandait à Milton s'il ferait étudier les langues à ses filles. « Une femme en a déjà bien assez d'une, répondit-il. »

Calembour de caserne

En 1826, on licencia la cinquième compagnie des gardes du corps, qui portait, suivant l'usage, le nom de son capitaine, le duc de Rivière. Lorsqu'on vint lire l'ordonnance aux gardes assemblés, l'un d'entre eux s'écria : « La compagnie de Rivière est la compagnie détruite ! (*des truites*) »

Voltaire, garçon d'esprit

Un comte de Périgord vint pour la première fois à Paris en 1745 et alla voir madame du Châtelet. Il y rencontra Voltaire. Celui-ci étant sorti, le provincial dit à la dame : « Ce Voltaire me paraît un garçon d'esprit ! »

Désintéressement de Sophie Arnould

« On vous donne au moins cinquante ans, disait-on un jour à Sophie Arnould. — Ma foi ! répliqua vivement la spirituelle actrice, si on me les donne, je ne les prends pas. »

Une traduction trop littérale

Un professeur du collège de Moulins avait donné à ses élèves une version dans laquelle se trouvait celle phrase si simple : *Cæsar venit in Galliam summa diligentia* (César vint en Gaule en grande hâte). En corrigeant les compositions, on trouva dans la copie d'un des élèves ce passage ainsi traduit : « César, ayant la gale, vint sur l'impériale de la diligence. »

Pruderie superlative

Une dame anglaise poussait si loin la délicatesse de la pudeur qu'elle fit de vifs reproches au libraire chargé de l'arrangement de sa bibliothèque, parce qu'il avait placé sur les mêmes rayons les auteurs mâles et les auteurs femelles.

L'amour, le mariage et le divorce

Danières demandait à son beau-père comment il définissait l'amour, le mariage et le divorce. « Ma foi, dit le père Doliban, je n'en sais rien. – Eh bien, répondit Danières, je vais vous le dire, moi. L'amour est un nœud frais (*œuf frais*), le mariage un nœud dur (*œuf dur*), et le divorce un nœud brouillé (*œuf brouillé*). »

Sang-froid d'un sacristain

Le père Boursault, théatin, racontait avec plaisir l'histoire suivante : « Étant dans une ville d'Italie, je demandai à dire la messe ; le sacristain s'offrit pour me servir de répondant. J'avais déjà dit ces mots : *Introibo ad altare Dei*, lorsqu'une vieille se mit à péter. Le sacristain se retourne froidement et lui dit : "Madame, ce n'est pas à vous de répondre." Puis revenant à moi : *Ad Deum qui lætificat juventutem meam.* Je fus si déconcerté que j'allai prendre le calice et m'en retournai à la sacristie, ne me sentant pas en état de continuer la messe. »

De combien peut retarder une montre

« Ma montre retarde de deux heures, disait un étudiant à un autre étudiant.— La mienne, répondit celui-ci, retarde de 200 francs. » Il l'avait mise au Mont-de-piété.

Un beau mangeur

Au milieu d'un dîner, on vint à parler d'un homme qui mangeait extraordinairement, et on cita des exemples de son prodigieux appétit. « Il n'y a là rien de bien surprenant, dit un officier, et j'ai dans ma compagnie un soldat qui, sans se gêner, mange un veau tout entier. » Chacun de se récrier, mais l'officier propose un pari considérable, qui est accepté par tous ceux qui étaient présents. Au jour indiqué, les parieurs se rendent chez un restaurateur.

L'officier, afin de mieux tenir en haleine l'appétit de son mangeur, avait fait apprêter à diverses sauces les différentes parties du veau. Le soldat se met à table ; les plats se succèdent et sont engloutis avec rapidité. Chacun admire, et les parieurs commencent à trembler. Le soldat avait déjà dévoré les trois quarts de la bête, lorsque, se tournant vers son capitaine : « Ah çà, lui dit-il, il me semble qu'il serait temps de faire servir le veau ; autrement, je ne réponds plus de vous faire gagner. » Il avait cru que tout ce qu'on lui avait servi jusqu'alors n'était que pour aiguiser son appétit.

On demandait à ce même soldat combien il croyait pouvoir manger de dindons : « Une vingtaine. – Et de pigeons ? – Cinquante. – Combien donc mangerais-tu d'alouettes ? – Toujours, mon capitaine, toujours. ».

Trois bêtises

Le sieur Gaulard, voyant un jour au coin de sa cour un grand tas d'ordures, se fâcha contre son maître d'hôtel, qui ne les faisait pas ôter. Celui-ci dit pour excuse qu'on ne trouvait pas des charretiers à point nommé : « Des charretiers, dit Gaulard, hé ! que ne faites-vous faire une fosse où l'on enterrerait tout cela ? – Mais, répondit le maître d'hôtel, où mettra-t-on la terre qu'on tirera de cette fosse ? – Parbleu ! répliqua Gaulard en colère, vous voilà bien embarrassé : faites faire la fosse si grande que tout y puisse entrer. »

Un écolier s'étant allé baigner pour la première fois pensa se noyer. Effrayé du péril qu'il avait couru, il jura qu'il ne se mettrait plus dans l'eau qu'il ne sût bien nager.

Un homme ayant une cruche d'excellent vin la cacheta. Son valet, ayant fait un trou par-dessous, buvait le vin. Le maître, voyant son vin diminuer, quoique le cachet fût entier, était surpris et n'en pouvait deviner la cause. Quelqu'un lui dit : « Mais prenez garde qu'on ne le tire par-dessous. – Eh ! gros sot, reprit le maître, ce n'est pas par-dessous qu'il en manque, c'est par-dessus. »

Le milicien

Lorsque la milice fut organisée à Douai, un jeune étudiant avait mis trois cartouches dans son fusil. En ajustant la pierre de la platine, le feu prit à l'amorce, et l'arme se déchargea. La force du coup renversa le nouveau guerrier ; on le crut mort ou au moins très grièvement blessé ; on courut à son secours ; mais lorsqu'on voulut ramasser le fatal fusil qui lui était échappé des mains, il s'y opposa. « Prenez garde, s'écria-t-il !, je n'ai déchargé qu'un coup, et j'avais mis trois cartouches dans le canon. »

Trois hommes de hauteur

Un colonel chargé d'inspecter les conscrits d'un arrondissement du département du Finistère, ordonna au maire de l'une des communes de cet arrondissement, de rassembler ses hommes sur la place du village, et de les faire ranger sur trois de hauteur, annonçant qu'il les passerait en revue aussitôt qu'il aurait pris un léger repas chez un des principaux habitants. Au moment où il se disposait à se rendre sur la place pour faire l'inspection, il reçoit un message du maire, qui le prie de changer l'ordre qu'il lui avait donné, attendu que, malgré tous ses efforts et ceux de ses conscrits, il ne pouvait parvenir à les mettre que sur *deux de hauteur*. Le bonhomme n'avait point compris l'expression employée par le colonel, et il croyait qu'il fallait que les hommes fussent rangés par trois, montés sur les épaules les uns des autres.

L'ignorance

Il y a trois sortes d'ignorance ; ne rien savoir ; savoir mal ce qu'on sait ; et savoir autre chose que ce qu'on doit savoir.

Quelques pensées sur les femmes

Toutes les femmes aiment à parler ; d'où vient que les vieilles l'aiment encore davantage ? c'est qu'elles n'ont plus que cela à faire.

La plupart des jolies femmes perdent à se laisser connaître ce qu'elles gagnent à se faire voir.

La sévérité d'une fille à marier n'est souvent qu'un voile fort transparent qui ne cache rien.

L'art de plaire est pour les femmes un métier que les belles savent sans l'avoir appris et que les laides ne peuvent savoir qu'après de longues études et un plus long apprentissage.

Le miroir, en ce qui touche la beauté et la toilette, est le seul juge souverain que les femmes reconnaissent et dont elles n'appellent qu'à lui-même.

Certaines demandes plaisent toujours aux femmes, lors même que le demandeur ne leur plaît pas.

Un médisant commence par dire du bien de ceux dont il veut dire du mal, et une femme commence par dire du mal de ceux dont elle veut parler avec éloge. Chacun arrive à ses fins à sa manière.

Les femmes haïssent plus ceux qui les trouvent laides que ceux qui ne les trouvent pas sages.

Une coquette parle de sa vertu comme un poltron de sa valeur, sans y croire.

Les femmes n'aiment guère moins à dire une médisance qu'à écouter une douceur.

Les paquets à leur adresse

M. Dumont, célèbre avocat, plaidant au parlement de Paris, devant la grand'chambre, mêlait à des moyens victorieux, d'autres moyens faibles ou captieux. Après l'audience, le premier président de Harlay lui en fit des reproches. « Monseigneur, lui répondit-il, si je n'avais à parler que devant des gens comme vous, je n'emploierais que de bons moyens : mais à M. le président***, à M. le conseiller ***, il faut de faibles moyens et des choses qu'ils puissent entendre. » Après quelques audiences l'affaire fut jugée, et les opinions motivées comme Dumont l'avait prévu ; il gagna sa cause. Le premier président l'appela et lui dit : « Maître Dumont, tous vos paquets sont parvenus à leur adresse. »

La distinction difficile

Un premier président demandait à un célèbre et savant avocat, pourquoi il se chargeait si souvent de mauvaises causes. « Monseigneur, répondit l'avocat, j'en ai tant perdu de bonnes que je ne sais plus maintenant lesquelles prendre. »

Deux lettres d'amour

Un riche financier du siècle de Louis XIV écrivit le billet suivant à une jolie femme dont il avait deviné qu'il pourrait faire sa maîtresse :

« J'ai aimé bien des fois en ma vie, Madame, mais je n'ai jamais rien aimé autant que vous. Ce qui me le fait croire, c'est que je n'ai donné à chacune de mes maîtresses que cent pistoles afin d'avoir leurs bonnes grâces, et pour les vôtres, j'irai jusqu'à deux mille. Faites réflexion là-dessus, je vous en conjure, et songez que l'argent est plus rare que jamais. »

La réponse ne se fit pas attendre et fut telle que le postulant pouvait la souhaiter la voici :

« Je m'étais déjà aperçue, Monsieur, par les conversations que j'ai eues avec vous, que vous aviez beaucoup d'esprit ; mais je ne savais pas que vous écrivissiez si galamment. Je n'ai rien vu de si joli que votre billet : je serai ravie d'en recevoir souvent de semblables, et j'aurai bien la joie de vous entretenir ce soir. »

L'esprit des femmes

Quelqu'un demandait à Santeul pourquoi les belles femmes avaient ordinairement moins d'esprit que les femmes laides. « C'est, répondit-il, que les dernières cherchent sans cesse quelqu'un qui leur en donne, tandis que les autres fuient ceux qui voudraient leur en donner. »

Promotion

Un jeune homme qu'on avait placé chez un boucher écrivait à sa famille : « Je vous écris ces lignes pour vous faire savoir que mon maître est fort content de moi, il m'a déjà fait saigner plusieurs fois, et m'a dit que si je continuais, il me ferait écorcher à Pâques. »

Les honnêtes femmes

M. de Roquelaure disait un jour devant la reine qu'il ne connaissait que trois honnêtes femmes. La reine ayant demandé quelles étaient ces trois femmes : « Votre majesté est la première, répondit-il ; ma femme est la seconde ; quant à la troisième, Madame, dispensez-moi, je vous prie, de la nommer. Je veux conserver une porte de derrière pour me sauver et ne me point brouiller avec les femmes, en laissant chacune d'elles se flatter d'être cette troisième. »

L'opération inutile

Un officier français ayant reçu une balle dans la cuisse, fut transporté chez lui, où les médecins furent appelés. Pendant huit jours, ils ne firent que sonder et chercher. L'officier qui souffrait beaucoup, leur demanda ce qu'ils cherchaient : « Nous cherchons la balle qui vous a blessé. – Mille bombes ! s'écria l'officier, il fallait donc le dire plus tôt ; je l'ai dans ma poche. »

Danières et ses créanciers

Danières se plaint de ses fournisseurs ; il dit que son cordonnier veut faire le tyran ; que lorsqu'il veut faire attendre son chandelier, il n'y a pas mèche ; qu'il ne peut pas faite aller son apothicaire ; mais que, pour sa blanchisseuse, il lui dit de repasser, que ça ne fait pas le plus petit pli : et que son perruquier est le plus accommodant de tous...

La route abrégée

Deux conscrits allaient de leur village au chef-lieu de leur département, pour tâcher de se faire réformer. Fatigués par la longue route qu'ils avaient déjà faite, ils s'adressent à un voyageur qu'ils rencontrent :

« Monsieur, combien de chemin nous reste-t-il à faire pour arriver à... ?
– Dix lieues. – Bon, dit l'un de nos jeunes gens, ça ne fait que cinq pour
chacun. ».

Un émigré français en Angleterre

Dans le temps où toutes les personnes qui possédaient des richesses et
des places éminentes crurent devoir se soustraire par la fuite à la persé-
cution révolutionnaire, M. d'A..., qui, en raison de son immense fortune
et des fonctions importantes qu'il avait exercées, pouvait être, plus que
tout autre, en butte à l'animadversion populaire, passa à Londres, avec
environ trois millions d'argent effectif, qu'il plaça bien solidement, et
qu'il ménageait avec autant de parcimonie que s'il eût été dans la dé-
tresse.

Un de ses malheureux compatriotes, avec lequel il avait été particulièrement lié à Paris, et qui ne pouvait pas ignorer son opulence, se trouvant dans un besoin pressant d'argent, crut ne pouvoir mieux s'adresser
qu'à lui pour emprunter une somme de cinquante louis. M. d'A... le fait
entrer dans son cabinet, de l'air le plus affable, ouvre son secrétaire, en
tire un grand registre ; et lui disant qu'il est juste de mettre toujours ses
affaires en ordre, il écrit en sa présence, en se dictant lui-même tout
haut : « Le... du mois de..., M*** m'a demandé à emprunter la somme de
cinquante louis, ci... 1200 liv. » Le demandeur, d'après ce préambule,
dont il supporta aisément l'ennui, ne doutait pas que l'argent ne fût
compté à l'instant : mais M. d'A..., lui montrant plusieurs feuilles de son
registre, remplies de différents noms et de différentes sommes plus ou
moins fortes, ajouta : « Vous voyez, mon cher ami, quelle confiance j'ai
en vous : tenez, voilà les noms de tous ceux qui ont voulu m'emprunter
de l'argent... Voyez où j'en serais réduit, si je n'avais pris le parti de les
refuser tous ! J'espère que vous ne me saurez pas mauvais gré de vous
traiter comme MM.*** et ***, qui m'assuraient être dans le même cas
que vous, et qui ont, cependant, pu se passer de moi. » En disant cela, il
referma son registre, son secrétaire, et accabla de politesses le demandeur, qui ne lui en témoigna pas moins son mécontentement d'un pareil
procédé, et le publia hautement.

Le même marquis d'Aligre se présenta, un matin, dans cette ville, avec
une vieille perruque, enveloppé d'une mauvaise redingote, chez un célèbre dentiste, auquel il demanda de lui faire un râtelier postiche, le sien

étant usé de manière à craindre de ne pouvoir bientôt plus s'en servir, et s'informa du prix qu'il mettait à cette opération. « Vingt-cinq guinées, répondit le dentiste. » À ce mot, M. d'A... se met à gémir. « Et où voulez-vous qu'un malheureux émigré français trouve cette somme ? – Ah ! monsieur, vous êtes émigré et malheureux, reprit le dentiste ; alors c'est bien différent. Je sais ménager l'infortune, et dans ce cas-là je ne demande que mes déboursés, qui sont de trois guinées. Si cela vous convient, revenez dans huit jours, et ce que vous demandez sera fait. » M. d'A. accepte bien vite, et se retire très content. Il est rencontré sur l'escalier par un homme qui montait chez le dentiste, et qui, en arrivant, dit à ce dernier : « Vous venez de recevoir la visite d'un Français bien riche, M. le marquis d'A... – Quoi ! c'est le Marquis d'A..., celui qui est sorti de France avec trois millions ? Il m'a bien trompé : il s'est donné ici pour un malheureux émigré ; mais je n'en serai pas la dupe. Il doit revenir dans huit jours, à cette heure-ci ; trouvez-vous chez moi ; et vous serez témoin d'une scène assez singulière. » M. d'A... ne manqua pas en effet d'arriver au jour marqué. Le dentiste le reçoit fort poliment, lui fait voir son ouvrage qui était parfait, déchausse son ancien râtelier, le brise sur une table d'un coup de marteau, pour montrer combien il était mauvais, et avant de replacer l'autre, lui dit : « Vous vous rappelez sans doute nos conventions ; je me fais toujours payer d'avance. Avez-vous apporté les vingt-cinq guinées ? – Mais nous ne sommes convenus que de trois.— Oui, quand je croyais avoir à obliger un malheureux émigré ; mais sachant que je parle à M. le marquis d'Aligre, qui est très opulent, j'espère qu'il ne sera pas moins juste, et je le crois incapable d'abuser de ma bonne foi. Au surplus, M. le marquis, si cela ne vous convient pas, vous êtes le maître de reprendre votre ancien râtelier, et de vous adresser à quelque autre artiste. »

Un remède héroïque

Le marquis de V..., connu par ses singularités, vantait à la Reine un remède dont lui seul avait le secret, et qu'il avait fait prendre à l'un de ses amis réduit à l'extrémité. « L'a-t-il guéri ? demanda la Reine. — Madame, dès le lendemain, j'allai pour le voir, il était sorti. – Comment, sorti ? — Oui, madame ; il était allé se faire enterrer à Saint-Sulpice. »

Les souliers trop étroits

Dans une fête brillante, donnée par le roi Léopold, à la salle du théâtre de Bruxelles, un monsieur fort élégant vient sans bien voir la personne à laquelle il s'adresse, inviter une dame à danser. « Mon Dieu, Monsieur, lui répond la dame, vous avez fait mes souliers si étroits, qu'il m'est impossible de danser. »

Ninon

Ninon de Lenclos fut un jour menacée de la part de la reine régente d'être enfermée aux Filles Repenties : « La reine aurait tort, dit-elle, je ne suis ni fille, ni repentie. »

Une autre fois, on vint lui dire que la reine voulait la faire enfermer dans un couvent, mais qu'on lui en laissait le choix. « Au grand couvent des Cordeliers, répondit-elle. » On rapporta sa réponse à la reine, qui s'en amusa beaucoup et ne parla plus de la faire cloîtrer.

La politesse obligée

Turenne visitant un jour les avant-postes de son armée, au moment même où une batterie de l'ennemi, placée sur une éminence, faisait feu sur l'avant-garde française, remarqua que plusieurs cavaliers, en voyant arriver les boulets, baissaient la tête et la relevaient ensuite très vivement, dans la crainte d'être réprimandés. « Mes enfants, leur dit-il, il n'y a pas de mal, de tels visiteurs méritent bien une révérence. »

Les fusils de Potier

Potier dit un jour à un de ses amis qu'il avait eu jadis des fusils excellents. « En quoi étaient-ils donc si merveilleux ? reprit l'autre. – C'est qu'ils partaient aussitôt qu'il entrait des voleurs chez moi, quoiqu'ils ne fussent pas chargés. – Et comment cela ? – Parce que les voleurs les emportaient. »

Un discours improvisé

Sir Richard Steele se faisait bâtir un château ; il ne manqua pas d'y faire placer une chapelle, et il voulut qu'elle fût vaste. L'ouvrage avançait lentement, parce qu'il ne payait pas ses ouvriers. Un jour il alla les voir ; ils le menèrent dans la chapelle, qu'ils venaient de finir. Sir Richard ordonna à l'un d'eux de monter en chaire et de parler, afin qu'on pût juger si la salle était sonore. L'ouvrier monte et demande ce qu'il doit dire ; on sait bien qu'il n'est pas un orateur. « Dis ce qui te viendra à l'esprit » lui répond sir Richard. Alors, d'un ton d'inspiré, l'ouvrier s'écrie : « Il y a six mois, sir Richard, que nous n'avons vu de votre argent ; quand vous plaira-t-il de nous payer ? – Fort bien, dit sir Richard, fort bien ; je t'ai très bien entendu, mais tu as mal choisi ton sujet. »

Inconvénient des réformes républicaines

« Citoyen, la rue Barbe (Sainte-Barbe, *vieux style*), s'il vous plaît ? – La rhubarbe, citoyen ? je ne la connais pas ; mais adressez-vous chez le premier apothicaire, on vous l'indiquera. »

L'huile d'olives

Un grand seigneur qui aimait beaucoup la salade avait ordonné à tous ses fermiers de planter des noyers dans ses terres, afin de ne jamais manquer d'huile d'olives.

Avantage de l'esprit

« C'est agréable d'avoir de l'esprit, dit Alcide Tousez, on a toujours quelques bêtises à dire. »

Les accidents

Un jeune étudiant de l'université d'Oxford reçut un jour la visite d'un des domestiques de son père qui lui fit les compliments de toute sa famille. « Bon, bon, dit le jeune homme : comment se porte-t-on à la maison ? Quelles nouvelles ? — Aucune, répliqua John, si ce n'est que notre pie est morte. – Est-ce là tout ? Mais de quoi est-elle donc morte, cette pauvre bête ? – D'avoir mangé trop de viande. – Comment ! et qui est-ce qui lui en a donné ? – Qui est-ce ? les quatre chevaux de carrosse. — Quoi ! ils sont morts aussi ? Explique-toi donc. – Oh ! les pauvres bêtes auraient vécu longtemps, si on ne les avait pas assommées à force de leur faire porter de l'eau. – De l'eau ! et pourquoi faire ? – Pour éteindre le feu, le jour que la maison a été incendiée. – Comment, notre maison est brûlée ! Et par quel accident, grand Dieu ? – Un accident bien malheureux, et qui ne serait pas arrivé si nos gens n'avaient pas été aussi négligents avec leurs flambeaux.— Et qu'avaient-ils besoin de flambeaux ? — C'était pour l'enterrement de madame votre mère. – Comment, ma mère est morte ! Et voilà la première nouvelle que j'en reçois ? Cela est incompréhensible. – Pas aussi incompréhensible que vous le croyez, car elle est morte subitement de chagrin. — Pour l'amour de Dieu, John, dis-moi ce qui a pu causer ce chagrin. – Oh ! Pour cela, elle n'avait pas tort. Betzy, qui était femme de chambre de votre maman il y a six mois, avait paru à une assemblée, dans le costume le plus à la mode et le plus élégant qu'on eût jamais vu dans le pays. »

Une menace expliquée

Un particulier qui avait perdu son emploi ayant dit en public qu'il pourrait bien en coûter la vie à plus de cinq cents personnes, ce propos vint aux oreilles du ministre de la police, qui le fit arrêter. « Que prétendiez-vous dire par cette menace ? lui dit-on à son interrogatoire. – Moi, répliqua-t-il, je n'ai menacé personne ; je voulais seulement dire que j'allais me faire médecin. »

Le dormeur en diligence

Quelqu'un dormant dans une voiture publique, un de ses amis le réveille. « Quoi ! vous dormirez toujours ? nous avons fait beaucoup de chemin pendant votre sommeil.— Eh ! combien donc ? demande le dormeur. – Nous sommes, répond l'autre, à plus de deux lieues d'ici. »

Les œuvres posthumes

Un enfant curieux de s'instruire disait un jour à son père : « Papa, pourrais-tu me dire ce que c'est qu'un ouvrage posthume. — On appelle posthume, répondit le père, un livre qu'un auteur publie après sa mort. »

Un Post-scriptum

Un benêt écrivit la lettre suivante à un de ses amis : « Mon cher G... j'ai oublié ma tabatière en or chez toi ; fais-moi le plaisir de me la renvoyer par le porteur de ce billet. » Au moment de cacheter, il retrouve sa tabatière et ajoute en *post-scriptum*. « Je viens de la retrouver, ne prends pas la peine de la chercher. » Puis il ferme sa lettre et l'envoie.

La perte de temps

Une dévote se confessait du trop grand attachement qu'elle avait pour le jeu. Son confesseur lui remontra qu'elle devait, en premier lieu, considérer la perte du temps... « Hélas ! oui, mon père, dit la pénitente en l'interrompant, on perd tant de temps à mêler les cartes. »

L'inutilité de savoir son âge

Monsieur de Bassompierre demandait un jour au capitaine Strique quel âge il avait. « Ma foi, Monsieur, répondit le capitaine, je ne le sais point au juste, mais il me semble que je puis bien avoir trente-huit ou quarante-huit ans. – Comment se fait-il que vous ignoriez votre âge ? – Parbleu, Monsieur, je compte mes rentes, mes bestiaux, mon argent ; mais pour mes années, je ne les compte jamais : je sais trop bien que je n'en saurais perdre, et que personne ne me les dérobera. »

La consultation

Une dame inconnue se présenta un jour chez monsieur T., avocat justement célèbre, pour lui demander conseil sur une affaire importante. Cette dame paraissait âgée d'environ trente ans, ses traits étaient réguliers ; la santé brillait sur son visage, et on remarquait dans ses yeux une certaine vivacité qui contrastait singulièrement avec le ton plaintif dont elle commença son discours. Elle parut cependant s'apercevoir de ce peu d'accord entre son air et ses paroles ; car tout à coup elle baissa la vue et continua ainsi : « Vous voyez devant vous, Monsieur, la plus malheureuse de toutes les femmes ; comme vous avez la réputation d'être un grand jurisconsulte, je viens implorer vos conseils pour me faire obtenir la cassation d'un mariage qui doit être nul par toutes les lois du monde. – Madame, répondit M. T., si vous attendez quelque secours de moi, ayez la bonté de vous expliquer nettement sur vos griefs. – Je ne croyais pas, Monsieur, répliqua-t-elle, qu'il fût besoin de la moitié de votre science pour deviner ce qui peut porter une femme à se séparer de son mari. – Madame, repartit l'avocat, il n'est pas question ici de deviner : on n'établit pas un procès sur des conjectures. » Alors se cachant le visage de son éventail : « Mon mari, dit-elle (*ici elle ne put retenir ses larmes*), n'est pas plus mari que les Italiens qui chantent à l'Opéra. »

« Madame, dit M. T., les lois peuvent apporter du remède à votre affliction ; mais envisagez les mortifications que vous aurez à essuyer, si vous la rendez publique. Pourrez-vous soutenir la risée de toute une cour, les réflexions licencieuses des avocats, et surtout les couleurs que l'on donnera dans le monde à votre conduite ? Combien peu, dira-t-on, cette dame savait modérer ses désirs ! » M. T. allait continuer ; mais la dame l'interrompit, et lui dit avec quelque émotion : « Monsieur, je suis venue ici afin de savoir votre avis sur la manière dont je dois m'y prendre pour obtenir un divorce : c'est à vous de voir. — Oh ! madame, vous serez satisfaite, dit alors M. T. ; apprenez-moi, s'il vous plaît, quel âge a votre mari. – Il a, répondit la belle affligée, cinquante ans, et il y en a quinze que nous sommes mariés. – Mais, Madame, reprit M. T., il aurait fallu vous plaindre plus tôt. N'avez-vous pas des parents, des amis qui méritaient votre confiance ? – Hélas ! répondit-elle, il n'est ainsi que depuis quinze jours. » La gravité de M. T. fut tout à fait déconcertée à ce trait ; il ne put s'empêcher de rire, et lui dit que les lois ne pouvaient remédier à de tels malheurs : mais cela ne la satisfit point ; elle sortit, en disant à M. T., qu'elle s'adresserait à un jeune légiste, de sa connaissance, qui en saurait probablement plus que lui sur ces matières-là.

L'aveu délicat
Une dame disait à un jeune homme d'une très grande taille : « Je ne puis souffrir les hommes qui sont si grands. » Il fut piqué ; mais il aimait la dame, il tâcha de s'en faire aimer ; il réussit. La belle était vaincue ; l'embarras était d'avouer sa défaite. Un jour qu'elle semblait plus rêveuse qu'à l'ordinaire, son amant lui demanda à quoi elle pensait si sérieusement : « Je pense, dit-elle, que... que vous rapetissez tous les jours. »

Le marquis de l'Etorière
Le marquis de l'Étorière, officier au régiment des Gardes-Françaises, le plus bel homme qui fût dans Paris, fut une fois cruellement dupe de la bonne opinion qu'il ne pouvait manquer de prendre de lui-même, d'après l'admiration générale dont il était l'objet. Se trouvant au milieu de la foule, dans l'église de Quinze-Vingts, à la messe de midi, il se sentit pressé de côté : assez singulièrement pour se retourner avec vivacité vers son voisin. Celui qui le serrait ainsi lui dit : « Monsieur, voudriez-vous bien vous tourner de l'autre côté ? —Pourquoi donc, Monsieur ? – Puisque vous me forcez de l'avouer, Monsieur, c'est que je suis peintre, et mon camarade, qui est dans la tribune à gauche, chargé par une jolie dame de faire votre portrait, me fait signe sur l'attitude dans laquelle il voudrait vous saisir. » M. de l'Étorière doute d'autant moins de la vérité de cette assertion, qu'il aperçoit en effet en haut un homme qui avait les

yeux sur lui, et auquel il crut voir un crayon en main. À mesure qu'il se sent touché, il a grand soin de prendre la position qu'il croit lui être indiquée. Quelques minutes après, son voisin lui dit : « Monsieur, je vous suis obligé ; ne vous gênez plus : c'est fait. – Ah ! Monsieur, repartit le marquis, on ne peut être plus leste. » Le prétendu peintre s'esquive dans la foule, et M. de l'Étorière fouillant dans ses poches, s'aperçoit que l'histoire du portrait n'avait été qu'une ruse pour lui voler sa bourse, sa montre, sa boîte, et tout ce qu'il avait de bijoux sur lui.

La goutte

Monsieur le maréchal de ** était un de ces hommes que le monde désigne par le nom d'hommes de plaisir. Il avait conservé, jusque dans la vieillesse, les habitudes qu'il avait prises étant jeune : il arriva qu'un jour, étant au lit, le duc de *** vint le voir et entra familièrement dans sa chambre, parce qu'on lui avait dit qu'il était dans les douleurs d'un accès de goutte. Le duc, après les compliments ordinaires, s'assied et entre en conversation ; mais bientôt remarquant que les rideaux étaient fermés soigneusement, les couvertures relevées et le maréchal un peu embarrassé, il soupçonna que celui-ci n'était pas seul, et il n'en put plus douter lorsqu'il aperçut sous le lit un soulier de femme. « Je vois avec plaisir, lui dit-il alors, que vous n'êtes pas dans l'état où l'on m'avait dit que vous étiez. – Je suis, répondit le maréchal, prodigieusement tourmenté dans les pieds. – Parbleu, je n'en suis point surpris, puisque vous vous servez de chaussures aussi étroites, répliqua le duc, en lui montrant le soulier qu'il avait découvert. » Le maréchal ne put s'empêcher de rire, et, renonçant à toute réserve, il dit au duc : « Vous avez raison, je m'en procurerai une autre paire. »

La consigne interprétée par un Suisse

Autrefois, à Versailles, il était d'usage, le jour de la Fête-Dieu, de sortir les tapisseries des Gobelins, en réserve au château, pour les tendre sur le passage de la procession. Comme ces tapisseries étaient dès lors, comme aujourd'hui, des morceaux d'une grande valeur, on prenait quelques précautions pour les préserver de tout accident. L'usage le plus habituel était de les faire garder par un des soldats de la maison du roi. Un Suisse fut, un jour de Fête-Dieu, chargé à son tour de cette surveillance.

« Tu vas te placer là, en face de ces tapisseries, lui dit son colonel, et tu te promèneras de long en large, avec une baguette à la main, sans faire semblant de rien. » Il était onze heures du matin. La procession passe, on rentre les tapisseries. Le soir, vers neuf heures, le colonel passe, en se rendant au château pour son service, dans la rue où, le matin, il avait placé son homme, et le retrouve continuant de se promener de long en large, en agitant agréablement sa baguette. « Eh ! Que fais-tu là, à cette heure ? lui dit le colonel étonné. – Mon colonel, je fais semblant de rien. » L'officier supérieur se rappelle alors sa consigne du matin et se hâte de congédier, en riant, cette innocente victime de la fidélité à ses devoirs militaires. Le brave soldat n'avait apparemment vu dans cette consigne autre chose que l'ordre de faire semblant de rien.

Anachronismes en peinture

On accuse avec raison Virgile d'avoir commis un anachronisme en faisant Énée et Didon contemporains, tandis qu'il est constant que Didon n'a vécu que trois cents ans après la prise de Troie. Mais, il faut bien le dire, l'anachronisme chez les poètes est souvent volontaire, et peut presque toujours leur être pardonné ; la même licence ne saurait être accordée aux peintres. C'est donc ou par abus ou par ignorance que, dans son tableau de la *Circoncision*, regardé comme un chef-d'œuvre de l'art, le peintre Cigoli représente le vieillard Siméon considérant l'enfant Jésus avec des lunettes, qui furent inventées plus de dix siècles après ; ou qu'un autre peintre, non moins célèbre, revêt d'une étole l'ange Gabriel saluant Marie, dans un tableau de *l'Annonciation* qu'on allait admirer autrefois dans le chœur de l'église des Carmélites de Paris.

Ces anachronismes ne sont rien en comparaison de celui que commit l'auteur d'un tableau qu'on voit à Anvers et qui représente le sacrifice d'Abraham. Cet obéissant serviteur de Dieu est sur le point d'accomplir l'ordre qu'il a reçu, en tuant son fils d'un coup de fusil, lorsqu'un ange prévient le sacrifice et mouille la poudre du bassinet par un moyen dont la décence ne permet pas la description.

Vanité d'un pédant

Nul mortel peut-être ne porta la présomption et l'amour-propre plus loin qu'un certain Segerus, poète lauréat et recteur de l'université de Wittemberg, au commencement du dix-septième siècle. Il osa faire graver son portrait au-dessous d'un crucifix, avec cette inscription : « Seigneur Jésus, m'aimez-vous ? » Et Jésus lui répondait : « Oui, très illustre, très excellent, très docte seigneur Segerus, poète lauréat de Sa Majesté Impériale, et très digne recteur de l'université de Wittemberg ; oui, je vous aime. »

L'indisposition

Un homme s'étant embarqué dans un navire pour les Indes, l'envie de vomir le prit si fortement, qu'il dit au capitaine du navire : « Monsieur, je vous prie de faire arrêter votre vaisseau, parce que je veux vomir. »

Un grand malheur

Un Parisien qui se trouvait avec sa femme dans le convoi du chemin de fer, lors de l'épouvantable catastrophe du 8 mai 1842, se sauva par miracle ; sa femme y resta et périt. Notre homme revint chez lui, mais il s'aperçut en rentrant qu'il avait perdu son parapluie ; il alla le lendemain le réclamer à la préfecture de police. On ne l'avait point retrouvé. – Quand il raconte cette histoire, il ne manque jamais de dire : « J'y ai perdu ma femme et mon parapluie, un parapluie tout neuf. »

Le chocolat de Mme d'Esclignac

Les petites terreurs d'une jolie femme ne sont, le plus souvent, que des minauderies : à un certain âge, elles deviennent des ridicules.

La vieille comtesse d'Esclignac, qui réunissait journellement chez elle la plus nombreuse société de Paris, se rendait le jouet de tous ceux qui la composaient, par ses craintes extravagantes. Une salière renversée, des fourchettes en croix, des fourmis ailées, etc., la faisaient trembler. Mais l'objet de son plus grand effroi était les puces enragées. Elle prétendait que rien ne devait être plus commun, et n'était si dangereux, ce petit insecte ayant pu sucer le sang d'un chien attaqué de la rage, et communiquer par sa morsure cette affreuse maladie. Aussi prenait-elle contre les puces autant de précautions qu'un voyageur prudent en emploie contre les tigres, dans les déserts de l'Afrique.

Elle était très vaporeuse, se croyait toujours malade, et son médecin, le docteur Bouvart, lui avait prescrit un régime bien facile. Il s'agissait de boire tous les jours, à son lever, un verre d'eau fraîche, de prendre, une demi-heure plus tard, une tasse de chocolat, et immédiatement après, un autre verre d'eau. Un matin, elle ne pensa pas à la première partie de

l'ordonnance, et sa distraction dura jusqu'à ce qu'elle eût pris son chocolat et le verre d'eau qui devait le suivre. Tout à coup elle s'aperçut de son
oubli, et fut dans le plus grand désespoir. Son médecin est appelé ; il la
trouve dans une agitation telle qu'elle lui avait donné un mouvement de
fièvre. Il la questionne : elle lui fait part de son inquiétude, du motif qui
la causait, et il s'aperçoit qu'en effet c'est le premier et l'unique motif de
sa situation. « Vous avez eu raison de m'appeler, lui dit-il, le cas est
grave ; mais heureusement il est encore temps d'y remédier. J'ai voulu
que, pour ne pas vous incommoder, votre chocolat se trouvât entre deux
eaux : prenez un lavement, le même objet sera rempli. » Elle sentit la
force de ce raisonnement, se hâta d'exécuter l'ordonnance, et fut guérie.

Crânerie
On appelle crâne un écervelé, un tapageur. Un certain de Boffre, officier d'artillerie, d'une noblesse assez ancienne, disait à une petite couturière qu'il avait épousée : « Ma femme, sais-tu que je suis plus noble que
l'empereur d'Allemagne, et que, si j'étais crâne, je le ferais descendre de
son trône ? – Va, mon bon ami, lui répondait sa femme, plus sensée que
lui, puisque l'empereur y est, il faut l'y laisser. »

Naïvetés de M. de Bétancour
M. de Bétancour, qui logeait près du Louvre, avait beaucoup à se
plaindre des blanchisseuses voisines qui, avec leurs battoirs sans cesse
en mouvement, l'empêchaient de dormir. Une fois, outré de colère, il
s'écria : « Si je ne me retenais, j'irais mettre le feu à la rivière.»

Un jour, voyant un homme qui louchait en lisant : « Cet homme-là doit
être doublement savant, dit-il, car il lit deux pages à la fois. »

Il tomba malade ; son médecin lui ayant demandé s'il n'avait rien pris
dans la journée : « Pardonnez-moi, répondit-il, j'ai pris une mouche.»

Les naïvetés d'une vieille fille
Mademoiselle Philidor, descendante du célèbre banquier de ce nom,
âgée de plus de quarante ans, et ayant renoncé au mariage, avait conservé toute la naïveté de l'enfance, ce qui la rendait souvent le plastron des
plaisanteries d'une société aimable qu'elle fréquentait habituellement.

Deux personnes causant tout bas en sa présence, elle eut la curiosité de
s'approcher et de demander le sujet de la conversation. « Nous parlions,

dit l'un d'eux, de choses qu'une jeune fille ne doit pas entendre. – Ce que vous dites là, monsieur, est fort déplacé, répondit-elle d'un air piqué ; apprenez que je ne suis fille que de nom. »

Se trouvant par la mort de son frère en possession d'un vignoble considérable, elle voulut, selon qu'on y était obligé par la loi, faire la déclaration de la quantité de vin qu'avait produite sa récolte. Elle demanda à quelqu'un de la société à qui il fallait s'adresser pour remplir cette formalité ? On lui indiqua malicieusement le notaire des cas fortuits, c'est-à-dire, l'homme chargé de recevoir et d'enregistrer les déclarations de grossesse, C'était un vieillard assez bourru, qui, en la voyant paraître, lui demanda d'un ton brusque : « Que voulez-vous ? – Monsieur, je viens faire ma déclaration. – Vous ! à votre âge ! – Eh, pourquoi pas à mon âge ? Fallait-il vous envoyer à ma place un enfant ? – Point de sottes plaisanteries ; venons au fait. De qui tenez-vous cela ? — De mon frère. – Comment, malheureuse, de votre frère ! – Que veulent dire ces termes-là ! Quoi, vous m'insultez ! » La conversation continua ainsi très vivement en quiproquo de part et d'autre, et ce ne fut qu'après s'être expliqués avec un peu plus de calme des deux côtés qu'on parvint à s'entendre, et que mademoiselle Philidor fut convaincue du tour perfide qu'on lui avait joué.

Le vrai chemin de Newgate
Un villageois demandait le chemin de Newgate (prison de Londres). Un plaisantin qui l'entendit s'offrit de le lui montrer. « Traversez le ruisseau, lui dit-il, entrez chez le bijoutier en face, prenez deux gobelets en argent, décampez avec, et dans deux minutes vous serez à Newgate. »

Les épinards
Madame de B. disait un jour naïvement, étant à table : « Je n'aime pas les épinards, et j'en suis bien aise, car si je les aimais, je voudrais toujours en manger, et je ne puis pas les souffrir.»

La leçon de lecture
Le maire du petit village de Talans en Bourgogne, avait, à ce titre, droit de séance aux États de la province, et celui de manger à la table du prince de Condé, lorsqu'il venait présider aux États. Celui qui possédait cette place était un bon paysan d'assez mince apparence, mais ne man-

quant pas d'un certain esprit ; d'ailleurs fort content de jouir de sa préro-
gative. Les jeunes pages qui servaient à table imaginèrent de s'amuser à
ses dépens. À mesure qu'on mettait quelques mets sur son assiette, celui
qui était derrière lui la lui enlevait avant qu'il eût eu le temps d'y toucher,
et lui en donnait une vide. Ce petit divertissement, qui le faisait rester à
jeun au milieu d'une excellente table, commençait à l'ennuyer. On venait
de lui servir une aile de faisan, et on allait la faire disparaître, lorsqu'il
donna un coup sec du manche de son couteau sur les doigts du petit espiègle qui retira bien vite la main. Le prince qui était jeune, et qui s'était
amusé de cette plaisanterie, sans faire semblant de la voir, lui dit :
« Qu'est-ce donc que cela, monsieur le maire ? vous battez mes pages ! –
Oh, non, monseigneur, répondit-il ; je leur apprends à lire : ils prennent
les L (ailes) pour des O (os). » Le prince rit beaucoup du calembour, et fit
cesser le badinage.

Les trois questions du grand Frédéric

Frédéric le Grand avait coutume, toutes les fois qu'un nouveau soldat
paraissait au nombre de ses gardes, de lui faire ces trois questions :
« Quel âge avez-vous ? Depuis combien de temps êtes-vous à mon service ? Recevez-vous votre paye et votre habillement comme vous le désirez ? » Un jeune Français désira entrer dans la compagnie des gardes. Sa
figure le fit accepter sur-le-champ ; mais il n'entendait pas l'allemand.
Son capitaine le prévint que le roi le questionnerait dès qu'il le verrait, et
lui recommanda d'apprendre par cœur, dans cette langue, les trois réponses qu'il aurait à faire.

Il les sut bientôt, et le lendemain Frédéric vint à lui pour l'interroger ;
mais il commença par la seconde question et lui demanda : « Combien y
a-t-il que vous êtes à mon service ? – Vingt et un ans, répondit le soldat.
Le roi, frappé de sa jeunesse, qui ne laissait pas présumer qu'il eût porté
le mousquet si longtemps, lui dit d'un air de surprise : « Quel âge avez-
vous ? – Un an, sous le bon plaisir de Votre Majesté. » Frédéric, encore
plus étonné, s'écria :« Vous ou moi avons perdu l'esprit. » Le soldat, qui
prit ces mots pour la troisième question, répliqua avec fermeté : « L'un et
l'autre, n'en déplaise à Votre Majesté. – Voilà, dit Frédéric, la première
fois que je me suis vu traiter de fou à la tête de mon armée. » Le soldat,
qui avait épuisé sa provision d'allemand, garda pour lors le silence ; et
quand le roi, se tournant vers lui, le questionna de nouveau pour péné-

trer ce mystère, il lui dit en français qu'il ne comprenait pas un mot d'allemand. Frédéric, s'étant mis à rire, lui conseilla d'apprendre la langue qu'on parlait dans ses États, et l'exhorta d'un air de bonté à bien faire son devoir.

Le lait qui monte

Une servante apportant le mémoire du mois à son maître, il y avait pour trente francs de lait. « Comment ! dit notre homme, je dois tant que ça à la laitière ?— Mon Dieu, oui, monsieur ; c'est qu'il n'y a rien qui monte comme le lait. »

Un mari singulier

Spirituel et bonhomme, M. Howe jouissait de 10,000 livres sterling de rente. Il lui prit fantaisie de se marier, et il épousa miss Mallet, jeune fille fort jolie. Le jour de ses noces, après avoir soutenu, à déjeuner, que toutes les femmes sont infidèles, et qu'il était impossible de compter sur leur affection, il se leva, et dit à sa jeune épouse qu'il était obligé de sortir pour aller à la Tour où des affaires l'appelaient. Vers quatre heures, il lui envoie un billet par lequel il lui apprend que des circonstances imprévues le forcent de partir sur-le-champ pour la Hollande. Madame Howe espérait que cette absence ne serait pas de longue durée ; mais elle comptait sans son hôte : pendant quinze ans elle n'entendit plus parler de son mari. Voici de quelle nature avait été le singulier voyage de M. Howe. Il avait choisi un petit logement tout au bout de la rue même qu'habitait sa femme, chez un chaudronnier auquel il donna six shillings par semaine. Il changea de nom ; et comme il y avait peu de temps qu'il demeurait à Londres, il ne fut reconnu de personne. À trois portes de la maison de sa femme se trouvait un petit café qu'il fréquentait. Trois ans après son évasion, il trouva dans ce café un journal qui lui apprit que sa femme venait d'adresser une pétition au Parlement pour nommer des arbitres qui réglassent les affaires de son mari, dont la vie ou la mort était incertaine. Il suivit avec beaucoup d'attention les détails et les progrès de l'affaire qui se termina comme le désirait la veuve. Dix ans s'écoulèrent. Madame Howe changea de logement, alla demeurer de l'autre côté de la rue, chez un nommé Salt, que le mari avait rencontré dans le petit café.

Lorsque M. Howe apprit cette circonstance, il se lia plus étroitement avec Salt, et finit par aller habiter une chambre de sa maison. De cette chambre, qui n'était séparée que par une cloison de celle de madame Howe, on voyait, on entendait tout ce qui se faisait à côté. Salt, qui croyait son nouvel ami garçon, et ne le connaissait point sous son véritable nom, lui conseilla vivement d'épouser sa locataire, celle qu'il regardait comme la veuve Howe. Enfin l'anniversaire même du jour du départ de M. Howe, et dix-sept ans après, madame Howe se trouvait à table avec sa sœur et son beau-frère, quand un domestique inconnu apporta un billet sans signature, dont l'auteur anonyme suppliait madame Howe de se rendre le lendemain matin à dix heures au parc Saint-James, près de la volière. « Allons, dit madame Howe en jetant le billet à sa sœur, toute vieille que je suis, j'ai encore des amoureux. » La jeune sœur prenant le billet et l'examinant avec attention, s'écria : « C'est l'écriture de M. Howe ! » Mistress Howe, qui avait aimé ce singulier mari, s'évanouit. Il fut convenu que le lendemain son beau-frère et sa sœur l'accompagneraient au rendez-vous. Ils s'y trouvaient depuis cinq minutes, quand M. Howe, d'un air dégagé, s'approchant de sa femme, et lui parlant comme s'il l'eût quittée de la veille, l'embrassa, lui donna le bras, et rentra chez lui. Dix-sept ans s'étaient écoulés entre le jour des noces et la nuit des noces.

L'histoire ajoute que ces époux vécurent heureux, et qu'ils eurent plusieurs enfants qui ne contribuèrent pas peu à cimenter ce bonheur.

Un paysan avisé

Un paysan consultait un avocat sur son affaire. Après l'avoir examinée, l'avocat lui dit : « Ton affaire est bonne. » Le paysan le paye, et dit : « À présent, monsieur, que vous êtes payé, dites-moi franchement si vous trouvez ma cause aussi bonne qu'auparavant. »

Moucher la chandelle

On parlait devant Charles-Quint d'un homme qui se vantait de n'avoir jamais eu peur. « Il faut, dit l'empereur, que cet homme n'ait jamais mouché de chandelle avec ses doigts. »

La mappemonde du cardinal Gaëtano

Prosper Lambertini, Benoît XIV, était naturellement gai ; il prenait quelquefois son médecin même pour l'objet de ses plaisanteries. Lusini, c'était le nom du docteur, y donnait assez souvent lieu par une passion poussée à l'excès pour la géographie. Le saint-père aimait beaucoup le cardinal Gaëtano, affligé d'une maladie fort incommode. Le pape avait trouvé une expression qui lui sauvait, lorsque Gaëtano venait lui faire sa cour, le désagrément de lui demander comment allaient ses hémorroïdes : « En quel état est votre mappemonde ? « lui demandait-il. « Docteur, dit un jour Benoît XIV à Lusini, vous croyez connaître toutes les cartes singulières possibles ; eh bien ! vous n'avez sûrement rien vu de comparable à la mappemonde que possède le cardinal Gaëtano. – Est-il possible ? s'écria le médecin géographe. En vérité, je ne savais pas que Son Éminence eût un trésor semblable. — Oh ! répliqua le saint-père, le cardinal n'a que cette mappemonde, mais ce n'en est pas moins une fort belle chose à voir, et je vous en réponds. Allez en ce moment chez lui, et demandez-lui de ma part le plaisir de l'examiner. » Le docteur court à l'instant chez l'éminence, et s'annonce au nom du pape, en expliquant le motif de sa visite. Le cardinal était au lit, et souffrait beaucoup. « Que Sa Sainteté est bonne ! s'écria-t-il, et comment pourrai-je jamais reconnaître tant d'attention ? » Alors Gaëtano s'arrange derrière ses rideaux, les soulève ensuite, et étale aux yeux de l'amateur la mappemonde la plus fournie, la plus arrondie, la plus singulière qui existât dans Rome. À cette vue, Lusini demeure pétrifié. « Eh bien ! docteur, lui dit le cardinal, faites donc librement votre examen, et allez rendre compte au pape de l'état déplorable où je me trouve. » Lusini, outré du tour qu'on lui a joué, n'en veut pas entendre davantage, retourne furieux au palais du pontife, et l'accable de reproches. Le pape en rit jusqu'aux larmes.

Les premiers rôles

Un comédien disait à un de ses amis : « On m'offre de jouer les premiers rôles dans une autre troupe ; j'ai envie d'y passer ; qu'en penses-tu ? – Peut-être feras-tu bien, répond l'ami sincère, d'autant mieux que tu n'es pas propre aux seconds rôles. »

Une harangue

Un homme très âgé, ayant été nommé maire d'un petit village, et voulant remercier les villageois du choix qu'ils avaient daigné faire de lui, il rassemble tous les paysans et commence ainsi sa harangue : « Mes amis, je n'oublierai jamais le jour où vous avez daigné mettre mes cheveux blancs à votre tête. »

Les deux parties d'échecs

L'archevêque de Cantorbéry rencontra un jour, dans une forêt qu'il traversait souvent, un homme assis par terre, placé devant un échiquier, et qui paraissait fort occupé. « Que fais-tu là, mon ami ? – Monseigneur, je joue aux échecs. – Comment ! Tu joues aux échecs seul ? – Non, monseigneur, je joue avec le bon Dieu. – Avec le bon Dieu ? Il t'en doit coûter fort peu quand tu perds. – Mais, monseigneur, pardonnez-moi, nous jou40ons gros jeu et je paye exactement. Attendez un moment, vous me porterez peut-être bonheur ; et je suis aujourd'hui d'un guignon affreux... Aïe ! me voilà échec et mat. » Et l'archevêque de rire de tout son cœur. Le joueur tire du plus grand sang-froid trente guinées de sa poche, et les donne au prélat. « Monseigneur quand je perds, le bon Dieu envoie toujours quelqu'un pour recevoir ce qui lui revient : les pauvres sont ses trésoriers : ne balancez pas à prendre cet argent et à le leur distribuer ; c'est le prix de cette partie. » L'archevêque eut beau résister, il fut obligé d'emporter les trente guinées. Un mois après le prélat repasse par la même forêt et voit encore son joueur dans la même attitude que la première fois. Celui-ci, dès qu'il l'aperçoit, l'engage à s'approcher. « Monseigneur, j'ai cruellement perdu depuis que nous ne nous sommes vus ; mais je tiens une bonne revanche... : ma foi, voilà le bon Dieu échec et mat. – Eh bien ! dit l'archevêque, qui te payera ? – Apparemment que ce sera vous, monseigneur ; je jouais trois cents guinées, et le bon Dieu m'envoie toujours, quand je gagne, quelqu'un qui paye aussi exactement que je fais quand je perds. J'ai même dans ce bois quelques amis qui vous l'attesteront, si vous refusez de m'en croire sur parole. » Il fallut bien que le prélat payât, et il le fit sans attendre qu'il y fût provoqué par les amis de la forêt.

Flatterie adroite

Le prince de Conti, père du dernier de ce nom, avait invité l'abbé de Voisenon à dîner. L'abbé oublia le jour et n'y alla pas. Le lendemain, un ami le rencontre et lui dit : « Monseigneur a été hier de fort mauvaise humeur contre vous. » L'académicien convint de son tort, et ne manqua pas de se trouver un jour d'audience chez le prince pour lui faire ses excuses. Dès que son Altesse l'aperçut, elle lui tourna le dos sans le regarder. « Ah ! monseigneur, s'écria l'abbé, je suis pénétré de reconnaissance. On m'avait dit que vous m'en vouliez, mais je vois le contraire. –

Comment ? dit le prince. – Votre Altesse me tourne le dos, et ce n'est pas son usage d'agir ainsi devant ses ennemis. »

Calembour historique

Du vivant même de Henri IV, Concini, marquis d'Ancre, était déjà en faveur auprès de la reine Marie de Médicis. Aussi, quand elle devint enceinte, le peuple de Paris disait : « L'enfant de la reine ne saurait être blanc, car il est *d'Ancre*. »*

La boue de Paris

Un plaisantin disait : La boue de Paris a deux grands inconvénients ; le premier est de faire des taches noires sur des bas blancs : le second de faire des taches blanches sur des bas noirs

Le cocher de Frédéric-le-Grand

Le cocher du roi de Prusse ayant versé, Frédéric entra dans une colère épouvantable. « Eh bien ! lui dit le cocher, c'est un malheur : et vous, n'avez-vous jamais perdu une bataille ?»

Une aventure de Mézerai

Mézerai, historiographe de France, et qui jouissait en cette qualité, ainsi que par le produit de ses ouvrages, d'une fortune assez considérable pour le temps, était toujours fort mal et fort malproprement vêtu. Il alla un jour, dès le matin, chez son charron, pour faire mettre une roue à sa voiture. Pendant que l'on y travaillait, il se tint à la porte à attendre, coiffé d'un bonnet de laine et chaussé de vieilles pantoufles. Des archers, particulièrement destinés à arrêter les mendiants, et qui, dans l'ancien régime, étaient connus sous la dénomination d'*archers des gueux*, vinrent à passer près de Mézerai, qu'à sa mine et à sa mise ils prirent pour un gueux. Ils l'arrêtent et lui ordonnent de les suivre. L'historiographe, à qui la méprise ne déplut pas, parce qu'il aimait les aventures, dit à ces alguazils : « Messieurs, j'ai beaucoup de peine à marcher à pied, je vous prie donc d'attendre un instant : on achève de mettre une roue à ma voiture ; dès qu'elle sera en état, je monte dedans et je vous suis. »

L'amour-propre

« L'amour-propre, a dit un auteur, est semblable à l'avarice : il ne laisse rien traîner. L'une se baisse pour ramasser une guenille, et l'autre le plus plat éloge. »

Le baromètre du docteur Hugh

Le docteur Hugh, mort évêque de Worcester, était le savant le plus doux et le plus aimable qu'il y eût. Il possédait un baromètre très curieux : il l'avait payé 200 guinées. Un jeune homme dont la famille était très attachée à ce prélat, passant un jour à Worcester, crut devoir lui faire une visite : il fut très bien accueilli. Or il arriva que le laquais qui lui avança un fauteuil fit tomber le baromètre : l'instrument fut brisé en mille pièces. Le jeune homme, au désespoir d'être la cause innocente de l'accident, cherchait à excuser le domestique auprès de son maître, qui lui dit en souriant : « N'en parlons plus ; le temps a été très sec jusqu'à présent ; j'espère qu'enfin nous aurons de la pluie : je n'ai jamais vu mon baromètre si bas. »

Le barbier de la Bastille

Peu de jours après son arrivée à la Bastille, Linguet voit entrer dans sa chambre un grand homme sec qui lui causa quelque frayeur. « Qui donc êtes-vous, monsieur ? lui dit-il. – Je suis le barbier de la Bastille. – Parbleu ! vous auriez bien dû la raser. »

Amour maternel

Des voleurs condamnés à être pendus sortaient d'une prison de Londres. L'un d'eux rencontre sa mère et le colloque suivant s'engage entre elle et lui : « Où vas-tu, mon enfant ? – À la potence, ma mère. – Eh bien ! mon petit, veux-tu être bien gentil ? Ne te fais pas pendre avec les beaux habits du dimanche, fais-m'en cadeau ; je t'assure que pour être pendu, ta veste de tous les jours est tout ce qu'il faut. »

L'art de réussir

Un homme qu'un grand mérite (*c'est-à-dire l'art de plaire par mille riens charmants*) avait fait parvenir à une place éminente, éprouvait, depuis un an, la persévérance d'un jeune homme auquel il avait promis un emploi. Un beau jour, le solliciteur réussit à faire lire un mémoire qui se trouva si bien fait, qu'on lui demanda quel en était l'auteur. « C'est moi, monsieur, répond modestement le jeune homme, et je l'ai mis en vers pour vous le présenter ainsi, dans le cas où vous préféreriez la poésie à la prose. – En vers ? mais c'est fort bien, ça. Diable ! voyons donc vos vers. Ils sont charmants. – Monsieur, j'ai mis encore le mémoire en musique. – Oh ! voilà qui est plaisant ! Voyons donc la musique. – La voilà ; mais si monsieur veut me procurer un violon, je la lui jouerai. – Oui-da. » Le jeune virtuose joue, et, remettant le violon, ajoute : « Je sais que monsieur est grand musicien ; s'il veut prendre la peine de jouer lui-même la pièce, je la danserai. » Cela parut si plaisant au Mécène, qu'il joua le mémoire, tandis que le suppliant le dansait. « Oh ! ma foi, vous êtes unique, mon cher. Charmé de vous connaître, je vous fais mon secrétaire, et par-dessus chef dans tel de mes bureaux. – Monsieur, assurément, ma reconnaissance... – Non, vous avez des talents, vous êtes un homme comme il m'en faut. » L'homme qui savait rimer, chanter, jouer du violon, danser, mais pas un mot de la besogne qui lui était confiée, fit une brillante fortune. Ainsi va le monde.

La réparation

Un curé de village, scandalisé de la chanson du mirliton, s'éleva fortement, dans un prône, contre ceux qui la chantaient. Le lendemain, une de ses paroissiennes lui demanda pourquoi le mirliton avait si fort allumé son zèle. « Ce n'est, lui dit-elle, autre chose que la gaze que je porte sur la tête. — Ma foi, dit le curé, je n'en savais rien : dimanche prochain, je réparerai cela. » En effet, au prône suivant, il dit à ses paroissiens : « Mes frères, je vous ai beaucoup gourmandés dimanche dernier sur le mirliton ; mais, depuis que j'ai vu celui de mademoiselle Javotte, j'ai trouvé que c'était si peu de chose, qu'en vérité il ne valait pas la peine d'en parler. »

La cervelle de M. de la Feuillade

Au siège de Landrecies, en 1655, M. de La Feuillade fut blessé d'un coup de mousquet à la tête. Les chirurgiens dirent que la blessure était dangereuse et qu'on voyait la cervelle. « Eh bien ! Messieurs, dit La Feuillade, faites-moi le plaisir d'en prendre un peu tout proprement, et, que je vive ou meure, de l'envoyer au cardinal Mazarin, qui a coutume de répéter que je n'en ai pas. »

Un enfant terrible

Une petite fille jouait aux Tuileries, sur les genoux d'un élégant petit-maître qui brûlait de lier conversation avec la maman. « Comment s'appelle madame votre mère ? demande le monsieur. – Madame ma maman, s'appelle mademoiselle Fanny » répond l'enfant avec une terrible naïveté.

La bonne compagnie (apologue oriental)

« Es-tu de l'ambre ? disait un sage à un morceau de terre qu'il avait ramassé dans un bain, et qui était très odoriférant. Tu me charmes par ton parfum. – Non, dit le morceau ramassé ; je ne suis qu'une terre vile, mais j'ai habité quelque temps avec la rose. »

Le comte d'Alets à Lyon

Le comte d'Alets, passant par Lyon, fut conduit chez le lieutenant du roi, qui, ne le connaissant pas, le reçut avec hauteur et lui dit : « Mon ami, vous arrivez de Paris ; que dit-on dans ce pays-là ? – Des messes, répondit le comte. – J'entends bien ; mais quel est le bruit commun ? – Celui des charrettes et des fiacres. – Mais je vous demande ce qu'il y a de nouveau ? – Des pois verts. » Le lieutenant, surpris qu'on osât lui répondre de cette sorte : « Mon ami, comment vous appelez-vous ? – Les sots à Lyon m'appellent mon ami, et à Paris on m'appelle le comte d'Alets. »

Le revenu du mendiant

Un mendiant qui n'était affligé que d'une légère infirmité, rencontre un jour un individu de la même profession dont la vue faisait horreur. « Combien gagnes-tu par jour ? lui dit-il. – Quarante sous. – Quarante sous ! reprend l'autre, je ne donnerais pas ma journée pour vingt francs, si j'avais le bonheur d'être aussi infirme que toi. »

Garrick et lord Chesterfield

Le célèbre comédien Garrick se trouvant dans un grand besoin d'argent s'adressa un jour à lord Chesterfield et lui emprunta 50 livres sterling, en lui promettant de les lui rendre un mois après. À l'époque dite, Garrick fut exact et rendit les 50 livres. Quelque temps après, il se trouva de nouveau dans le cas de recourir à l'obligeance de lord Chesterfield. « Milord, lui dit-il, je viens vous prier de vouloir bien aujourd'hui me prêter vingt-cinq livres ; l'exactitude que j'ai mise à m'acquitter dernièrement, vous disposera sans doute à accueillir favorablement ma nouvelle demande. — Vous vous trompez, mon cher Garrick ; on ne m'attrape pas deux fois. »

Un arrêt motivé

Le premier président de Bellièvre était un homme de très grand mérite et de fort bonne compagnie. Il aimait la bonne chère, et se piquait d'avoir le meilleur vin de Paris. Sortant un jour de la grand'chambre, il trouve le comte de Fiesque avec MM. Manicamp et de Jonsac, qui l'abordèrent avec un placet à la main, dont la teneur était : « Nous supplions très humblement monseigneur le premier président de vouloir ordonner à son maître d'hôtel de nous donner six bouteilles de son excellent vin de Bourgogne, que nous comptons boire ce soir, à tel endroit, à la santé de sa grandeur. » M. de Bellièvre, avec un air de grave magistrat, prend son crayon et met au bas du placet : « Bon pour douze bouteilles, attendu que je m'y trouverai. »

La leçon ingénieuse

Le cheval favori de l'empereur Tsi étant mort par la négligence de l'écuyer qui en avait la garde, l'empereur en colère voulut percer cet officier de son épée. Le mandarin Yem-Tse para le coup, en disant : « Seigneur, cet homme n'est pas encore convaincu du crime pour lequel il doit mourir. — Eh bien ! fais-le-lui connaître. — Écoute, scélérat, dit le ministre, les crimes que tu as commis : d'abord tu as laissé mourir un cheval que ton maître avait confié à tes soins ; ensuite tu es cause que notre prince est entré dans une telle colère qu'il a voulu te tuer de sa main ; enfin tu es cause qu'il a été sur le point de se déshonorer aux yeux de tout le monde en tuant un homme pour un cheval. Tu es coupable de tout cela, scélérat. – Qu'on le laisse aller, dit l'empereur, je lui pardonne son crime. »

Dominique et M. de Harlay

Dominique, le célèbre arlequin de la Comédie Italienne, joignait à beaucoup d'esprit et de talent des connaissances en tout genre. Un jour qu'il se trouvait dans une bibliothèque publique, il y rencontra le président de Harlay qui indiquait au bibliothécaire ce que renfermait un ouvrage dont il ne se rappelait pas le titre, et dans lequel il désirait faire quelques recherches. Le bibliothécaire ne devinait pas quel livre ce pouvait être. Dominique, qui les voyait en peine, désigna l'ouvrage sous son véritable titre. Le président, charmé de rencontrer un homme aussi éclairé, lie conversation avec lui et finit par l'inviter à dîner. Dominique accepte. La plupart des convives, qui connaissaient le comédien, ne furent pas peu surpris de le voir assis parmi eux. Ils n'en témoignèrent cependant rien au grave magistrat, si ce n'est après le dîner et en particulier. Le président, surpris et fâché d'avoir admis si familièrement à sa table un arlequin, voulut en témoigner sa mauvaise humeur à Dominique, en lui demandant assez brusquement qui il était.

« Monseigneur, répond l'aimable histrion, je suis votre parent et votre successeur. — Comment, dit M. de Harlay, encore plus surpris et plus fâché. – Oui, Monseigneur, votre bisaïeul n'était-il pas *Harlay premier* ? votre aïeul, *Harlay deux* ? Votre père, *Harlay trois* ? vous, Monseigneur, *Harlay quatre* ? et moi *Arlé-Quint* ? »»

Bon tour d'un curé

Un curé était tourmenté par la noblesse de son voisinage qui l'importunait fréquemment de ses visites et de sa gourmandise. Un jour qu'il arriva sept ou huit hobereaux chez lui, il leur fit bon accueil. « Messieurs, soyez les bienvenus. Çà ! que l'on se dépêche, garçon ! au vin, au colombier, au crochet, au poulailler, serviettes blanches ! » Disant cela, il prend un surplis, un bréviaire ; ce qui ne laissa pas que de les surprendre. « Où allez-vous donc si vite, monsieur le curé ? – Je reviens incontinent ; je ne ferai qu'aller et venir ; tandis que le dîner s'apprêtera, je vais réconcilier un pauvre pestiféré que j'ai confessé ce matin. » Ce disant, il sortit ; et soudain nos amateurs de sortir aussi, sans oser revenir de longtemps.

La vraie politesse

Louis XIV avait entendu vanter lord Stair comme un homme si bien élevé qu'il n'avait jamais commis la moindre impolitesse. « Je le mettrai à l'épreuve » dit le monarque, qui s'y connaissait. À quelques jours de là, le roi invite lord Stair à une promenade ; la portière du carrosse ouverte : « Montez, milord, » dit le prince. Milord Stair obéit, il entre le premier. « On ne se trompe pas, dit le roi, sur le caractère de cet homme-là ; un autre que lui eût fait des façons, et m'eût fort impoliment refusé par cérémonie. »

Calembour de M. de Talleyrand
On s'étonnait devant M. de Talleyrand, de l'audace avec laquelle un petit voleur en guenilles avait osé se mettre une magnifique cravate qu'il venait d'escamoter. « Parbleu ! dit le prince, ne voyez-vous pas que c'était pour mieux cacher son *coup* ? »

La discrétion
Un homme peu discret confia un secret à quelqu'un, et le pria instamment de n'en rien dire à personne. « Soyez tranquille, lui dit celui-ci, je serai aussi discret que vous. »

Le rôle
On jouait la comédie de société dans une petite ville de la Suisse. Une jeune demoiselle devait remplir un des rôles principaux de la pièce. Un peu avant qu'on levât la toile, la mère de la jeune personne s'avance, et, s'adressant à l'assemblée : « Mesdames, dit-elle, je voudrais bien que vous eussiez la complaisance de permettre que ma fille dît son rôle la première, parce que nous soupons en ville. »

La Vertu
Une bourgeoise jolie, et très vertueuse, avait inspiré une passion très forte à un grand seigneur, qui lui dit : « Votre vertu est tout ce que j'aime en vous. – Eh bien, Monsieur, ne m'exposez pas au danger de perdre tout ce que vous aimez. »

Le nom de Zoé
Une jeune dame désirait vivement une fille à qui elle pût donner le nom de Zoé, qu'elle trouvait le plus joli du monde. Enfin, dans une grossesse qu'elle eut, elle parvint à se persuader que celle fois-là elle aurait une fille, et toutes les commères du quartier, appelées auprès d'elle, la confirmèrent dans cette idée, et lui prouvèrent par mille symptômes observés et infaillibles que la chose ne pouvait manquer d'arriver comme elle le croyait. Malgré toutes ces prédictions, ce fut un garçon qui vint au monde. La mère était désolée. « Ah ! disait-elle, et le nom de Zoé que je

voulais lui donner ! – Va, va, lui dit son oncle, appelé pour être parrain, cela ne fait rien ; je l'ai cru comme toi, et je le nommerai Robinson *Cruzoé.* »

Les employés pur sang

L'expéditionnaire.— Il y a toujours, dans les administrations publiques, malgré le progrès des lumières et la rigueur des examens d'admission, des employés dont l'intelligence atrophiée finit par se machiniser. Le *M. Bellemain* de Scribe, ce commis fossile qui avait copié, mais qui n'avait pas lu, n'est point une fantaisie du poète. On le rencontre encore dans les ministères à l'état de réalité.

Un de ces crétins de la bureaucratie était chargé de transcrire une dépêche, dont l'analyse, établie en marge, portait, mais en caractères courus et à peine lisibles : *Demande de copie de pièces au ministre de la marine.* Le nouveau Bellemain copia de sa plus flambante écriture, et sans avoir lu sans doute : *Demande de coups de pied au Ministre de la marine.* - Heureusement que la dépêche fut collationnée avant d'être mise à la poste.

Une ordonnance de médecin

Un homme qui souffrait depuis longtemps d'une maladie grave, voyant que les remèdes que lui donnait son médecin n'amenaient aucune amélioration dans son état, se décida à rompre en visière à la faculté et à adopter un nouveau régime plus conforme à ses goûts et à son tempérament. En effet, à partir de cette époque, le Bourgogne et le rôti aidant, sa santé s'améliora rapidement et il fut bientôt en voie de guérison. Le médecin que le malade n'avait pas jugé convenable d'initier aux singulières modifications apportées au traitement de diète et de saignée suivi auparavant, s'en attribuait tous les résultats et se félicitait d'une si belle cure. Un jour, croyant le moment propice, il vint voir son patient et lui remit une ordonnance qui, disait-il, devait le débarrasser définitivement et sans retour du mal qui l'avait si longtemps fait souffrir. Celui-ci, qui n'était pas aussi convaincu que son Esculape, n'ouvrit même pas le papier et le jeta tout bonnement par la fenêtre dès que l'Esculape eut tourné les talons. Quelque temps après, le malade, plein de santé et de vie, se promenait tranquillement aux Tuileries ; son médecin passe et vient à lui tout fier et tout radieux. « Ah ! ah ! vous voilà ! Eh bien, que vous avais-je dit ? Vous avez, je le vois, suivi mon ordonnance. – À Dieu ne plaise ! je me serais infailliblement cassé le cou. – Comment ! Vous voulez rire, sans doute ? – Vraiment non ; car cette ordonnance, docteur, je l'ai jetée par la fenêtre. »

Le vol à la mélasse

Un individu se présente chez un de nos bons épiciers ; « Quatre livres de mélasse, s'il vous plaît ? » Le marchand prend sa cruche pleine du liquide demandé : « Mais où est votre pot, votre bouteille, n'importe quoi, enfin, pour la mettre ? dit-il à l'acheteur, au moment d'opérer le pesage. – Un pot ?... Ah ! oui certainement... le voici... » Et il tendit son chapeau. « Mais... Ah ! rassurez-vous, c'est un pari » reprend aussitôt l'inconnu : puis il jette immédiatement une pièce de cinq francs sur le comptoir. Le marchand, complètement rassuré, rit beaucoup et s'exécute. Possesseur de sa mélasse, l'acheteur prie le marchand de ne lui rendre que des pièces de 50 cts. Pour satisfaire cet autre désir, le marchand tire de son comptoir sa sébile à monnaie ; mais, au même instant, il se trouve collé du chapeau rempli de mélasse, et le liquide sucré lui dérobe complètement la vue. Quand il put enfin y voir clair, la monnaie, la pièce de cinq francs et le voleur, tout avait disparu. La mélasse et le chapeau seuls étaient restés.

Un caporal n'est pas un homme

Un soldat ivre, qui s'était pris de querelle avec son caporal, finit par lui dire : « Tais-toi, tu n'es pas un homme. – Je te prouverai le contraire, dit le caporal. – Jamais, reprend le soldat, c'est impossible ; écoute le major, quand il commande la garde, le matin à la parade, ne dit-il pas toujours : " Pour tel poste, six hommes et un caporal ?" Tu vois bien que les caporaux ne sont pas des hommes. »

Ce qu'il faut d'espace au bonheur

La révolution avait réduit madame Helvétius, d'un état de fortune très brillant, à une médiocrité dont elle savait faire la médiocrité de l'âge d'or : *aurea mediocritas*. Aussi n'avait-elle rien perdu de sa gaieté naturelle. « Vous ne savez pas, disait-elle un jour à Bonaparte, en se promenant avec lui dans son jardin d'Auteuil où elle était retirée, vous ne savez pas combien il reste de bonheur dans trois arpents de terre. »

Un valet prévoyant

Un valet s'étant présenté pour servir un mousquetaire connu par ses dissipations, celui-ci lui demanda s'il avait un répondant. « Comment l'entendez-vous ? répliqua le valet ; c'est moi qui vous en demande un pour sûreté de mes gages.»

Un de plus

Un hâbleur racontait le désastre du coche d'Auxerre, qui s'était brisé au pont de Montereau, et il ajoutait : « Quinze personnes ont péri dans la rivière (ce qui était vrai). – Les a-t-on retirées ? demanda son interlocuteur. – Oh ! oui, répondit-il on, en a même retiré dix-sept. »

Un compliment de Gascon

Un Gascon aimait fort une jolie fille, douée à la fois d'une grande douceur et d'un esprit très agréable. Un jour qu'il était auprès d'elle, pendant qu'elle travaillait à l'aiguille, elle se piqua jusqu'au sang et laissa échapper un petit cri de surprise et de douleur. « Ah ! Mademoiselle, s'écria-t-il, que faites-vous ? vous voulez donc vous tuer ? Ne savez-vous pas que toute blessure au cœur est mortelle ? Car vous avez de l'esprit jusqu'au bout des ongles et du cœur jusqu'au bout des doigts. »

L'Esprit et la Raison

Pope dit quelque part : « Quand le Ciel nous a accordé une grande somme d'esprit, prions-le de nous en donner le double pour apprendre à faire usage de la première. »

« L'esprit et la raison, dit-il ailleurs, ont été créés comme le mari et la femme, pour s'aider mutuellement, et, comme eux aussi, ils sont presque toujours en querelle. »

La pucelle

Un Gascon d'une bravoure fort équivoque disait un jour en présence de plusieurs demoiselles qu'il donnerait volontiers dix pistoles à celui qui lui montrerait une pucelle dans l'assemblée. Une dame qui se trouvait là voulut punir sur-le-champ cette sotte impertinence. « Monsieur, lui dit-elle, je vous en montrerai une pour rien, si vous voulez ? – J'en serai charmé, madame, dit-il avec un air de doute.– Eh bien ! monsieur, regardez votre épée. »

L'art de voler

« Un Allemand prétend avoir trouvé l'art de planer dans les airs, mais il ne veut divulguer ce précieux secret que lorsqu'il aura réuni un nombre de souscripteurs suffisant pour le dédommager de ses frais. » Le confiant journal auquel nous empruntons cette annonce lui donne sans y penser ce titre équivoque : *l'Art de voler.*

Le duc de La Rochefoucault

Au mois de janvier 1776, le duc de La Rochefoucault allant à Versailles, et voyant ses deux laquais transis de froid, les fit mettre dans son carrosse. Cet acte d'humanité reçut, à la cour, les plus justes éloges. « J'ai été bien fâché, répondit le duc, de n'y pouvoir faire entrer aussi le cocher et les chevaux. »

Le diable, cousin du roi d'Angleterre

George II, roi d'Angleterre, était contrarié par ses ministres pour la nomination d'un vice-roi d'Irlande. Il s'était levé avec dépit et avait passé dans sa chambre, laissant les ministres dans le plus grand embarras, car il n'avait point pris de décision. Enfin, voyant que Sa Majesté ne revenait point, ils lui députèrent lord Chesterfield, comptant sur les ressources de son esprit pour calmer l'agitation du monarque, et pour obtenir ce qu'ils désiraient. Chesterfield ouvre tout doucement la porte, et s'approche, d'un air très respectueux, du fauteuil où le prince s'était jeté. « Je suis chargé, dit-il, Sire, de savoir de quel nom Votre Majesté veut qu'on remplisse le blanc laissé sur la patente. — Mettez-y le diable, répond le roi en colère. — Mais, Sire, dit d'un ton sérieux le ministre, le diable sera donc qualifié de féal et amé cousin de Votre Majesté ? » George éclata de rire, et la paix fut faite.

Fontenelle censeur

Un auteur porta à Fontenelle, désigné pour son censeur, un manuscrit à examiner. Fontenelle refusa net son approbation. « Comment, monsieur, lui dit l'écrivain, vous qui avez fait les *Oracles*, vous ne me passerez pas cela ? » Le philosophe lui répondit tranquillement : « Si j'eusse été le censeur des *Oracles*, je n'aurais pas approuvé l'ouvrage. »

La logique d'Arlequin

Dans une des pièces de l'ancien théâtre italien, qui étaient des canevas que l'acteur remplissait sur-le-champ, Arlequin (l'inimitable Carlin) entendit son maître faire la plus amère satire des hommes : « Et les femmes, monsieur, qu'en dites-vous ? — Les femmes !.. ah ! c'est encore pis ! — Si bien donc, reprend Arlequin, que nous serions parfaits si nous n'étions ni hommes ni femmes. »

Un propriétaire modèle

Un propriétaire revenait d'un petit voyage, et comme il allait rentrer chez lui, il aperçut un homme qui volait des châtaignes dans son parc. Il revient sur ses pas, et fait un détour d'une demi-lieue. À son arrivée, son domestique lui demanda la cause de son retard et d'une promenade si hors de propos. « C'est, dit-il, que j'ai aperçu dans mon parc un homme sur un arbre, qui volait des châtaignes ; je suis retourné sur mes pas afin qu'il ne me vît pas ; car s'il m'eût aperçu, la peur aurait pu le faire tomber, et peut-être se serait-il blessé mortellement. Des châtaignes valent-elles la mort d'un homme ? »

La conséquence logique

Swift étant prêt à monter à cheval demanda ses bottes, son domestique les lui apporta. « Pourquoi ne sont-elles pas nettoyées ? lui dit le doyen de Saint-Patrice. — C'est que vous allez les salir tout à l'heure dans les chemins, et j'ai pensé que ce n'était pas la peine de les décrotter. »

Un instant après, le domestique ayant demandé à Swift la clef du buffet : « Pourquoi faire ? lui dit son maître. — Pour déjeuner. — Oh ! reprit le docteur, comme vous aurez encore faim dans deux heures d'ici, ce n'est pas la peine de manger à présent. »

Présence d'esprit de Dominique

Louis XIV, de retour de la chasse, était venu incognito voir jouer les comédiens italiens qui étaient au château. Dominique jouait dans la pièce ; mais malgré l'excellent jeu de cet acteur, la pièce parut insipide à Sa Majesté, qui dit à l'Arlequin : « Dominique, voilà une mauvaise pièce. — Monsieur, dit le comédien, dites cela tout bas, je vous prie ; car si le roi venait à l'entendre, il me congédierait avec ma troupe. » Cette réponse, faite sur-le-champ, fit admirer la présence d'esprit de Dominique.

Une réponse meilleure que la demande

M. Affre, archevêque de Paris, était, comme on le sait, un prélat aussi distingué par l'élégante finesse de son esprit que par ses lumières et l'étendue de ses connaissances théologiques. Avant qu'il fût arrivé au poste éminent qu'il a occupé avec tant de vertu et qu'il a quitté, en martyr, avec tant d'héroïsme, il se rencontra un jour dans une voiture publique avec un commis voyageur goguenard et quelque peu voltairien, qui forma le projet d'amuser la compagnie à ses dépens. Pour commencer, il lui adressa la question suivante : « Quelle différence y a-t-il entre un âne et un évêque ? » Le prêtre, surpris, regarde l'impertinent, et lui répond, après quelques moments de silence, qu'il n'en sait rien. « C'est, reprend le spirituel questionneur, qu'un âne porte sa croix sur le dos, et que l'évêque la porte sur sa poitrine ! » Après cette plaisanterie de bon goût, le commis voyageur se mit à rire aux éclats, mais il trouva peu d'écho. Un instant après, le prêtre lui dit : « Et vous, monsieur, savez-vous quelle différence il y a entre un âne et un commis voyageur ? – Non. – Eh bien ! ni moi non plus. » Cette fois tous les rieurs furent pour M. Affre ; le voyageur seul ne rit pas ; il baissa la tête et descendit au premier relais.

L'homme à tout faire

Un jeune homme honnête, doux, modeste, qui peut produire un mètre cube de certificats, annonce par la voie du *Morning Chronicle* qu'il ambitionne l'honneur d'entrer au service d'un homme de bonne compagnie. Il monte à cheval, chasse, chante, pêche (mais jamais mieux que son maître, à moins d'ordres contraires) ; il tient les livres, s'entend à surveiller les domestiques et à faire vingt autres choses non moins nécessaires ; il regarde comme un devoir de se sentir toujours heureux. – S'adresser à M. L., 41, Haymarket, à Londres.

Un rôle joué d'après nature

Le Glorieux, de Destouches, est un de ses chefs-d'œuvre. L'auteur avait calqué le caractère de son comte de Tufière sur le caractère de l'acteur Dufresne, qui le jouait d'après nature. On a reproché à Destouches d'avoir manqué le dénouement de la pièce qui aurait dû se terminer par la punition du Glorieux. Mais Dufresne déclara que s'il en était ainsi il ne jouerait pas le rôle, parce qu'il n'était pas fait pour être maltraité. Dufresne avait un valet avec lequel il jouait souvent d'original *le Glorieux*, ne dédaignant pas plus que le héros de cette pièce de descendre avec son domestique jusqu'à la confidence. Le valet, peu discret, rapportait souvent au foyer les propos de son maître, ce qui divertissait beaucoup les autres comédiens. Un jour, entre autres, qu'il ne voulait pas jouer, il dit à son laquais : « Champagne, allez dire à ces gens que je ne jouerai pas. » Ce Dufresne disait modestement, en parlant de lui. « On me croit heureux ; c'est une erreur. Je préférerais à mon état celui d'un gentilhomme qui mangerait tranquillement douze mille livres de rente dans son vieux château. » – Lorsqu'il était question de payer un carrosse ou un porteur de chaise, il se contentait de faire un signe, ou de dire, d'un air dédaigneux : « Qu'on paye ce malheureux. »

Louis XIV et Duguay-Trouin

Louis XIV se plaisait à entendre le récit des actions de Duguay-Trouin de la bouche même de ce héros. Un jour que celui-ci racontait un combat où il avait commandé un vaisseau nommé *la Gloire*. « J'ordonnai, dit-il, à *la Gloire* de me suivre... – Et elle vous suivit » lui dit le roi en souriant.

Un sot

Le maréchal de Schomberg, qui était Allemand, avait un maître d'hôtel qui, voulant s'excuser d'avoir mal réussi dans une commission, dit à son maître : « Je crois que ces gens-là m'ont pris pour un Allemand. – Ils avaient tort, répondit le maréchal avec beaucoup de flegme, ils devaient vous prendre pour un sot. »

Un toast inattendu

Le comte de Stair, lorsqu'il était ministre plénipotentiaire en Hollande, donnait souvent des fêtes auxquelles il invitait tous les autres ministres étrangers qui, de leur côté, l'invitaient aussi aux leurs. Un jour qu'ils se trouvaient tous assemblés chez l'ambassadeur de France, celui-ci, faisant allusion à la devise de Louis XIV, porta la santé du soleil levant : tout le monde fit raison. L'ambassadeur de l'Impératrice-reine but ensuite à la lune et aux étoiles fixes. On attendait comment le comte de Stair boirait à la santé de son maître : il se lève, et dit, en invitant les autres : « À Josué, qui arrêta le soleil, la lune et les étoiles.»

Mon cher voleur

La marquise de Richelieu qui, au temps de la régence, était en même temps la maîtresse du prince de Condé et du comte de Roncy, fut arrêtée dans un bois par un voleur qui lui fit violence, et, comme on lui demandait ce qu'elle pouvait dire à cet homme, elle répondit : « Mais, je lui disais : *Mon cher voleur* ! »

Buffon et les truffes

On devait manger une dinde aux truffes à une table où se trouvait M. de Buffon. Avant le dîner, une vieille dame demande au Pline moderne où croissent les truffes : « À vos pieds, madame. » La vieille ne comprend pas. On lui explique que c'est au pied des charmes : elle trouve charmant le compliment et le complimenteur.

Vers la fin du repas, quelqu'un fit la même question au savant naturaliste qui ne faisant pas attention que la dame d'avant dîner se trouvait là, dit tout naturellement : « Au pied des *vieux* charmes. » La dame qui l'entendit ne le trouva plus si charmant.

L'évêque d'Amiens et son barbier

Un barbier maladroit avait coupé, en le rasant, M. de la Motte, évêque d'Amiens. Il s'en allait confus après avoir reçu son payement. M. de la Motte ne s'étant aperçu qu'à ce moment de sa maladresse le fit rappeler ; et, lui donnant une nouvelle pièce de monnaie : « Mon cher, lui dit l'évêque, je ne vous avais payé que pour la barbe ; voilà pour la saignée. » Le barbier voulant s'excuser sur ce que le rasoir avait rencontré un bouton : « Je vous entends, lui dit l'évêque, vous n'avez pas voulu que le bouton restât sans boutonnière. »

À bon vin bon latin

On ne sera pas fâché sans doute de connaître l'origine de ce proverbe. Le premier président du parlement de Paris, M. de Lamoignon, était en peine d'avoir un bibliothécaire. Il s'adressa pour cela à M. Hermant, recteur de l'Université, qui lui indiqua M. Baillet, son compatriote. Le président voulut le connaître. Il le fait inviter à dîner ; Baillet s'y rend, mais, s'apercevant qu'il est entouré de pédants qui veulent faire les savants avec lui, il ne répond que par monosyllabes aux diverses questions qu'on lui fait. On lui demande, en latin, comment il trouve le vin ? il était mauvais ; il répond : *bonus*. Aussitôt tous de rire et d'en conclure, comme on l'avait déjà pressenti, que le candidat n'est qu'un ignorant. Au dessert, on sert du vin d'une meilleure qualité, et pour se donner de nouveau le plaisir de rire, on renouvelle la question de la qualité du vin. Baillet répond : « *Bonum*. – Oh ! oh ! vous voilà redevenu bon latiniste. – Oui, à bon vin, bon latin. »

Les cheveux de Samson

Dans un cercle on vantait la sagesse exemplaire d'une demoiselle de vingt-cinq ans, assez laide et fort rousse. « Parbleu ! dit un malin, elle est comme Samson, sa force est dans ses cheveux. »

Manche à manche

Un Anglais arrive à Calais et demande un perruquier. Il arrive. « Mon cher, moi être délicat beaucoup pour le barbe. Voilà une guinée si vous rasez moi sans couper. Voici deux pistolets ; si vous coupez moi, moi ferai sauter cervelle à vous tout de suite. – Ne craignez rien, milord. » Le perruquier le rase avec la plus grande légèreté. « Comment donc ! dit l'Anglais enchanté, les pistolets n'ont pas fait peur à vous ? – Non, milord. – Et pourquoi ? — Si j'avais entamé, j'aurais achevé de vous couper le cou. »

Une petite mystification

Un conseiller au parlement d'Aix qui aimait assez à figurer comme auteur, dans les mystifications, rencontra à l'instant même de son arrivée à Paris, l'abbé de Lattaignant, son ami, qui, enchanté de le voir et ne voulant pas le quitter de la journée, lui proposa de le mener passer la soirée chez des dames de sa connaissance, où il serait fort bien accueilli. Le conseiller voulut s'excuser sur ce qu'il était en habit de voyage, qu'il ne connaissait point ces dames et qu'elles lui feraient sans doute beaucoup de questions auxquelles il ne se souciait pas de répondre. « Qu'à cela ne tienne, lui dit l'abbé, je te présenterai comme sourd-muet de naissance, ayant d'abord reçu une bonne éducation et jouant tous les jeux de société ; ainsi tu pourras te mettre à ton aise, et tu seras bien sûr qu'on ne te fatiguera pas de questions. » Le conseiller, trouvant l'idée plaisante, partit avec l'abbé, fut présenté aux dames comme il avait été convenu, et joua si parfaitement son rôle, qu'elles en furent complètement dupes. On lui proposa par signes une partie de reversis ; les dames badinent sur le sourd-muet, et parfois si librement, que le conseiller se mord les lèvres pour ne pas rire. Enfin, à force de se contraindre, il ne peut retenir un vent fort bruyant. L'abbé s'écrie alors : « Je vous demande pardon, Mesdames, mais comme il est sourd, il a cru que l'autre était muet. » À ce mot le conseiller part d'un éclat de rire, saute sur son chapeau, s'esquive et court encore.

La clémence d'Arlequin

Dans une pièce de l'ancien théâtre italien, Arlequin a un duel avec Sacripant. Sacripant se déboutonne et veut que son adversaire en fasse autant ; mais Arlequin s'y refuse de crainte de s'enrhumer. Au moment d'en venir aux mains, il dit à Sacripant d'une voix tremblante : « Je te conseille de te rendre. – Je n'en ferai rien. —Tu ne veux pas ? eh bien ! je suis plus généreux que toi, je me rends ! »

Une ville inconnue

En 1795, un ignorant ayant entendu dire que le général *** avait pris perruque, demanda où cette ville était située. Un vieux militaire répondit « Parbleu, sur la nuque. »

La confession de la comtesse de Grolée

La comtesse de Grolée, sœur du cardinal de Tencin, avait mené une vie fort dissipée. Elle tomba dangereusement malade à l'âge de 87 ans. On lui fit sentir la nécessité de mettre ordre à sa conscience, et on amena, à cet effet, auprès de son lit, un vénérable religieux. Tous ceux qui l'entouraient voulurent se retirer. « Non, non, dit-elle, restez, ma confession peut se faire tout haut, et ne scandalisera personne... Mon père, j'ai été jeune, j'ai été jolie, on me l'a dit, je l'ai cru ; jugez du reste. »

La médisance inexplicable

« Un tel dit beaucoup de mal de vous, disait quelqu'un à un homme qui savait son monde. – Cela m'étonne, répondit celui-ci ; je ne lui ai pourtant jamais rendu service. »

La mine trompeuse

Un homme entrait dans un salon. M*** dit au maître de la maison :

« Voilà un homme qui a l'air bien bête, si l'on peut en juger par sa figure.
– Sa figure est bien trompeuse, répond l'amphitryon, car il est bien plus
bête qu'il n'en a l'air. »

Les trois Racan

Lorsque Montaigne fut mort, la vieille mademoiselle de Gournay, qui
l'avait pris pour son père adoptif, et dont Montaigne avait fait sa fille
d'alliance, ainsi qu'il le disait, tourna toutes ses affections du côté de Racan, qu'elle ne connaissait encore que par ses ouvrages. L'envie de
connaître plus particulièrement un poète de ce mérite et si capable de
faire valoir celui des autres, détermina mademoiselle de Gournay à
mettre tout en œuvre pour se procurer sa visite. Le jour et l'heure où il
viendrait la voir furent arrêtés. Deux amis du poète qui en furent infor-
més saisirent cette occasion pour se donner un divertissement qui tourna
presque à la tragédie. Un de ces messieurs prévint d'une heure ou deux
celle du rendez-vous, et fit dire que c'était Racan qui demandait à voir
Mademoiselle de Gournay. Il fut parfaitement reçu : il parla beaucoup à
cette demoiselle des ouvrages qu'elle avait fait imprimer, et qu'il avait
étudiés afin de faire mieux sa cour.

Enfin, après un quart d'heure de conversation, il sortit, et laissa la virtuose fort satisfaite d'avoir vu Racan. Il était à peine à trois pas de chez
elle qu'on vint lui annoncer un autre monsieur de Racan. Elle crut
d'abord que c'était le premier qui avait encore quelque chose à lui communiquer, et qui remontait. Elle se préparait à lui tourner un compliment agréable à ce sujet, lorsqu'elle aperçut une autre figure de Racan
qui renchérit sur les compliments du premier. Mademoiselle de Gournay, très surprise, ne put s'empêcher de lui demander s'il était véritablement monsieur de Racan, et lui raconta ce qui venait de se passer. Le
nouveau Racan fit fort le fâché, et jura qu'il se vengerait du mauvais tour
qu'on lui avait joué. Mademoiselle de Gournay fut encore plus contente
de celui-ci qu'elle ne l'avait été de l'autre, parce qu'il la loua davantage. Il
passa auprès d'elle pour le véritable Racan. et l'autre pour un Racan de
contrebande.

Il ne faisait que de sortir, lorsque pour le coup le véritable Racan demanda à parler à mademoiselle de Gournay. Dès qu'elle en fut informée,
elle perdit patience. « Quoi ! encore des Racans ? » s'écria-t-elle. Néanmoins on le fit entrer. Mademoiselle de Gournay le prend sur un ton fort

haut, et lui demande s'il vient pour l'insulter. Racan, qui n'était pas parleur et qui s'attendait à une autre réception, ne sait que répondre et balbutie. Mademoiselle de Gournay, qui était violente, se persuade tout de bon que c'est un homme envoyé pour la jouer, et déchaussant sa pantoufle, elle le charge à grands coups de mule, et l'oblige de se sauver. Ménage, qui rapporte cette scène, ajoute que Bois-Robert la racontait à qui voulait l'entendre, qu'il en plaisantait même en présence de Racan, qui répondait lorsqu'on lui demandait si cela était vrai : « Oui-da, il en est quelque chose. » Cette anecdote donna lieu à la comédie des *Trois Oronte*, de Bois-Robert.

Le Gascon et le Normand

Un Gascon et un Normand étaient ensemble à la même table, et la conversation les ayant conduits à se plaisanter respectivement sur leur pays, il en résulta une dispute fort animée. Des gros mots on en vint à l'action, et celle-ci fut si vive qu'on fut obligé de les séparer. « Vous lui rendez un fier service, dit le Gascon en montrant son adversaire, car si vous m'eussiez laissé faire, j'allais le nicher si bien dans la muraille, que, je ne lui aurais laissé de libre que les bras, pour m'ôter son chapeau toutes les fois que je serais venu à passer devant lui. »

L'astrologie jugée

Le médecin La Brosse se mêlait de lire dans les astres. Le jeune duc de Vendôme, qui avait grande confiance dans cet astrologue, vint un jour avertir Henri IV que le médecin avait dit qu'il fallait que le prince se tînt sur ses gardes ce jour-là. Henri dit au duc : « La Brosse est un vieux fou d'étudier l'astrologie, et Vendôme un jeune fou d'y croire. »

Requête d'un Suisse

Il y avait à la ménagerie de Versailles un fort beau dromadaire. Cet animal, transporté dans une terre étrangère, languissait loin de son climat, beaucoup plus chaud que le nôtre. Pour ranimer sa chaleur presque éteinte, on ordonna de lui donner, par jour, quatre bouteilles de bon vin, avec du pain. Le soin du malade fut confié à un Suisse de la ménagerie, qui était exact à lui faire avaler l'ordonnance, dont il se serait, par parenthèse, fort bien accommodé. Cependant, malgré son attention scrupuleuse, l'animal dépérissait de jour en jour, et l'affaiblissement de tous ses membres annonçait une mort prochaine. Alors le bon Suisse alla d'un air suppliant solliciter une récompense des soins qu'il avait rendus au moribond : « Eh ! que veux-tu ? lui demanda le roi. – Sire, la survivance du dromadaire. » Le roi rit beaucoup de cette requête naïve, et l'ex-gardien du dromadaire s'en alla content.

L'homme courageux

Un homme, passant dans une rue déserte après minuit, en rencontra un autre, qui lui demanda : « Quelle heure est-il ? — Monsieur, dit le premier, croyant avoir affaire à un voleur, cela ne me regarde pas. » Et il se sauve à toutes jambes.

Un prêté rendu

Madame Cornuel était en réputation, du temps de madame de Sévigné, par son esprit et ses bons mots. Madame de Saint-Loup était allée lui faire visite, et lui dit après avoir passé plus d'une heure avec elle : « Madame, on m'avait bien trompée en me disant que vous aviez perdu la tête. — Vous voyez, lui répondit madame Cornuel, le fond que l'on doit faire sur les nouvelles ; on m'avait dit, à moi, que vous aviez retrouvé la vôtre. »

M. de Humboldt et M. de Gérando

Le moins Prussien de tous les savants et le plus savant de tous les Prussiens, M. de Humboldt, est en outre, dit-on, la plus mauvaise langue de l'Europe. Il en convient lui-même et raconte spirituellement que, dans une compagnie où il allait passer ses soirées, il avait remarqué que M. de Gérando, y venant chaque jour, ne restait jamais plus d'une heure. Un soir cependant, M. de Gérando remarqua, de son côté, que M. de Humboldt s'amusait à passer au fil de ses plaisanteries les personnages de la compagnie, à mesure, que chacun d'eux se retirait. M. de Gérando, ce jour-là, dérogeant à ses habitudes, resta fort tard et ne se disposa à partir qu'après la retraite de M. de Humboldt. La maîtresse de la maison, qui avait remarqué cette longue visite, si contraire aux habitudes de M. de Gérando, s'approcha et lui dit : « Vous avez sans doute, monsieur, quelque chose à me dire en particulier ; il ne vous est jamais arrivé de rester si tard ici et d'en sortir le dernier. – Ma foi, madame, dît M. de Gérando, j'ai bien compris que si je me retirais avant M. de Humboldt, j'allais passer par les armes, et j'ai voulu rester pour compter les blessés. »

Le précepteur

Une dame de province avait écrit à madame Cornuel, pour la prier de lui chercher un précepteur qui eût telles et telles qualités ; l'énumération ne finissait pas ; sa lettre était d'ailleurs très pressante. Madame Cornuel lui répondit : « Madame, j'ai cherché un précepteur tel que vous me le demandez, je ne l'ai point encore trouvé, mais je chercherai encore, et je vous promets que, dès que je l'aurai trouvé, je l'épouserai. »

Les deux toasts

Dans un dîner où se trouvaient quelques Anglais et plusieurs Français, on porta la santé des dames. Milord B... dit : « Je bois au beau sexe des deux hémisphères. – Et moi, répondit le marquis de La Vrillière, je bois aux deux hémisphères du beau sexe. »

Le choriste

Il y a trente ans, dans une petite ville d'Italie, à Bergame, par un singulier contraste, la troupe était fort médiocre, et les chœurs étaient excellents. Il faut bien qu'il en fût ainsi, puisque la plupart de ces choristes sont devenus plus tard des chanteurs célèbres, des musiciens illustres, de grands compositeurs. Donzelli, Crivelli, Teodoro Bianchi, Mari, Dolci, ont commencé tous par chanter dans les chœurs de Bergame. Il y avait entre autres, à cette époque, un jeune homme très pauvre, très modeste et fort aimé de ses camarades. En Italie, l'orchestre et les chœurs sont encore moins rétribués qu'en France, si cela est possible. Vous entrez chez un bottier : le maître est premier violon ; les apprentis, pour se délasser de leurs travaux de la journée, jouent le soir, au théâtre, de la clarinette, du hautbois ou des timbales. Notre jeune homme, pour aider sa vieille mère, cumulait donc les fonctions de choriste et celles plus lucratives de garçon tailleur.

Un jour, comme il était allé essayer des pantalons à Nozari, ce chanteur illustre le regarda fixement et lui dit avec bonté :« Il me semble, mon garçon, t'avoir vu quelque part ? — C'est possible, monsieur, vous m'aurez vu au théâtre, où je fais ma partie dans les chœurs. — As-tu une bonne voix ? — Pas fameuse, monsieur, je monte avec peine jusqu'au *sol*. — Voyons, fit Nozari en s'approchant du piano, commence-moi ta gamme. » Notre choriste obéit ; mais arrivé au *sol* il s'arrêta essoufflé. « Donne le *la*, voyons ! — Monsieur, je ne puis... — Donne le *la*, malheureux ! — *La, la, la.* — Donne le *si*. — Mais, monsieur... — Donne le *si*, te dis-je, ou sur mon âme... — Ne vous fâchez pas, monsieur, j'essayerai, *la, si, la, si, do* ! — Tu vois bien, fit Nozari d'une voix triomphante ! et maintenant, mon garçon, je ne te dis qu'un mot : si tu veux bien travailler, tu deviendras le premier ténor d'Italie.

Nozari ne s'est pas trompé. Le pauvre choriste qui, pour gagner sa vie, raccommodait des culottes, possède aujourd'hui deux millions de fortune et s'appelle Rubini.

Un bon prêtre

Un ecclésiastique, passant dans les rues de Paris, fut inondé d'eau bouillante par une fenêtre. Il s'essuya, se sécha du mieux qu'il put et regagna sa maison d'un pas chancelant. Arrivé le visage gonflé et à moitié épilé, sa gouvernante jetait les hauts cris et l'excitait à la vengeance. « Mon Dieu ! qu'avez-vous fait à ces misérables ? — Je les ai remerciés. – Remerciés ! Et de quoi ? — De ce qu'ils n'avaient pas jeté la marmite, car au lieu de m'échauder la tête, ils me l'auraient cassée. »

Une hérétique

On disait à une jeune mariée que saint Paul voulait que les femmes obéissent à leurs maris « Oh bien ! dit-elle, je ne suis pas de l'avis de saint Paul. – Mais faites donc attention, madame, que c'est le Saint-Esprit qui parle par sa bouche. – Soit. En ce cas, c'est de l'avis du Saint-Esprit que je ne suis pas.»

Le meilleur conte

Un prétendu bel esprit vint un matin chez Rulhières pour lui dire deux contes de sa façon. Après avoir entendu le premier, et avant que l'auteur eût tiré le second cahier de sa poche, Rulhières lui dit : « J'aime mieux l'autre. »

Le moyen de parvenir

Le dernier maréchal de Noailles était regardé comme le courtisan par excellence, comme celui qui connaissait le plus parfaitement les devoirs et les privilèges de cette profession. Un jeune homme, débutant à la cour, lui demanda quelques conseils sur la manière dont il devait s'y conduire. « Mon cher, lui dit-il, vous n'avez que trois choses à faire : dites du bien de tout le monde, demandez tout ce qui vaquera, et asseyez-vous quand vous le pourrez. »

Présence d'esprit de Talleyrand

Madame de Staël, qui partageait avec madame de Flahaut les préférences de M. de Talleyrand, voulut un jour savoir de celui-ci laquelle des deux il aimait le mieux. Madame de Staël insistait beaucoup sans pouvoir obliger le rusé diplomate à se prononcer. « Avouez, lui dit-elle, que, si nous tombions toutes deux ensemble dans la rivière, je ne serais pas la première que vous songeriez à sauver. – Ma foi, madame, c'est possible, vous m'avez l'air de savoir mieux nager. »

La ressemblance

On disait du fils d'une dame mariée qui avait un peintre pour amant : « C'est tout le portrait de son père. – On sait que M. D... attrape fort bien la ressemblance» ajouta quelqu'un.

Une faction de cinq ans

Un détachement du corps de Davoust occupait l'île de Rugeti. L'ordre arrive de l'évacuer à l'instant, et l'on s'embarque avec tant de précipitation qu'on oublie un factionnaire. Celui-ci, après s'être promené ponctuellement de long en large pendant deux à trois heures, perd enfin patience, et retourne au poste qu'il trouve vide. Il s'informe et apprend avec désespoir ce qui s'est passé. « Mon Dieu ! je vais être porté comme déserteur, perdu, déshonoré. »

Ses cris touchent de compassion un honnête artisan, qui l'emmène, le console, l'héberge, et au bout de quelques mois lui donne en mariage sa fille unique. Cinq ans après on signale une voile ; les habitants accourent, on reconnaît les uniformes de la grande armée. « C'est fait de moi » s'écrie d'abord l'heureux époux de la jolie Marguerite. Cependant une idée subite lui rend courage. Il court au logis, revêt son uniforme, saisit ses armes, revient sur le rivage, et se pose en sentinelle au moment même où les Français vont débarquer. « Qui vive ? s'écrie-t-il d'une voix tonnante. – Qui vive vous-même ? répond-on du bâtiment : qui êtes-vous ? – Factionnaire. – Combien y a-t-il de temps que vous êtes en faction ! – Cinq ans. » Davoust rit beaucoup de l'à-propos et fit délivrer un congé en bonne forme à son déserteur involontaire.

La vengeance du dragon

Un dragon anglais ayant trouvé un de ses camarades couché avec sa femme, lui fit grâce pour la première fois, en lui disant que si jamais il le retrouvait en pareille faute, il lui jetterait son casque par la fenêtre. Cette terrible menace n'ayant point effrayé son rival, il le surprit de nouveau et lui tint parole ; puis se jetant aux genoux de George Ier, il le pria de lui accorder sa grâce. Le roi lui demanda quel crime il avait commis. « J'ai, dit-il, jeté par la fenêtre le casque d'un de mes camarades que j'ai surpris entre les bras de ma femme. – Ah ! dit le souverain, je te l'accorde ; le crime méritait bien que tu lui jetasses son casque par la fenêtre. – Mais, Sire, dit le dragon, sa tête était dedans. —Eh bien, dit le Roi, ma parole est donnée et je ne m'en dédis pas. »

Un chef-d'œuvre de style

Dryden se trouvant un jour, après boire, avec le duc de Buckingham, le comte de Rochester et lord Dorset, la conversation vint à tomber sur la langue anglaise, sur l'harmonie du nombre, sur l'élégance du style, sorte de mérite auquel chacun des trois seigneurs prétendait exclusivement et sans partage. On discute, on s'échauffe, on convient enfin d'en venir à la preuve, et de prendre un juge. Ce juge fut Dryden.

L'épreuve consistait à écrire, isolément et sans désemparer, sur le premier sujet venu, et à mettre les trois thèmes sous le chandelier. On se met à l'ouvrage. Le duc et le comte font des efforts de génie. Le lord Dorset trace négligemment quelques lignes. Quand chacun eut fini, et placé son chef-d'œuvre sous le chandelier, Dryden procède à l'examen. Dès qu'il eut achevé la lecture des trois pièces : « Messieurs, dit-il au duc de Buckingham et au comte de Rochester, votre style m'a plu, mais celui de lord Dorset m'a ravi. Écoutez ; c'est vous qu'à présent je fais juges. » Dryden lit : « Au premier de mai prochain, je payerai à John Dryden, ou à son ordre, la somme de cinq cents livres sterling, valeur reçue ; 15 avril 1686. *Signé* Dorset. »

Après avoir entendu cette composition, Rochester et Buckingham ne purent disconvenir que ce style ne l'emportât sur tout autre.

Un proverbe bien appliqué

Montesquieu disputait sur un fait avec un conseiller du parlement de Bordeaux, homme de beaucoup d'amour-propre et de mince mérite. À la suite de plusieurs raisonnements débités avec fougue, notre conseiller s'écria : « Monsieur le président, si cela n'est pas comme je vous dis, je vous donne ma tête. – Je l'accepte, dit Montesquieu ; les petits présents entretiennent l'amitié. »

Les cheveux et la barbe

Le poète Saint-Amand se trouva un jour dans une compagnie où il vit un homme qui avait les cheveux noirs et la barbe blanche. Comme cette différence paraissait assez bizarre à la compagnie, et que chacun en demandait la raison, Saint-Amand dit : « Il y a lieu de croire que monsieur fatigue beaucoup plus de la mâchoire que du cerveau. »

La cocarde

M. le comte de Mailly de Beaupré portait toujours à l'armée son chapeau à la tapageuse, en sorte que la cocarde se trouvait derrière. « Voilà, disait un de ses officiers, une cocarde qui a bien souvent vu l'ennemi. »

Une vérité-calembour

« L'ingratitude est à son comble dans Paris, disait un mauvais plaisant, et sans le Mont-de-Piété, on n'y trouverait plus de reconnaissance. »

L'avare

Un vieillard vient de mourir d'épuisement à Londres, dans une maison de pauvres où il avait été transporté. Le médecin qui lui a donné les derniers secours a constaté que cet homme est mort d'inanition lente. Eh bien ! chez cet homme, dans le hideux chenil où il avait passé de longues années, on a trouvé des valeurs du Pérou, des billets de la banque d'Angleterre et de l'or : 216,000 francs en or... assez pour affranchir vingt familles de la misère !... Le misérable volait l'indigence, il mendiait.

La méprise

Quelques gais compagnons s'étaient réunis dans une auberge pour y consulter l'oracle de la dive bouteille. Après un repas arrosé de nombreuses rasades, l'un d'eux, voyageur du commerce, qui devait partir de grand matin, fut conduit seul dans la chambre où il devait passer la nuit.

Tous les lits étaient occupés ; il n'en restait qu'un, à demi vacant, dans lequel un noir ronflait à 18 francs par tête. Le voyageur se glisse à côté de l'Africain, et s'endort bientôt, après avoir recommandé à ses amis de le réveiller à la pointe du jour. Ceux-ci le lui promirent et allaient se retirer, lorsque, voyant le noir, il vint à la pensée d'un individu de la bande l'idée singulière de barbouiller de noir la face du voyageur endormi, pour le rendre semblable à son compagnon nocturne. Ce bizarre projet, adopté à l'unanimité, fut exécuté séance tenante, au milieu des éclats de rire de toute l'assistance.

Le lendemain, on entre dans la chambre et l'on éveille le voyageur, qui se lève, met ses bottes, son vêtement indispensable et s'approche de la glace pour arranger sa cravate. Il lève les yeux, jette un cri, et recule étonné à la vue de cette face noire. « Les imbéciles ! s'écrie-t-il, ils se sont trompés. Je leur avais dit de m'éveiller, et ils ont éveillé le noir ! » Puis il se déshabille, et rentre tranquillement dans son lit.

Le généalogiste d'Hozier

Madame de Pompadour descendait de la famille des Colin-Poisson. Comme elle voulait se faire passer pour originaire d'une famille noble, dont le nom fût censé se perdre dans la nuit des temps, elle chargea le généalogiste de lui établir une généalogie d'aussi loin qu'il le pourrait. D'Hozier se fit longtemps répéter l'invitation ; enfin, ne trouvant plus moyen d'éluder davantage, il dit un jour à la favorite : « Madame, les deux plus anciennes familles de Colin que je connaisse, c'est celle des Colin-Maillard et celle des Colin-Tampon ; mais pour celle des Colin-Poisson, je n'en ai pu trouver la moindre trace. ».

Le souhait

Un bonhomme disait qu'il voudrait connaître un pays où l'on ne mourût jamais, parce qu'il irait y finir ses jours.

La préséance

En Angleterre, les voleurs de grand chemin se croient presque des gentilshommes. L'un d'eux, ayant été condamné à mort, fut conduit au supplice en même temps qu'un pauvre ramoneur, convaincu de vol domestique. Arrivés à la place des exécutions, le voleur de premier ordre, mis avec une certaine recherche, monta le premier sur l'échafaud, et parut apporter la plus grande attention aux exhortations du ministre. Le ramoneur s'approcha également pour y prendre part : « Retire-toi un peu plus loin, lui dit ce voleur, et apprends à être modeste avec les supérieurs. — Moi ! répliqua l'autre en s'avançant encore un peu plus, je ne veux pas, j'ai autant de droits que toi d'être ici, et j'y resterai. »

Le mystificateur mystifié

Un habitué du restaurant de Véry avait coutume de se mettre à une certaine place qu'il affectionnait. Depuis plusieurs jours, il trouvait cette place constamment occupée par la même personne, et cela le contrariait vivement. Il s'avisa, pour exproprier ce dîneur incommode, d'un singulier expédient.« Si vous ne faites sortir de chez vous, dit-il au maître de la maison, cet homme qui dîne seul à la table du coin, il n'est pas possible qu'on vienne ici davantage. – Pourquoi donc, monsieur ? — C'est que c'est le bourreau de Versailles. » L'hôte, fort embarrassé, hésite un instant ; enfin il aborde le convive qu'on lui a désigné, s'excuse le mieux qu'il peut, et lui témoigne qu'il ne lui est plus possible de le recevoir plus longtemps, à cause de sa profession. « Comment ! quelle profession ? — Ah ! on le sait bien, monsieur est... — Quoi ? – Enfin, monsieur est le bourreau de Versailles. – Ah ! ah ! Et quelle est donc la personne qui a découvert...? — C'est ce monsieur là-bas, – Ce monsieur-là ? Tiens ! c'est drôle ! Eh mais ! oui ! C'est bien lui ; parbleu ! il peut bien me connaître, je l'ai marqué et fouetté il y a trois ans. » Qui fut mystifié ?

Le déguisement

Plusieurs jeunes filles du village de Saint-M., âgées de dix-huit à vingt ans, vinrent chez la dame du château la prier de leur prêter des voiles blancs, et autres ajustements de la même couleur. « Qu'en voulez-vous faire ? leur demanda-t-elle. — Madame, c'est que demain est une grande fête ; monsieur le curé est bien aise que nous nous déguisions en vierges.»

La lecture de Turcaret

Le Sage, l'auteur de *Gil Blas*, avant que de faire jouer son *Turcaret*, avait promis à la duchesse de Bouillon d'aller lui lire sa pièce ; on comptait que la lecture s'en ferait avant le dîner, mais quelques affaires retinrent l'auteur, et il arriva tard. La duchesse de Bouillon le reçut d'un air d'impatience et avec une hauteur outrageante.

« Vous m'avez fait perdre une heure à vous attendre, lui dit-elle. – Eh bien, madame, reprit froidement Le Sage, je vais vous en faire gagner deux. » Il fit sa révérence et sortit. Quelque chose qu'on fît, et quoiqu'on courût après lui sur l'escalier, il ne voulut jamais remonter, ne dîna pas et ne lut point sa pièce.

Un testament inattaquable

Voici un testament laconique ; il est d'un rentier mort en 1702. « Au nom du Père, du Fils et du Saint-Esprit : Je n'ai rien ; je dois beaucoup, je donne le reste aux pauvres. »

Ça tue, voilà tout

À la bataille de Minden, le corps des grenadiers de France, que commandait M. de Saint-Pern, était exposé au feu d'une batterie qui en emportait des files entières. Celui-ci, qui tâchait de leur faire prendre patience, se promenait devant la ligne au petit pas de son cheval, sa tabatière à la main. « Eh bien ! mes enfants, leur disait-il, en les voyant un peu émus, qu'est-ce que c'est ? du canon ? Eh bien ! ça tue, ça tue, voilà tout. »

La franchise du prince de Kaunitz

L'impératrice Marie-Thérèse disait un jour au prince de Kaunitz de ne point donner de l'avancement aux officiers libertins : « Madame, lui répondit-il, si votre auguste père eût pensé ainsi, je serais encore enseigne. »

Une consultation de Corvisart

On raconte que lorsque l'empereur Napoléon voulut épouser la fille des Césars, il fut quelque temps partagé entre le désir de reculer le moment d'une séparation douloureuse et la préoccupation de fonder sa dynastie. Il interrogea Corvisart, médecin aussi savant que spirituel, afin de savoir jusqu'à quelle époque on peut, sans danger, différer de chercher dans le mariage les résultats qu'on en attend pour sa postérité. « Cela, dit Corvisart, dépend de l'organisation et du tempérament de chaque mari, et aussi des économies qu'il a pu faire sur les erreurs de sa jeunesse. – J'entends bien, dit l'Empereur ; mais, selon vous, quel est le terme moyen de la puissance, en matière de paternité ? Par exemple, un homme de soixante ans qui épouse une jeune femme a-t-il encore des enfants ? — Quelquefois. – Et à soixante-dix ? — Toujours, Sire. »

Les ancêtres de Boissieu

Denis de Salvaing, seigneur de Boissieu, a travaillé sur le blason. Comme il était fort prévenu en faveur de l'ancienneté de sa maison, il n'a pas été exempt de soupçon sur la généalogie qu'il nous en a donnée. C'est à cette occasion que l'on disait que si le commun des hommes devait la vie à ses ancêtres, Boissieu l'avait donnée aux siens.

Madame de Genlis

On a mis sur le compte de Madame de Genlis les paroles suivantes : « Madame de Staël ne manquait point de quelque imagination ; j'en aurais fait quelque chose, si j'avais pu lui montrer à écrire. » C'est à l'éditeur de ses *Mémoires* que la comtesse faisait cette confidence. À la même époque l'auteur fameux des *Veillées du château*, des *Souvenirs de Félicie*, venait, disait-on, de s'enfermer avec sa harpe au couvent des dames de Saint-Michel. Les mauvaises langues faisaient la remarque que ce couvent s'appelait, avant la révolution, la maison des Filles Repenties.

Les gens de M. B...

M. B..., parvenu de date récente, a renvoyé depuis plusieurs années sa femme de ménage ; il l'a remplacée par deux domestiques qu'il appelle ses *gens*. Dernièrement, la conversation suivante s'établit entre M. B..., et ses gens, par le trou de la serrure, à travers la porte de son antichambre : « Êtes-vous là, Pierre ? – Oui, monsieur. – Que faites-vous ? – Rien, monsieur. – Et vous, Jean, êtes-vous là ? — Oui, monsieur. – Que faites-vous ? – Monsieur, j'aide Pierre. – Quand vous aurez fini, vous viendrez me donner mes bottes. »

La reconnaissance difficile

On disait à une de nos célébrités littéraires : « Mon ami, vous avez de par le monde un grand garçon que vous devriez bien reconnaître. – Comment diable voulez-vous que je reconnaisse l'enfant ? s'écria ***, c'est tout au plus aujourd'hui si je reconnaîtrais la mère. »

La maréchale de Villeroy

Quelqu'un consolait madame la maréchale de Villeroy après la perte de la bataille de Ramillies, en lui disant que, grâce à Dieu, le maréchal et le duc de Villeroy se portaient bien. « C'est assez pour moi, répondit-elle, mais ce n'est pas assez pour eux. »

Un mari d'autrefois

Le duc de Richelieu savait que son écuyer occupait sa place auprès de la duchesse sa première femme ; il ne le trouvait mauvais que parce que c'était un valet. Un jour il rentre chez lui, contre son ordinaire, à six heures du soir, et plus extraordinairement encore, il descend chez madame, à qui il avait à parler pour un procès. Il ne trouve personne pour l'annoncer. Il traverse les appartements, la chambre à coucher, et ouvrant doucement la porte d'un cabinet, il voit la Duchesse et son écuyer qui causaient très familièrement ensemble. Ils étaient tellement occupés, qu'ils n'aperçurent pas le duc, qui, après les avoir considérés un instant, referma la porte sur lui aussi doucement qu'il l'avait ouverte. Il retourne dans l'antichambre, fait grand bruit, rentre dans la chambre à coucher en criant : « Il n'y a donc personne ici pour m'annoncer ! » Il approche de la porte du cabinet, toujours en criant de plus en plus fort. Quand il imagine avoir donné aux acteurs qui y étaient renfermés le temps de se remettre, il entre. « Mon Dieu, madame, dit-il aussitôt, je vous conseille de chasser tous vos gens, pas un de ces coquins n'est dans votre antichambre, on est obligé d'entrer sans être annoncé ; je sens tout l'inconvénient qu'il peut y avoir à cela : je vous conseille, en ami, de punir une pareille négligence, et je vous prie de ne pas m'en vouloir. »

La barbe du duc de Brissac

Le maréchal duc de Brissac était si accoutumé à mettre de la singularité jusque dans les actions les plus indifférentes, que se rasant habituellement lui-même, il ne manquait jamais de dire tout haut, avant de commencer cette opération : « Timoléon de Cossé, duc de Brissac, Dieu t'a fait gentilhomme, le roi t'a fait duc ; fais-toi la barbe pour te faire quelque chose. »

Le carreau cassé

Un jeune enfant d'une école chrétienne avait, sans mauvaise intention, cassé l'un des carreaux de l'étude. On ne s'en était pas encore aperçu, mais le pauvre enfant tremblait de peur chaque fois qu'on lui adressait la parole. Un dimanche, le curé de l'endroit vint présider le catéchisme, et interrogea quelques-uns des enfants parmi lesquels se trouvait le malheureux coupable. Le curé lui dit : « Qu'est-ce qui a fait le ciel et la terre? » Tout préoccupé de son carreau, l'enfant répondit : « Monsieur, ce n'est pas moi. – Comment, ce n'est pas toi ? — Eh bien, monsieur, c'est moi, mais je ne le ferai plus. »

Le second verre
Un médecin ordonna à une de ses malades de boire de l'eau de Sedlitz. La malade fit une grimace significative. « Il n'y a que le premier verre qui coûte à boire, dit le médecin. – Aussi, répondit la malade, je ne prendrai que le second. »

La bataille de Cannes
Un jour l'abbé de Veyrac s'était rangé sous une porte pour attendre la fin d'une pluie violente ; un petit-maître, qui l'aperçut couvert d'un mauvais chapeau, lui envoya demander à quelle bataille son chapeau avait été percé. « À celle de Cannes, répondit l'abbé en appliquant au valet force coups de canne sur les épaules. – Savez-vous à qui vous avez affaire ? dit le petit-maître s'avançant. Qui donc croyez-vous que je suis ? – Un sot. »

Le beau parleur
Un homme qui estropiait de la façon la plus burlesque les mots les plus usités, disait un jour entre autres balourdises : « Le pape et la *papeterie* ne sont plus de saison. »

Une autre fois il disait : « Le *statoqu* devient assez fatigant, la *feinte* alliance se joue de nous.»

La petite pensionnaire
M. de Montazet, archevêque de Lyon, homme aussi aimable en société qu'instruit et exact dans les devoirs de son état, mettait beaucoup d'appareil et de dignité dans l'exercice de ses fonctions. Voulant s'assurer par lui-même de l'instruction qu'on donnait dans les couvents aux jeunes pensionnaires, il fit prévenir les religieuses de St-B. du jour et du motif de sa visite.

Rendu à ce couvent avec ses vicaires généraux et une partie de son clergé, il y fut reçu par la prieure et ses assistantes avec la plus grande cérémonie. On le conduisit dans une immense salle, où étaient rassemblées les autres religieuses et les pensionnaires. Là, on le fit asseoir dans un beau fauteuil, sous un dais, et on lui présenta mademoiselle d'Ir..., jeune personne de six à sept ans, qui était l'idole de ces vénérables nonnes par son esprit, par sa facilité à apprendre, mais en même temps leur fléau par ses espiègleries. Le prélat, qui était fort lié avec la famille de cet enfant, la caressa beaucoup ; et, reprenant ensuite sa gravité épiscopale, se prépara à l'interroger sur les devoirs de sa religion.

Les religieuses étaient en foule autour d'elle, et le clergé environnant monseigneur, il se fit le plus grand silence. « On m'assure, ma chère petite, que vous êtes bien appliquée, et j'imagine que vous savez parfaitement votre catéchisme. (Révérence modeste de la jeune personne.) Voyons, répondez à voix haute, et sans vous troubler, à mes questions. Quelle est la première chose que vous faites en vous levant ? — Monseigneur, je prends mon vase de nuit, et je... » La gravité de l'archevêque ne put tenir à cette réponse : les éclats de rire partirent de tous les côtés, excepté de celui des religieuses, qui auraient voulu déchirer à coups de fouet la petite espiègle, et dont le prélat eut beaucoup de peine à calmer la colère.

La théorie du charlatanisme

Un célèbre médecin hollandais, établi à Londres depuis longues années, le docteur Vanslebten, passant sur la place appelée *Grosvenor-square*, s'arrêta à considérer un charlatan qui, dans une superbe calèche à quatre chevaux, avec plusieurs domestiques magnifiquement vêtus, attirait une foule immense, et faisait une énorme distribution de ses drogues. Informé de sa demeure, il le fait prier de passer le lendemain matin chez lui. Le charlatan s'y rend.

« Monsieur, lui dit le docteur, je vous entendis annoncer hier publiquement que vous aviez d'excellents remèdes pour toutes sortes de maladies : en auriez-vous pour la curiosité ? En vous regardant attentivement, j'ai cru vous reconnaître, et je ne peux me rappeler où nous nous sommes vus. – Monsieur, il me sera très aisé de vous satisfaire. J'ai servi plusieurs années chez milady Waller, où vous veniez assidûment ; j'étais son premier laquais, et je l'ai quittée depuis trois ans pour exercer le métier dans lequel vous me voyez. —Vous excitez de plus en plus ma curiosité. Comment est-il possible que des talents acquis en trois ans vous aient procuré les moyens d'entretenir l'état brillant que vous me paraissez avoir, tandis qu'exerçant ma profession depuis quarante ans avec la plus grande application, et j'ose dire avec quelque célébrité, je peux à peine entretenir mon petit ménage ? – Monsieur, pour que je puisse répondre directement à votre question, me permettrez-vous de vous en faire quelques-unes ? – Volontiers. – Vous demeurez dans une des rues les plus fréquentées de cette ville. Combien croyez-vous qu'il y passe de monde par jour ? — Cela serait difficile à compter ; mais à estimation arbitraire, à peu près dix mille. — J'accepte ce calcul comme juste. Et combien pensez-vous que dans ces dix mille il y ait de gens de bon sens ?... je ne dis pas d'esprit, car le monde en fourmille. — Ah ! vous m'embarrassez en distinguant l'esprit du bon sens ; et si sur les dix mille il y en a cent de cette dernière espèce, c'est beaucoup. — Eh bien, monsieur, vous avez répondu vous-même à votre question. Les cent personnes de bon sens sont vos pratiques, et les neuf mille neuf cents autres sont les miennes. »

L'aumône

Répondre à un pauvre qui demande l'aumône : « *Je n'ai pas de monnaie* » c'est presque toujours dire : « *Je n'ai pas de charité.* »

Le père Oudin et l'athée

Un petit-maître, espèce de philosophe, vint un jour trouver le savant père Oudin, jésuite. Il se présente de cet air d'aisance, de ce ton de confiance que l'on connaît à ces messieurs. « Mon père, lui dit-il, je vous sais du mérite, je ne serais pas fâché d'entrer en discussion avec vous sur ce que vous appelez votre religion. — Monsieur, reprend le père Oudin, je vous avoue franchement que j'ai toujours évité les controverses en matière de foi. Veuillez bien me dispenser d'accepter le défi.— Au moins, lui répliqua le jeune fat, je suis bien aise que vous sachiez que je suis athée. » À ces mots le père Oudin s'arrête, garde le silence, et le considère en portant assez longtemps des regards attentifs de la tête aux pieds. « Eh ! mais, mon père, que trouvez-vous donc en moi de si singulier que vous m'observez ainsi ? – J'avais, répliqua le jésuite, souvent entendu parler de l'athée ; mais j'ignorais encore comment était fait cet animal ; et puisqu'il se présente une occasion de le connaître, j'en profite et l'observe à mon aise. »

Belle leçon

Un gentilhomme parlant très haut à M. le prince de Guéménée contre le cardinal de Richelieu : « Parlez plus bas, lui dit ce prince, voilà de ses créatures qui pourraient bien vous entendre. » C'étaient des pauvres qui venaient demander l'aumône.

Une leçon d'orthographe

Après la première représentation de l'*Oreste* de Voltaire, la maréchale de Luxembourg envoya à l'auteur quatre pages de critiques sur sa pièce ; il se contenta de lui répondre par cette seule ligne : « Madame la maréchale, on n'écrit pas Oreste avec un *h*. »

Un cheval hors d'âge

Un homme qui voulait acheter un cheval demanda à un de ses amis à quoi l'on reconnaissait l'âge des chevaux : « Aux dents » lui répondit le connaisseur. Le lendemain, notre homme alla chez un maquignon qui lui présenta un superbe poulain ; il lui ouvrit la bouche et le repoussa en disant : « Je ne veux pas de votre cheval, il a trente-deux ans. » Il avait compté ses dents.

Sophie Arnould

Lorsque Sophie Arnould alla rendre visite à Voltaire, il lui dit : « Oh ! mademoiselle, j'ai quatre-vingt-quatre ans, et j'ai fait quatre-vingt-quatre sottises. – Belle bagatelle ! répondit l'actrice ; moi qui n'en ai que quarante, j'en ai fait plus de mille. »

Madame Geoffrin

Cette dame exerçait une espèce de police pour le goût, comme la maréchale de Luxembourg pour le ton et l'usage du monde. Elle avait plusieurs fois interrompu le conteur d'une histoire peu piquante. Pour l'arrêter tout à fait, elle le pria de couper une poularde ; et voyant qu'il tirait de sa poche un petit couteau, elle lui dit : « Monsieur, pour réussir dans ce pays-ci, il faut de grands couteaux et de petites histoires. »

On sait que cette dame fut frappée d'une longue léthargie qui fut suivie de la mort. Un de ses amis étant venu la voir dans cet intervalle, un domestique vint lui dire : « Madame est bien sensible à votre souvenir, elle vous fait dire qu'elle a perdu l'usage de la parole.»

La plume de dinde

Madame de Beauharnais, qui, par son esprit et ses productions littéraires, mérite d'être citée parmi les femmes célèbres de nos jours, dans un voyage qu'elle fit à Lyon, fut recommandée à madame Fl..., dont la maison était le rendez-vous de tous les beaux esprits de la ville. Celle-ci ne manqua pas de rassembler sa société, pour lui procurer le plaisir d'entendre une dixième muse. Dans ce cercle nombreux était, parmi quelques personnes de sa famille, madame la comtesse de M..., sa nièce, jeune personne à cette époque, extrêmement naïve, et d'une telle distraction que, n'étant jamais à la conversation, elle faisait toujours des réponses ou des questions absolument hors de propos. On imagine avec quel empressement madame de Beauharnais fut accueillie. On l'amena sans beaucoup de peine à parler de poésie ; on l'écouta avec admiration ; on la pria de lire quelques-unes de ses pièces de vers ; elle céda aux instances de la société, après tous ces compliments d'usage que dicte la modestie d'un auteur, et lut une pièce fugitive qui n'avait point encore été imprimée. On applaudit avec transport, et l'un des auditeurs dans son enthousiasme s'écria : « On voit bien que ces délicieux vers ont été écrits avec une plume tirée des ailes de l'Amour. – Ah ! monsieur, répondit madame de Beauharnais, je ne me flatte pas d'employer de telles plumes. » Madame de M., qui n'entendit que ces derniers mots, et qui n'avait fait aucune attention à ce qui s'était dit auparavant, s'écrie : « Peut-être que madame se sert de préférence de plumes de dinde. » À ce mot toute la société resta pétrifiée, et l'étonnement naïf de madame de M. sur la surprise générale, fut la meilleure excuse qu'on put faire valoir en sa faveur auprès de madame de Beauharnais.

Une découverte archéologique

Voici un fait étonnant que nous empruntons à un journal de département : « Dernièrement, en démolissant une vieille muraille à Saumur, on a découvert *trois œufs frais.* »

La société archéologique du département a adressé un rapport à l'Académie des sciences sur ce phénomène ; mais elle n'a pu lui adresser les œufs frais, le goujat qui les avait découverts en ayant fait frire une ome-lette pour son déjeuner.

Le secret de la confession

Un curé avait eu quelque dispute avec une de ses paroissiennes, à la-quelle il dit dans la colère : « Allez, vous n'êtes qu'une catin. – Messieurs, dit la femme s'adressant à plusieurs personnes qui étaient présentes, je vous prends à témoin comme quoi M. le curé révèle ma confession. »

Amorcez

Un Gascon reçut de son cadet, qui était au service, une lettre dont le style ne lui convenait pas. Il lui répondit que si jamais il se présentait de-vant lui il lui casserait la tête d'un coup de pistolet. L'autre lui écrivit seulement ces trois mots : « Amorcez, je pars. »

Le bon chasseur

Un ministre de la religion protestante à Smyrne (M. Kuhn), homme très grave et très flegmatique, se détermina pourtant un jour à suivre à la chasse quelques personnes de sa connaissance ; il s'était fait accompa-gner d'un petit garçon pour porter et charger son fusil. On lui assigna son poste ; il s'y plaça, s'assit, mit ses lunettes, et tirant un livre de sa poche, il commença sa lecture, après avoir recommandé au petit garçon de l'avertir lorsqu'il verrait une pièce de gibier. Chaque fois que le petit drôle en apercevait une, il disait au ministre :« Monsieur, en voilà une. » Mais avant que celui-ci eût posé son livre, ôté ses lunettes, pris son fusil, ce qu'il faisait toujours très flegmatiquement, la bête disparaissait, et le petit garçon désolé lui disait : « Eh mais, monsieur, elle est partie. – Mon ami, répondait gravement le ministre, j'en aurais fait autant à sa place. »

Remède aux distractions

Madame du Gué, mère de madame de Coulanges, disait toutes ses prières en latin. Sa fille lui fit observer un jour qu'elle ferait tout aussi bien de prier en français. « Oh ! non, ma fille, répondit-elle, quand on entend ce que l'on dit, cela amuse trop. »

Montfleury et Cyrano

En parlant de l'acteur Montfleury, qui était démesurément gros et ventru, Cyrano de Bergerac disait : « Il fait le fier parce qu'on ne peut le bâtonner tout entier en un jour. »

Trente deniers

À une des dernières ventes de l'hôtel des commissaires-priseurs, un brocanteur juif, bien connu, avait acquis aux enchères un magnifique crucifix d'ivoire ; il ne consentait à le céder qu'à un prix exorbitant : « Eh quoi ! lui dit-on, vous demandez si cher de la copie, vous qui avez vendu l'original à si bon marché ! »

La sensibilité à l'épreuve

Une femme se désolait de ne pas recevoir de nouvelles de son mari, qui avait été tué sur un des vaisseaux de M. de Lamothe-Piquet, dans sa dernière affaire avec l'amiral Parker. Personne n'osait lui annoncer cette mort, de peur de la mettre au désespoir.

Enfin quelqu'un alla la voir dans le dessein de l'en instruire. Elle l'entretient de sa douleur et de la crainte qu'elle a que son mari ne soit mort. « Et s'il l'était, que feriez-vous ? – Ah ! s'écria-t-elle avec vivacité, je me jetterais par la fenêtre aux yeux de celui qui m'en apprendrait la nouvelle. » L'autre aussitôt se lève, et va ouvrir toutes les fenêtres de l'appartement. La femme comprit ce qu'il voulait lui dire ; mais ses transports cessèrent à l'instant, et elle ne put même s'empêcher de rire de se voir ainsi prise au mot.

Un héros de roman

Une demoiselle très romanesque, étant tombée dans la rivière, fut sur le point de se noyer. Un libérateur se trouve par hasard, qui la ramène évanouie, et elle est emportée chez elle. Lorsqu'elle a repris connaissance, elle déclare à sa famille qu'elle veut épouser celui qui l'a sauvée. « Impossible, dit le père. – Il est donc marié ? – Non. – N'est-ce pas ce jeune homme qui demeure dans notre voisinage ? — Eh ! non, c'est un chien de Terre-Neuve. »

Une prophétie de Louis XVIII

M. de Talleyrand étant gravement malade, chacun se demandait comment le diplomate s'arrangerait avec le clergé. « Soyez tranquilles, dit Louis XVIII à quelques personnes qui s'entretenaient sur ce sujet, M. de

Talleyrand sait assez bien vivre pour savoir mourir. » Le mot s'est vérifié plus tard.

Le cours de la Seine

On allait lire *Bajazet*. Le lecteur commence et dit : « La scène est à Constantinople.—Ah ! remarque une dame, la Seine coule aussi loin que cela ! »

Un plaidoyer improvisé

Un avocat, assez mal bâti et fort laid, plaidait contre une bourgeoise. C'était une cause sommaire qu'il chargeait de beaucoup de moyens inutiles. La bourgeoise, perdant patience, interrompt l'avocat et dit : « Messieurs, voici le fait en deux mots. Je m'engage à donner au tapissier qui est ma partie une somme pour une tapisserie de Flandre, à personnages bien dessinés, beaux comme M. le président (c'était effectivement un bel homme). Il veut m'en livrer une où il y a des personnages croqués, mal bâtis, comme l'avocat de ma partie : ne suis-je pas dispensée d'exécuter la convention? » Cette comparaison, qui était très claire, déconcerta l'avocat adverse ; et la bourgeoise gagna son procès.

Eve goudronnée

Un ministre protestant était monté en chaire, pour lire un passage de la Bible à ses ouailles. Après avoir mis ses lunettes, il lut : « Alors Dieu donna une compagne à Adam. » Puis, tournant la page, le saint homme continua : « Et elle était goudronnée en dedans et au-dehors, et pleine de toutes sortes d'animaux. » Le révérend avait sauté un feuillet et était tombé au milieu de la description de l'arche.

Un mot de saint Vincent de Paul

Un seigneur, dans un mouvement de colère, disait en présence de saint Vincent de Paul : « Je veux que le diable m'emporte. — Monsieur, lui dit finement ce saint religieux, je vous retiens pour le bon Dieu. »

Le pleureur empêché

Un savetier anglais, qui joignait à son état celui de pleureur aux enterrements, alla trouver un jour un de ses camarades et lui dit : « Tom, rends-moi un service. — Lequel ? – C'est d'être pleureur aujourd'hui pour moi à l'enterrement du banquier Carswel. – Pourquoi n'y vas-tu pas toi-même ? – C'est qu'en conscience je ne puis pleurer aujourd'hui ; ma femme est morte ce matin. »

Le défi
Un vieillard cajolait une jeune personne. « Je vous attraperais bien, lui dit-elle, si je vous prenais au mot. »

L'arlequin et le cocher
Le fameux arlequin de Londres, Rich, sortant un soir de la comédie, appelle un fiacre et lui dit de le conduire à la taverne du Soleil, sur le marché du Clare ; à l'instant où le fiacre était près d'arriver, Rich s'aper-çut qu'une fenêtre de la taverne était ouverte, et ne fit qu'un saut du fiacre dans la chambre par la portière. Le cocher descend, ouvre son car-rosse et est bien surpris de n'y trouver personne. Après avoir bien juré, selon l'usage, contre celui qui l'avait escroqué, il remonte sur son siège, tourne et s'en va. Rich épie l'instant où en retournant le fiacre se trouve-rait en face de la fenêtre, et d'un saut se remet dedans ; alors il crie au co-cher qu'il se trompe et qu'il a passé la taverne. Le cocher tremblant re-tourne de nouveau et s'arrête encore à la porte ; Rich descend de voiture, gronde beaucoup, tire sa bourse, et offre à l'homme de quoi le payer. « À d'autres, monsieur le Diable, s'écrie le cocher, je vous connais bien : vou-driez-vous m'empaumer ? gardez votre argent. »
À ces mots il fouette et se sauve à toute bride.

Le marguillier
On sait que MM. les curés de Paris avaient grand soin autrefois de choisir dans leurs paroisses les gens les plus distingués par leur nais-sance, leur état ou leur fortune, pour leur confier les places de mar-guilliers, et que personne n'aurait osé se refuser à des fonctions que la religion ainsi que l'esprit public rendaient honorables. Le curé de Saint-Roch se transporta chez M. de Boulogne, riche financier, et mari d'une des plus jolies femmes de la capitale, pour le prier d'accepter le titre de marguillier. Il y trouva une nombreuse assemblée, et n'en fit pas moins hautement sa demande. « Moi, marguillier ! monsieur, répondit le finan-cier, qui crut faire une légère plaisanterie ; j'aimerais autant être cocu. — Monsieur, l'un n'empêche pas l'autre, répliqua gravement le curé. »

Tamerlan et le poète Homedi

Un poète persan, Homedi, était au bain avec Tamerlan et d'autres courtisans. On jouait à un jeu d'esprit qui consistait à estimer, en argent, ce que chacun valait. « Je vous estime trente aspres » dit le poète à Tamerlan. – La serviette dont je m'essuie les vaut, reprit le tyran. – Mais c'est aussi en comptant la serviette » répliqua Homedi. Le Diable boiteux ne fit que rire. Il était de bonne humeur ce jour-là.

Le rhume imprévu

Un ambassadeur, arrivé tout récemment de Pologne, fut interrogé par une duchesse, qui lui demanda s'il était vrai que les Polonaises fussent aussi blanches et aussi froides que la neige de leur climat. « Cela est si vrai, madame, répondit l'ambassadeur, que souvent leur seule présence m'a fortement enrhumé. »

L'officier de terre

Les officiers de marine dans l'ancien régime étaient très fiers et leurs femmes plus fières encore. Une d'elles avait à dîner un officier de cavalerie qu'elle ne cessait d'apostropher sous le nom de *monsieur l'officier de terre*. « Monsieur l'officier de terre mange-t-il de ceci ? Monsieur l'officier de terre voudrait-il de cela? » L'officier impatienté, lui dit : « Madame, est-ce que messieurs vos maris sont de porcelaine ? »

Distinguo

On parlait à un évêque d'un abbé qui disait à tout propos, *distinguo*. « Monsieur l'abbé, lui dit l'évêque qui s'était fait fort de l'embarrasser, peut-on baptiser avec du bouillon ? – **Distinguo**, Monseigneur, répondit l'abbé, *si c'est avec le vôtre, non ; si c'est avec celui du séminaire*, oui. »

Le locataire consciencieux

On lisait, il y a peu de temps, dans un journal anglais :

Avis. – Un locataire, dont le bail est sur le point d'expirer, voulant remettre la maison qu'il habite dans l'état où elle était quand il en prit possession, désire se procurer 500 rats vivants. Il les paiera volontiers au prix de 125 francs ; il a besoin en outre pour son jardin de cinq millions environ de plantes sauvages pour lesquelles il offre la même somme.

N. B. Il faut que les rats soient adultes et vigoureux.

La victime de la séduction

Une jeune fille poursuivait en justice un jeune homme pour cause de séduction, mais son avocat ne trouvait pas ses moyens suffisants. Elle sortit de chez lui fort triste, mais le lendemain elle y retourna ; et, d'un air triomphant : « Monsieur, lui dit-elle, j'ai un nouveau moyen ; il m'a séduite encore ce matin. »

Le meuble inutile

M. de la Roche, gentilhomme ordinaire du roi, et jouet habituel de la cour, à cause de sa grande loquacité, de sa naïveté et de la familiarité originale qu'il affectait même auprès du souverain, essuya une aventure piquante, et qui ne fit qu'apprêter davantage à rire à ses dépens. Allant de Paris à Versailles pour son service, il se trouve dans une voiture publique à deux places, à côté d'un homme bien mis, qui en chemin lui propose du tabac. « Je n'en prends jamais, répondit-il ; j'ai cependant une assez belle boîte, comme vous le voyez, c'est un présent du feu roi. » En disant cela, il montre une superbe tabatière, où était le portrait de Louis XV entouré de diamants. Le compagnon de voyage prend la boîte, l'admire, et la rend au propriétaire, qui la remet dans sa poche. Arrivé au château, il descend de voiture (son compagnon l'avait quitté à l'entrée de l'avenue). Il croit sentir que sa poche est légère ; il y fouille, et n'y trouve qu'un mauvais morceau de papier, sur lequel étaient écrits ces mots au crayon : « Quand on ne prend pas de tabac, on n'a pas besoin de tabatière. »

À chacun le sien

Un homme ayant été cité comme témoin dans une affaire en cour d'assises, fut appelé à son tour pour déposer au tribunal. « Mon ami, lui dit le président, comment la querelle s'est-elle engagée ? – Voici, dit le témoin, les expressions dont s'est servi le prévenu, mon juge : vous êtes un imbécile. » Le président, s'apercevant que le public riait, lui dit : « Adressez-vous aux jurés. »

Le mouchoir

Le curé de Sceaux vint un jour faire sa cour à Madame la duchesse de Penthièvre ; elle le fit asseoir sur un fauteuil à côté d'elle. Le bon curé, en baissant les yeux, aperçoit un morceau de linge qui lui paraît sortir de sa culotte, et croit que c'est sa chemise. Il s'empresse de le renfoncer en couvrant bien ses mains avec son grand chapeau. Le moment d'après, il voit encore la même chose, et recommence jusqu'à ce qu'il ne paraisse plus rien. Un jeune page qui n'avait pas perdu de vue ce petit manège, et qui s'en était fort amusé, voyant la princesse tourner la tête de côté et d'autre, lui dit : « Votre Altesse cherche-t-elle quelque chose ? – Oui, c'est mon mouchoir, que je croyais avoir à côté de moi. — Madame, il était sur ce fauteuil, et M. le curé vient de le mettre dans sa culotte. »

L'embarras du vieillard, qui s'aperçut alors de sa méprise, et ne savait comment l'expliquer, fut égal aux rires immodérés de la princesse.

Sermon perdu

Un homme d'Urbin grondait son fils, qui, se mettant fort peu en peine de ses discours, considérait, pendant ce temps, des fourmis qui entraient dans un trou. « À quoi réfléchis-tu, misérable, pendant que je te parle ? – Ah ! mon père, s'il en était entré encore une, il y en aurait eu justement cinquante ! »

Le dénouement d'*Andromaque*

Racine mettait au nombre des choses qui le mortifiaient le plus les louanges des sots, et il racontait quelquefois à ce sujet le compliment que lui fit un jour un vieux magistrat. On avait donné *Andromaque* et *les Plaideurs*. À la sortie du spectacle, l'amateur rencontre Racine, et, croyant lui devoir un compliment, lui dit : « Je suis très satisfait, monsieur, de votre *Andromaque,* c'est une jolie pièce ; je suis seulement étonné qu'elle finisse si gaiement. J'avais eu d'abord envie de pleurer, mais la vue des petits chiens m'a fait rire. »

Propreté espagnole

Un jeune Français, élève de l'Académie de peinture, étant allé en Italie pour s'y perfectionner, rencontre à Naples un Espagnol couvert de haillons et d'une malpropreté excessive, vice dont, en général, ce peuple est accusé. Le jeune peintre remarque que l'Espagnol a les mains fort bien faites, quoique fort sales ; il lui propose de les dessiner. L'Espagnol accepte, moyennant quelque argent qui lui est promis. Le Français le conduit chez lui, et lui dit de se laver les mains. Soit ; il passe au vestibule ; puis revenant comme par réflexion : « Laquelle, monsieur, dit-il, voulez-vous dessiner ? »

Deux bévues
Les comédiens français mettaient depuis longtemps sur leurs affiches, *en attendant la première représentation de Guillaume Tell.* Madame de V***, peu instruite de l'histoire, et n'ayant aucune notion sur les annales helvétiques, disait de bonne foi : « Il serait bien temps de nous donner enfin ce *Guillaume un tel.* »

Cette même madame de V*** étant un jour à un dîner, où se trouvaient un grand nombre de personnes distinguées par leur naissance et par leur esprit, s'adressa à un de ses voisins, pour qu'il lui servît d'un plat sur lequel était un foie de veau : « Monsieur, lui dit-elle, ayez la complaisance de me donner un peu de ce *tartufe.* » Le voisin paraissant embarrassé, elle lui indiqua le plat du doigt, en répétant *ce tartufe.* Cette dénomination nouvelle surprit tous les convives, et chacun en chercha inutilement la cause ; enfin, on découvrit que madame de V***, ayant entendu parler du *Tartufe* de Molière, et ne sachant ce que ce mot signifiait, avait pris un dictionnaire pour s'en éclaircir, et au lieu de lire au mot Tartufe, *faux dévot*, elle avait lu *foie de veau.*

À Normand, Normand et demi
Un particulier ayant demandé dans une auberge au garçon d'écurie de quel pays il était : « Je suis de Falaise, lui répondit celui-ci. – Et combien y a-t-il de temps que vous servez dans cette maison ? – Seize ans, monsieur. – Comment, un garçon d'un pays où l'on est si adroit n'a pas encore amassé de quoi s'établir ! Cela me surprend. – Vous avez raison, monsieur, mais vous saurez que mon maître est de Vire. »

Une lettre anglaise
En 1773, un Anglais, frappé de la beauté, des talents et de la sagesse d'une actrice française, lui écrivit la lettre suivante : « Mademoiselle, on dit que vous êtes sage, et que vous avez formé la résolution de l'être toujours ; je vous exhorte à ne pas changer. Le contrat que je vous envoie vous assure cinquante guinées par mois tant que cette fantaisie vous durera. Si par hasard elle venait à vous passer, je vous en donnerai cent, et vous demande la préférence. »

Plainte légitime

Un particulier, qui avait été obligé de recourir à une infinité de stratagèmes pour soutenir son crédit, reçut de plusieurs de ses créanciers des lettres d'avis par lesquelles ils le menaçaient de le poursuivre, s'il ne les payait pas : « Comment, s'écria-t-il furieux, j'ai eu une peine du diable à emprunter de l'argent, et il faut encore que je sois tourmenté pour le rendre ! »»

L'explication

Le comte d'Alb…, officier des gardes du corps, désirant aller de Versailles à Paris, entendit, dans une société, le marquis de M…, qu'il ne connaissait pas, dire qu'il comptait faire ce petit voyage ce même jour. Il l'aborde, et avec cette gaieté des bords de la Garonne, qu'il avait conservée autant que l'accent national : « Monsieur, lui dit-il, vous allez aujourd'hui à Paris, sans doute dans votre voiture ? – Oui, monsieur ; pourrais-je vous être bon à quelque chose ? – Vous me feriez bien plaisir si vous vouliez y mettre ma redingote. – Très volontiers ; où voulez-vous que je la dépose, en arrivant ? – Oh ! Ne vous inquiétez pas de cela : je serai dedans. »

Un homme racontait devant lui une histoire fort invraisemblable ; le comte d'Alb.., souriait de manière à embarrasser le narrateur qui, avec un mouvement d'impatience, lui dit : « Quoi ! monsieur, vous ne croyez pas à mon histoire ? – Oh ! pardonnez-moi, reprit le comte, mais je n'oserais pas la répéter à cause de mon accent. »

La fin des notaires

Deux sous-officiers s'entretenaient l'autre jour dans un café et parlaient haut, comme c'est l'habitude de quelques personnes qui ne craignent pas de mettre tout le monde dans leur confidence. L'un des deux annonçait l'intention de demander du service en Afrique. « Reste donc, disait l'autre, que veux-tu faire en Afrique ? — Crois-tu donc, répondit le premier, que je veuille mourir dans mon lit comme un *notaire* ? »

À moqueur moqueur et demi

Dans les farces qu'il faisait, F… n'était pas toujours heureux. Il se présenta un jour à la barrière pour entrer à Paris, et dit au commis : « Je passe du vin sur moi, faites-moi donc payer. – Non, monsieur, répondit le commis, le vin en cruche ne paye pas. »

La pantoufle

M. d'Argouge, évêque de Vannes, était allé voir madame la marquise Descartes dans son Château près de la ville. Cette dame était malade, mais elle voulut recevoir son prélat, le plus pieux et le plus distrait de tous les hommes. On donne un fauteuil à monseigneur, près du lit de la malade, il laisse tomber son bréviaire, qu'il croit ramasser en mettant une des mules de la marquise dans sa poche. Il rendit sa visite courte pour n'être pas incommode. Avant de regagner son palais épiscopal, il va dire ses matines dans sa cathédrale. Il se sent tirer par la manche : c'était un laquais de madame Descartes qui lui rapportait son bréviaire, en lui disant qu'il a emporté une des pantoufles de sa maîtresse. Il se fouille, en doutant fort de ce dont on l'accuse. « Mon enfant, dit-il enfin, en montrant ce qu'on lui demandait : voilà tout ce que j'ai de pantoufles sur moi. »

L'égoïsme

I.e célèbre chancelier d'Angleterre Francis Bacon caractérisait d'une manière aussi ingénieuse qu'énergique certains hommes connus par leur égoïsme : « Ce sont, disait-il, des gens qui mettraient le feu à une maison pour faire cuire un œuf. »

Le poison lent

Un médecin disait à Fontenelle que le café était un poison lent. « Je le crois comme vous, mon cher docteur, répondit l'académicien, car il y a près de quatre-vingts ans que j'en prends tous les jours. »

Une leçon d'amour maternel

Madame de R. de P ; avait un fils et une fille, et marquait autant de prédilection pour le premier que de sévérité et même de dureté pour l'autre, qui cependant intéressait tout le monde par ses grâces, son esprit et la naïveté de son âge. La mère étant enceinte pour la troisième fois, et parlant de son état devant plusieurs personnes, la charmante petite enfant, alors âgée au plus de cinq ans, se jette entre ses bras, et l'embrassant tendrement : « Maman, je t'en prie, lui dit-elle, fais-moi un petit frère.— Et pourquoi préférez-vous un frère à une sœur ? – Maman, c'est que tu n'aimes pas les petites filles. » La mère, à ce mot qui fut pour elle une cruelle leçon, versa des larmes d'attendrissement, et ne cessa depuis de prodiguer à sa fille les caresses qu'elle lui avait trop refusées dans son enfance.

Le pain tendre

On distribuait le déjeuner dans un des collèges de Paris, et, par extraordinaire, le pain sortait du four. « Tiens, dit un écolier en mettant dans sa poche un énorme croûton, tiens, du pain tendre ; on n'en donne pas tous les jours ; ma foi, j'en garde pour demain. »

Les querelles de ménage

Un bon curé avait coutume de dire, lorsqu'on lui faisait part de quelques querelles de ménage survenues dans sa paroisse : « Si ce sont de vieilles gens, j'irai les rapatrier, s'il est possible ; si ce sont des jeunes gens, ils n'ont pas besoin de mon ministère : cela se raccommodera sur le chevet. »

Histoire de corps de garde

Le prince Eugène se plaisait à écouter les conversations des soldats. Un soir il s'arrête près de la fenêtre du corps de garde des Tuileries et recueille le dialogue suivant : « Eh bien, le prince se marie. — Ah ! ah ! et qui donc épouse-t-il ? – Une princesse de Bavière. – Allons, en voilà une qui n'est pas malheureuse. – Oui, elle aura un bel homme. – C'est dommage qu'il n'ait plus de dents. – Bah ! Est-ce qu'on a besoin de dents pour prendre une bavaroise ! »

Un procès du maréchal de Richelieu

Les ducs et pairs étaient assemblés en la grand'chambre pour l'examen de la plainte en subornation de témoins que la dame de Saint-Vincent avait portée contre le maréchal de Richelieu. Le vieux maréchal s'écria, dans une confrontation avec cette dame : « Peut-on me soupçonner d'avoir donné quatre cent mille livres pour une telle figure ? – Eh ! monsieur, répondit madame de Saint-Vincent, ce n'est pas à cause de ma figure que vous avez donné cette somme, c'est à cause de la vôtre. »

La sotte question

Un jeune Français demandait étourdiment au maréchal de Luxembourg comment il avait fait pour perdre telle bataille. « Je vous le dirai, répondit froidement le duc ; je croyais la gagner et je la perdis. » Puis, se retournant, il ajouta : « Qui est le sot qui me fait cette question ? »

La prise de Mâcon

« Savez-vous, disait quelqu'un à Désaugiers, que les Autrichiens sont maîtres de Mâcon ? – Hélas ! oui, et cela devait être. — Pourquoi ? – Parce que l'ennemi a attaqué avec des pièces de *vingt-quatre*, et que les habitants n'avaient que des pièces de *vin* pour se défendre. »

Histoire d'un mets de primeur

Le maréchal de Saxe, voulant traiter son état-major à l'ouverture de la campagne, fit venir de Paris quelques litrons de petits pois qui lui revenaient à plus de 25 louis. Il défendit à son maître d'hôtel d'en rien dire. Il se faisait une fête de surprendre ses convives à l'aspect d'un plat aussi rare, tant à cause de la saison (au mois de mars) que pour le lieu et la circonstance. Au moment de l'entremets, il ne voit point paraître les pois tant attendus. Il fait appeler le maître d'hôtel. « Et les petits pois ? lui dit le prince à l'oreille. – Monseigneur... — Quoi ? Monseigneur ! – Il y en avait si peu quand ils ont été cuits, que le petit marmiton les a pris pour un reste et les a mangés. – Comment ! le malheureux ! qu'on me l'amène. » Le petit marmiton paraît plus mort que vif. « Et les petits pois, lui dit le général, les as-tu trouvés bons ? — Oui, monseigneur. – À la bonne heure. Qu'on lui fasse boire un coup. »

Comment on fait révoquer un testament

Un neveu témoignait à une vieille tante des attentions sans nombre. Elle meurt. C'est l'usage du pays d'ouvrir, dans la chambre même où est le cercueil, le testament ; on lit celui de la tante. Le neveu, qui ne doutait pas d'être nommé légataire universel, se voit totalement déshérité. Saisi de fureur, il donne un coup de pied dans le cercueil, qui tombe et s'ouvre ; la morte revient à la vie. La secousse l'avait sans doute tirée d'un état léthargique. Elle apprend les détails et la cause de sa résurrection : « Allons, dit la bonne femme, n'examinons pas le motif ; j'ai une obligation essentielle à mon neveu, je l'en récompenserai. »» Elle vécut encore quelques années, déchira son premier testament et en fit un nouveau en faveur de son sauveur involontaire.

Bravoure et sang-froid

Girone était assiégée par les Français, en 1711. Le duc de Noailles, qui commandait l'armée, étant allé visiter une batterie, un boulet de canon l'approcha de fort près. Il dit à Rigolo, qui commandait l'artillerie et qui était sourd : « Entendez-vous cette musique ? – Je ne prends jamais garde, répond Rigolo, à ceux qui viennent, je ne fais attention qu'à ceux qui s'en vont. »

La prière expéditive

Un dévot, plein de soumission chrétienne et craignant de faire à Dieu quelque demande indiscrète, se contentait, tous les soirs et tous les matins, de réciter, pour unique prière, les vingt-cinq lettres de l'alphabet, puis il disait en terminant : « Les voilà toutes, ô mon Dieu, arrangez-les comme il vous conviendra. »

Il n'y a pas de claqueurs à l'Odéon

Sous la direction de M. Bernard, qui avait beaucoup couru le monde en qualité de directeur et de comédien, l'Odéon était devenu tout à fait un théâtre de province ; M. Bernard aimait à parler au public, et le public le servait à souhait. Il le faisait venir à la rampe deux ou trois fois par soirée. Un soir, après avoir mis à la porte les claqueurs, au milieu d'une pièce, ils appellent : « Bernard ! Bernard ! » M.Bernard arrive ; il se plaint qu'il n'ait plus le moyen de vivre, qu'on veuille tuer son théâtre, il mettra la clef sous la porte. « Monsieur Bernard, réplique-t-on, nous ne voulons point de claqueurs. – Eh ! messieurs, il n'y en a pas. – Si ! si ! – Non, messieurs, non. – C'est un peu fort, nous venons de les mettre à la porte. – Donc il n'y en a pas » répond le directeur ; et le public d'applaudir.

La grosse bêtise

Un jour, à Bordeaux, l'acteur-auteur Honoré, jouait un rôle à la place de M. Bernard-Léon. « Bernard-Léon ! Bernard-Léon ! crie-t-on en le voyant paraître. – Monsieur, répondit M. Honoré, mon camarade Léon est malade. – Qu'est-ce que ça nous fait ? nous voulons Bernard-Léon, mort ou vif. – Oh ! monsieur, dit M. Honoré en s'approchant de la rampe et en regardant son interlocuteur, je suis payé pour dire des bêtises, mais jamais je n'en ai lâchée une de cette force-là. » Les spectateurs rient, regardent l'interrupteur, le prennent et le mettent à la porte en le faisant passer par-dessus les têtes.

Les conséquences de la guerre
Quelqu'un ayant dit à une femme que le suif était augmenté à cause de la guerre : « Ah ! dit-elle, apparemment que les armées se sont battues à la chandelle. »

Sans gants
Duclos était à se baigner dans la Seine : une jolie femme passe dans une voiture fort élégante. Le cocher n'aperçoit pas un trou près du rivage. Le carrosse culbute : voilà la dame étendue d'un côté dans la boue, et ses laquais de l'autre. Duclos sort de l'eau tout nu, et accourt à elle. « Madame, lui dit-il en lui donnant la main pour la relever, je vous demande pardon de n'avoir pas de gants. »

La nécessité de Dieu
Le roi de Prusse Frédéric II était apôtre de l'athéisme, et s'en glorifiait un jour devant d'Arnaud-Baculard, dont le silence était très significatif. « Comment, lui dit le monarque, vous tenez encore à ces vieilleries ? – Oui, sire, répondit l'homme de lettres ; j'ai besoin de croire qu'il est un être au-dessus des rois. »

La place de saint François
Un cordelier, faisant le panégyrique de saint François, disait : « Où mettrons-nous ce saint, élevé au-dessus des anges, des archanges, des vertus ?... » Un des auditeurs se leva et dit : « Mettez-le à ma place. » Et il s'en alla.

Bravo, bravi
Madame de B... fut conduite l'autre jour au Théâtre Italien. L'Ambigu est bien mieux son fait ; mais comme elle est grande dame, à présent que son mari est pair de France, qu'elle est pairesse et qu'elle va à la Cour, elle se croit obligée d'aimer la musique. Après un morceau chanté par

Tamburini, elle se mit à crier : « Bravi ! bravi ! – C'est *bravo* qu'il faut dire, observa la voisine. — Ma foi, tant pis, répondit-elle, je n'aime pas le veau. »

La défense légitime

Un paysan ayant tué d'un coup de hallebarde un chien qui voulait le mordre, fut cité devant le juge, qui lui demanda pourquoi il n'avait pas opposé le manche de la hallebarde. « Je l'aurais fait, répondit le paysan, s'il eût voulu me mordre de la queue et non pas des dents. »

L'étranger bien accueilli

Un homme d'esprit qui ne haïssait pas la bonne chère, disait un jour : « De tous les étrangers qui sont venus s'établir en France, à diverses époques, celui qui a fait le plus de bien à la France est le Poulet-d'Inde, sans contredit. En faveur de ses principales vertus, je lui pardonne sa sottise et sa vanité. »

Le portrait

Il prit fantaisie à un jeune homme fort simple de faire faire son portrait ; mais craignant que les parents de la jeune personne à laquelle il le destinait ne lui défendissent leur maison, s'ils trouvaient par hasard ce portrait dans la main de leur fille, il dit au peintre : « Monsieur, faites mon portrait, comme je vous l'ai demandé ; mais faites-le de manière qu'on ne puisse me reconnaître. »

Les zéphyrs

Les zéphyrs, qui sont si agréables sur la terre, causent quelquefois sur mer des ravages épouvantables. Le grand Duquesne demandait un jour à un officier de vaisseau où étaient les vents. « Tout est calme, lui répondit l'officier ; il n'y a que les zéphyrs qui se jouent légèrement sur les flots. — Les zéphyrs, monsieur ? reprit brusquement Duquesne ; apprenez que les zéphyrs sont des jean-foutre sur mer. »

Les avantages d'une bonne éducation

On a pu lire dans les *Petites Affiches* la demande suivante : « Une jeune personne ayant reçu une bonne éducation, sachant lire, écrire, la géographie, l'histoire, la musique, la danse, les premiers éléments des mathématiques, désirerait entrer dans une maison comme il faut pour faire la cuisine et repasser. »

L'homme discret

M. de M... avait pris à son service un valet qui ne faisait que de sortir de son village. Le jour même de son arrivée, il demanda à son maître la permission d'aller se faire couper les cheveux. « Tu iras ce soir » lui dit M. de M... Le soir, en effet, et dans le moment même où son maître avait nombreuse compagnie dans son salon, il s'approcha de lui et lui dit à mi-voix, mais de manière à être parfaitement entendu de tout le monde : « Permettez-vous, monsieur, que j'aille maintenant me faire couper ce que vous savez ? »

Fox et les Juifs

Fox avait emprunté à différents juifs des sommes considérables, et il comptait sur la succession d'un de ses oncles pour acquitter ses dettes. Cet oncle se maria et eut un fils. Lorsque Fox en fut instruit, il dit : « C'est le Messie que cet enfant, il vient au monde pour la ruine des Juifs. »

Le duc de Brissac

Le duc de Brissac, étant lieutenant général, fut chargé d'attaquer, avec une division de cavalerie, un corps ennemi considérable en présence duquel il se trouvait. Ne se sentant pas les moyens de prendre de ces mesures qui assurent la victoire ou qui favorisent une retraite honorable, il se contenta de crier d'une voix de stentor à sa troupe : « Marche à moi la droite, marche à moi la gauche, marche à moi le centre ; jean-foutre qui ne me suit pas ! » Il part au grand galop : toute sa division le suit, et il culbute l'ennemi.

La précieuse

« Quelle impertinence ! s'écriait une précieuse en entendant ces mots : *cul d'artichaut, cul-de-sac* ; quelle idée sale ils présentent ! – Madame, dans la conversation ordinaire, il vous serait difficile d'éviter l'expression qui vous blesse. – Je défie bien monsieur, que vous m'en citiez des exemples. – Mais comment dites-vous quand il s'agit d'un écu ? – Trois livres, ou soixante sols. — Comment appelez-vous le vêtement dans lequel les hommes passent leurs cuisses, et qui monte jusqu'aux reins ? – Un haut-de-chausses. – Mais enfin, madame, comment nommez-vous la lettre de l'alphabet qui suit le *p* ? – Oh ! monsieur, je ne m'attendais pas que vous me feriez l'affront de me remettre à l'*a-b-c*. »

Charlatanisme

La foule s'arrêtait l'autre jour devant la boutique d'un industriel de la rue Saint-Honoré ; il avait écrit sur ses vitres : « On est prié de ne pas confondre ce magasin avec celui d'un autre charlatan qui est venu s'établir en face. »

L'avarice du duc de Marlborough

On a dit qu'il y avait d'illustres scélérats, mais qu'il n'y avait pas d'illustres avares. Cette opinion de madame de Lambert est bien contredite par l'exemple du célèbre duc de Marlborough. Cet homme, avide de gloire, était encore plus avide de richesses ; et pour satisfaire ce honteux besoin, il n'y avait pour lui aucun moyen de honteux. Un homme qui désirait obtenir une place lucrative, alla le prier de la demander pour lui. « Si je l'obtiens, dit-il, j'ai mille guinées dont milord pourra disposer à sa volonté, et je lui donne ma parole de n'en parler à personne. – Donne-m'en deux mille, répondit le duc, et va le dire, si tu veux, à tout le monde.»

Galanterie de M. de Bièvre

Le marquis de Bièvre aperçut un jour dans une voiture trois dames de sa connaissance. Il alla les saluer, et l'une d'elles l'invita à monter. « Pierre, dit-elle à son cocher, ouvrez la portière à M. le marquis. — Comment, mesdames, repartit de Bièvre, votre cocher se nomme Pierre ! Son parrain s'est trompé, bien sûr ; il voulait le nommer Bénédicité.» Les dames ne comprenant pas, le marquis leur dit galamment : « Le *Bénédicité* ne précède-t-il pas les Grâces ? »

Deux gasconnades

Un Gascon se vantait d'être descendu d'une maison si ancienne qu'il payait encore, disait-il, la rente d'une somme que ses aïeux avaient empruntée pour aller à Bethléem adorer l'enfant Jésus dans son étable.

« Si tous ceux que j'ai tués à l'armée, disait un autre Gascon, se trouvaient réunis en un seul tas dans un vallon de nos Pyrénées, on passerait de plain-pied d'une montagne à l'autre. »

Calembour d'Odry

« Quelle est, demandait-on à Odry, la boisson qui convient le mieux au soldat ? est-ce l'eau ou le vin ? – Non, dit-il, c'est la bière de Mars. »

Annonces anglaises

— Un jeune homme qui a des espérances considérables et qui *professe les principes évangéliques*, désire rencontrer une jeune demoiselle douée d'un physique agréable et d'une fortune convenable. Ce jeune homme a cinq pieds sept pouces, et, s'il ne se trompe, ses autres qualités sont à la hauteur de celles-ci.

— On demande un commissionnaire portant aisément 200 livres et *marchant avec la crainte de Dieu* devant les yeux.

— Une dame porte en faveur de l'*Élixir balsamique de Congrès* le témoignage suivant :

« Mariée depuis peu de jours, j'avais la douleur de ne pouvoir m'étendre de mon long dans le lit, ni reposer ma tête sur le même oreiller que mon mari ; il me fallait rester assise soutenue par des traversins, ce qui était extrêmement désagréable dans ma nouvelle condition. » – Après avoir bu un litre de l'élixir, la dame put se coucher tout de son long et reposer sa tête sur le même oreiller que son mari. C'est le mari qui l'atteste.

Quelques bêtises

Quelque temps après que l'on eut remplacé par le mètre l'ancienne aune, un marchand de la rue Saint-Denis refusa d'aller au Théâtre-Français un jour que l'on jouait la *Métromanie*, parce que, disait-il, il n'aimait pas les pièces de circonstance.

— Un voyageur, prêt à partir, disait « qu'il avait pris ses précautions, et que, comme en route on pouvait être attaqué subitement, il avait mis une paire de pistolets au fond de sa malle. »

— Une vieille femme, rencontrant une paysanne qu'elle n'avait pas vue depuis longtemps, lui dit : « Ah ! mon Dieu ! Ma pauvre fille, est-ce ben toi ou ta sœur qu'est morte ? – C'est ma sœur qu'est morte, reprit la jeune fille, mais c'est moi qu'a été la plus malade. »

— Jean Pacot se présente à son capitaine, et lui dit qu'il a tué un Bédouin. « Même, ajoute-t-il, que voilà son bras que je lui ai coupé. – Cela est bien, Pacot ; mais pourquoi ne lui as-tu pas coupé la tête ? – Vous avez raison, mon capitaine ; j'aurais peut-être dû lui couper la tête... mais, c'est qu'il ne l'avait plus. »

— « À moi, à moi, mon capitaine, s'écriait un soldat, à moi ! je tiens un prisonnier. – Eh bien, lui dit le capitaine, amène-le. – Je ne demande pas mieux ; mais il ne veut pas me laisser aller. »

Le pater de Racan

Racan étant allé aux Chartreux pour voir un des religieux, on ne voulut pas lui permettre de parler qu'il n'eût dit préalablement un *Pater*. Cela fait, le chartreux qu'il demandait vint et s'excusa de ne pouvoir l'entretenir. « Au moins, lui dit Racan, faites-moi rendre mon *Pater*. »

Arlequin et le plat d'or

Dominique, cet aimable et spirituel Arlequin, qui obtint de si brillants succès sous le règne de Louis XIV, se trouvant un soir au souper du roi, semblait regarder avec un intérêt tout particulier un plat de perdrix qui se trouvait sur la table. Ce prince, qui s'en aperçut, dit à l'officier qui desservait : « Que l'on donne ce plat à Dominique. — Quoi, Sire, et les perdrix aussi ? » Le roi, qui entra dans la pensée de Dominique, reprit : « Et les perdrix aussi. » Ainsi Dominique, par cette demande adroite, eut, avec les perdrix, le plat qui était d'or.

La censure bavaroise

La censure littéraire était exercée. Il y a quelques années, à Munich, avec un scrupule, et une rigueur qui allaient souvent jusqu'au ridicule. Les livres envoyés de France particulièrement, étaient l'objet d'un sévère examen. Or, il arriva qu'un libraire du pays, qui connaissait le goût prononcé de ses compatriotes pour la bonne chère, fit venir de Paris un grand nombre d'exemplaires de la *Cuisinière bourgeoise*, bien assuré d'avance d'en avoir le débit. Mais le livre ayant, comme tous les autres, été soumis à l'examen de messieurs les censeurs, et l'un d'eux ayant trouvé dans la table, l'indication suivante : *Manière d'apprêter les carpes en gras*, on s'effraya de la tendance irréligieuse d'un livre qui renfermait une telle recette, et il fut décidé que la distribution en serait prohibée.

Les enseignes

— On a remarqué dans Paris une enseigne ainsi conçue : *T...*, *culottier de la reine.*

— On lisait sur une autre, en 1811 : *B.*., *chirurgien accoucheur de la grande armée.*

— Et sur une autre, rue Dauphine : *Grégoire, tailleur d'hommes.*

— Dans la rue Chartière, près du Collège de France, on lisait sur la porte d'une maîtresse d'école qui venait de déménager : *Madame Prudent est maintenant enceinte du Panthéon.*

Un bon tour de Mazarin

On avait écrit des livres horribles contre le cardinal Mazarin. Il feignit d'en être très irrité, et fit rechercher tous les exemplaires comme pour les détruire. Quand il les eut tous rassemblés il les fit vendre en secret, et en tira 10,000 écus.

L'effet du vin

Arlequin disait un jour : « On m'a toujours dit qu'un verre de vin soutenait l'homme ; en voilà plus de quarante que je bois, et je ne peux pas encore me tenir sur mes jambes. »

Un homme qui a voyagé

Un seigneur de la cour cherchait, pour ses deux fils, un homme instruit, de bonnes mœurs et qui eût voyagé. Parmi la foule des concurrents, se présente un particulier en perruque, qui salue très gravement. « Avez-vous voyagé ? lui dit-on. — Oui, monsieur le duc. – Et dans quelles contrées du monde ? – Monsieur le duc, j'ai été à Beauvais. »

L'impénitence

La comtesse d'A..., fort aimée du prince de Conti, eut une maladie fort grave, pendant laquelle son état ne permettait pas qu'on reçût personne dans sa chambre. Son confesseur, qui seul avait le droit d'y entrer avec les gens de service, lui représenta que, dans la situation où elle était, elle devait renoncer, tant pour elle-même que pour l'édification publique, à toutes les illusions, à toutes les vaines affections de ce monde, et par conséquent fermer sa porte au prince, qui était jour et nuit dans son antichambre pour demander de ses nouvelles. « Ah ! mon père, répondit-elle avec naïveté, que vous me rendez heureuse ! je craignais bien d'en être oubliée. »

La gravité

La Rochefoucault a défini la gravité « un mystère de corps inventé pour dissimuler les défauts de l'esprit. » Confucius, le philosophe chinois, l'envisage sous un autre point de vue. « La gravité, dit-il, n'est que l'écorce de la sagesse, mais elle la conserve. »

Heureuse ignorance

On vantait à un paysan du Saint-Gothard les richesses du roi de France : « Je parie, dit-il, qu'il n'a pas d'aussi belles vaches que les miennes. »

Un valet très réservé

Le domestique d'une maison où allait quelquefois Préville le priait depuis longtemps de lui procurer un billet de comédie. Préville enfin lui en donna. Quelques jours après, cet acteur célèbre étant revenu dans la maison, demanda au domestique s'il avait été content. Celui-ci répond qu'il avait trouvé la salle fort belle, ainsi que les décorations ; que, quant à ces messieurs et ces dames, ils étaient habillés superbement. « Mais comment avez-vous trouvé ce que disaient les acteurs ? – Oh ! ma foi, ils parlaient de leurs affaires. Vous sentez que, moi, cela ne me regardait pas. »

L'Ingénue

M. de Cypierre, fils de l'intendant d'Orléans, devait épouser mademoiselle de L***, âgée de douze à treize ans. Quand on eut fait part à la jeune personne de la décision de ses parents, elle alla bien vite raconter cette nouvelle à ses petites compagnes, et confondant tout ce qui lui avait été dit, elle assurait qu'elle épouserait M. d'Orléans, intendant de Cythère. Immédiatement après la cérémonie, elle ne trouva point étonnant qu'on la fît rentrer au couvent, ainsi que les parents en étaient convenus, jusqu'à ce qu'elle fût nubile ; mais en faisant ses adieux à son mari qui l'avait accompagnée : « Monsieur, lui dit-elle, vous n'oublierez pas de me faire sortir pour mes couches. »

L'épitaphe précise

Un maire, bienfaiteur de sa commune mourut dans un voyage qu'il fit à Paris ; ses administrés lui élevèrent un tombeau sur lequel ils firent graver en grosses lettres : « Ci-gît M. B**, enterré à Paris. »

La franchise

Un jeune homme rendait des visites très fréquentes à une demoiselle. La mère de cette jeune personne, qui craignait que l'on n'en médît, demanda un jour à l'amoureux sur quel pied il venait : « Est-ce pour le mariage ou pour autrement ? – C'est pour autrement.» répondit naïvement le jeune homme.

Le froid aux pieds

Un conscrit écrivait à son frère une lettre dans laquelle il ne cherchait pas à plaisanter, et que, pourtant, il terminait ainsi : « Je ne t'en dis pas plus long, car j'ai si froid aux pieds que je ne puis tenir ma plume. »

La bonne réplique

La jolie comtesse de... entre un jour dans un appartement, parée avec toute la coquetterie dont elle est capable. Madame de..., parce qu'elle est laide et sage, croit pouvoir lui donner une leçon et lui dit : « Comme vous voilà mise, comtesse ! Vous avez l'air d'une fille ! – Madame, lui répond la charmante comtesse, ne l'a pas qui veut. »

La vanité

Ninon de L'Enclos, qui avait beaucoup d'esprit et encore plus de bon sens, ce qui vaut mieux, avait coutume de dire : « Les Grands seigneurs se glorifient du mérite de leurs ancêtres, parce qu'ils n'en ont pas d'autre ; les Beaux esprits se glorifient de leur propre mérite, parce qu'ils le croient unique ; les gens de bon sens ne se glorifient de rien. »

L'enfant prévoyant

Un enfant s'était obstiné toute la matinée à ne pas vouloir dire **a**, la première lettre de son alphabet, et on l'avait fouetté pour son obstination. M. J... le trouve tout en pleurs, et on lui en dit la cause ; il appelle l'enfant, le prend sur ses genoux et lui dit : « Mon petit ami, pourquoi n'avez-vous pas voulu dire **a** ? Cela n'est pas bien difficile. » L'enfant pleure et ne répond rien. On insiste : même silence ; on le presse tant qu'il répond enfin d'un ton chagrin : « C'est que je n'aurais pas plutôt dit **a** qu'on me ferait dire **b**. »

La parfaite ressemblance

Deux frères qui logeaient ensemble se ressemblaient parfaitement et portaient le même nom. Un homme demande à parler à l'un d'eux. « Lequel ? dit le portier.— Celui qui est conseiller. – Ils le sont tous deux. – Celui qui est un peu louche. — Ils le sont tous deux. – Celui qui est marié. – Ils le sont tous deux. – Celui qui a une jolie femme. – Ils en ont tous deux. — Eh bien ! c'est donc celui qui est cocu. — Ma foi, monsieur, je crois qu'ils le sont tous deux. – Oh ! parbleu, voilà deux hommes qui se ressemblent trop pour qu'on les distingue. »

Économie et bienfaisance

On faisait à Londres une collecte pour la construction de l'hôpital de Bedlam. Les commissaires chargés de la quête arrivent à une petite maison dont le vestibule était ouvert, et de ce vestibule, ils entendent un vieux garçon, maître de la maison, querellant sa servante de ce qu'ayant employé une allumette, elle l'avait étourdiment jetée au feu, sans faire attention que cette allumette pouvait encore servir par son autre bout. Après s'être amusés du sujet de la querelle et de la véhémence des reproches, les commissaires frappent et se présentent au vieux célibataire qui, instruit de l'objet de leur mission, leur remet 400 guinées. Les commissaires, étonnés de cette générosité, lui témoignent leur surprise. « Vous vous étonnez de bien peu de chose, leur répond le vieux garçon. J'ai ma manière de ménager et de dépenser. L'une fournit à l'autre, et toutes deux font mon bonheur. Au reste, en fait de bienfaisance, attendez tout de ceux qui savent compter avec eux-mêmes. »

Le sourd volontaire

Le maréchal de Richelieu, étant à la tête du tribunal des maréchaux de France, crut devoir réprimander un ancien militaire qui s'était mis dans le cas d'essuyer quelques reproches. Il le mande chez lui, lui parle avec beaucoup de sévérité. L'officier répond de temps en temps par des révérences respectueuses et un léger sourire, qui, irritant le maréchal, l'engage à tenir les propos les plus amers, accompagnés de dures menaces.

Enfin, l'officier profitant d'un moment de silence : « Je suis bien fâché, dit-il, de n'avoir pu entendre toutes les choses obligeantes que M. le maréchal a bien voulu me dire ; mais je suis un peu sourd. » Le maréchal, qui l'était en effet lui-même autant que l'officier affectait probablement de l'être, s'étant fait répéter ce qu'il disait, fut confondu d'avoir employé autant de paroles inutilement.

La véritable éducation

On demandait à Agésilas ce qu'il voudrait qu'on apprît aux enfants ? « Je voudrais, répondit-il, qu'on leur apprît ce qu'ils devront faire étant hommes. »

Le figurant difficile

Un auteur bien connu pour ne faire ses pièces qu'aux répétitions impatientait tous les acteurs par les nombreux et perpétuels changements qu'il faisait subir à un ouvrage qu'on étudiait. Le premier rôle, surtout, se montrait fort irrité ; à la répétition générale, un comparse, chargé d'apporter une lettre, disait trop vite quelques mots qu'il avait à prononcer : « Allez plus lentement, lui cria l'auteur ; prenez un temps, il y a un point et virgule. – Non, monsieur, répondit le figurant, il n'y a qu'une virgule. – Eh bien ! reprit l'auteur en riant, mettez un point et virgule. – Ma foi, monsieur, s'écria le pauvre diable, si vous faites toujours des changements, je ne serai jamais prêt pour demain. »

L'heureuse prévision

M. d'A..., procureur général au parlement de**, jouissait dans sa province de toute la considération que méritaient son exactitude et son intégrité dans les fonctions de son ministère ; mais il était d'une ignorance absolue sur tout ce qui ne concernait pas son état, et faisait souvent des bévues très risibles. On prétend qu'il écrivait à son fils : « Je viens de faire l'acquisition d'une très belle terre, bien bâtie, avec une chapelle, dans laquelle est un superbe tombeau, où nous voulons, ta mère et moi, être enterrés, si Dieu nous prête vie. »

Le remède salutaire

Un médecin ayant écrit une ordonnance, la donna au malade en disant : « Voilà ce que vous avalerez demain matin. » Celui-ci qui aimait à rire prit la phrase du médecin au pied de la lettre, avala l'ordonnance, et guérit.

Le pouvoir des femmes

Une femme, disait Fontenelle, gouvernera toujours à sa fantaisie l'homme du monde le plus impérieux, pourvu qu'elle ait beaucoup d'esprit, assez de beauté et peu d'amour.

La lecture de la comédie des *Philosophes*

On lisait, dans une maison particulière, la comédie des *Philosophes*. Quand on en fut à l'endroit où Cidalise avoue à sa fille qu'elle ne l'aime pas précisément parce qu'elle est sa fille, mais qu'elle l'aime en qualité d'être, à ce mot d'être, un des auditeurs partit d'un éclat de rire, et ne cessa de crier pendant très longtemps : « Ah ! Cela n'est pas mal ! voilà qui est bon ! », etc., et il riait de plus en plus. Le lecteur impatienté lui dit : « Voilà qui est bien, vous avez senti le trait lâché contre les mères dénaturées, mais vous avez ri suffisamment. – Non, parbleu, continua le rieur, je ne puis trop rire d'une mère qui prend sa fille pour un arbre (hêtre). » Alors tout le monde éclata de rire, et le sot, ne se doutant pas que c'était de lui, crut au contraire avoir fait remarquer une sottise qu'on n'avait pas aperçue.

Un calembour bien placé

À la fin de la campagne de 1761, où MM. les comtes de Fougères et de la Luzerne, lieutenants généraux, commandaient la maison du roi à l'armée, un garde-du-corps, que des affaires instantes rappelaient dans sa province, vint leur présenter sa démission, et les prier de lui accorder son congé et ses certificats de service. « Quoi ! monsieur, lui dirent ces deux généraux, qui, se trouvant en gaieté, crurent pouvoir le plaisanter sans cérémonie, vous quittez le service du roi pour aller planter vos choux ! — Oui, Messieurs, répondit froidement l'honnête militaire, je vais bêcher mon jardin, et je le cultiverai de manière à ce qu'il n'y vienne ni luzerne ni fougère. »

La frayeur du mari

Deux fermiers conversant sur les belles apparences de la saison, l'un dit : « Si ces pluies chaudes continuent seulement quinze jours, tout va sortir de terre. – Ah ! Bon Dieu, que me dites-vous là ! reprit l'autre ; moi qui ai deux femmes dans le cimetière ! »

Naïvetés

Un capucin disait que Dieu avait bien fait de mettre la mort à la fin de la vie, parce qu'on avait ainsi le temps de s'y préparer.

Un jésuite disait, quant à lui, qu'il faut admirer la Providence qui a pris soin de faire passer les grandes rivières auprès des grandes villes.

La confiance

À l'époque du mariage de M. le comte d'Artois, d'après le désir manifesté par ce prince, la ville de Paris consentit à destiner plus utilement au mariage d'un certain nombre de filles, l'argent qui aurait été employé, selon l'usage, à des feux d'artifice et autres amusements bientôt oubliés. Une petite fille de seize à dix-sept ans, nommée Lise Noirin, s'étant présentée pour se faire inscrire, on lui demanda où était son amoureux ? « Je n'en ai point, répondit-elle, je croyais que la ville fournissait de tout. » On rit, et en effet la ville lui choisit un mari.

L'économie d'esprit

On exagérait, devant une dame, l'esprit d'un homme assez borné. « Oh ! oui, dit-elle, il doit en avoir beaucoup, car il n'en dépense guère. »

Le bonheur

Une grisette écrivait à son amant : « Viens de bonne heure ; j'aurai celui de te voir plus tôt. »

Interprétation de la Bible

Un moine italien gourmandait vivement un étranger parce qu'il soutenait que la terre tournait autour du soleil. « Vous ne songez donc plus, lui disait le moine, que Josué arrêta le soleil ! – Eh ! c'est aussi depuis ce temps, reprit l'étranger, que le soleil est immobile. »

Le congé

Madame de G... avait pour amant le comte de L..., capitaine aux Gardes. Un des soldats de ce régiment, désirant avoir son congé, crut ne pouvoir se procurer une meilleure protection, pour l'obtenir, que celle de madame de G...; malheureusement il prit mal son temps, et vint présenter sa requête lorsque le mari était présent. Madame de G..., très piquée de cette indiscrétion, reçut fort mal le soldat, et lui demanda d'un ton fier et dédaigneux, quel motif pouvait l'avoir engagé à lui adresser une pareille demande : le pauvre soldat, ne sachant que répondre, se retirait tout confus, lorsque M. de G..., qui était très au fait de l'aventure, l'arrêtant par le bras : « Mon ami, lui dit-il, va dire de ma part à ton capitaine, que s'il ne te donne pas ton congé sur-le-champ, moi, je lui donnerai le sien. »

Un bon tour d'amoureux

Un conseiller du parlement de Rouen faisait la cour à une jeune personne qui paraissait agréer son hommage. Un officier se mit sur les rangs, et ne put écarter le robin. Dans un accès de colère, il le prend à part et lui dit qu'il faut cesser ses assiduités auprès de la demoiselle ou se battre. Le magistrat lui répond que rien n'est capable de l'intimider : il accepte le défi. Tous deux rendus sur le terrain, le robin annonce que ne sachant point tirer l'épée, il a apporté des pistolets ; il en montre deux, donne à choisir à l'officier, et lui présente ensuite de quoi charger le sien. Les armes prêtes, il offre généreusement à son rival de tirer le premier ; l'officier tire, l'autre tombe ; il le croit mort ; il s'enfuit et va prendre la poste. Quelque temps après, il rencontre un habitant de Rouen qui lui demande pourquoi il avait quitté la ville sans dire mot. « Vous ne savez donc pas mon affaire ? réplique l'officier surpris ; c'est moi qui ai tué le conseiller N... – Vous plaisantez ! répond l'autre ; il se porte à merveille et vient d'épouser mademoiselle X..-»

Coup de foudre pour le militaire, il comprend tout de suite la supercherie et combien il a été dupe, puis il finit par en rire. Les balles étaient artificielles : le magistrat avait fait le mort et éloigné ainsi son rival.

Une faute d'impression

Dans une petite ville de province, le régisseur avait fait mettre sur l'affiche : *L'amour filial, ou la jambe de bois*. L'imprimeur se trompa, et mit à la place : « La jambe filiale, ou l'amour de bois. »

La tête de veau

Un magistrat, à l'issue d'un conseil, priant un de ses collègues à dîner, l'invité répondit : « Je vous inviterais moi-même ; mais je crois que je n'ai rien de bon. Sais-tu, La Fleur, ce que j'ai ? – Monsieur, vous avez une tête de veau. »

Le quiproquo

L'autre jour, sur un banc du Luxembourg, un jeune homme timide, qui voulait engager conversation avec une jeune personne qui se trouvait à côté de lui, saisit adroitement le moment où un insecte montait sur son châle pour dire : « Mademoiselle, je vous préviens, que vous avez une bête derrière vous. – Ah ! mon Dieu, monsieur, dit la jeune fille, en se retournant vivement et avec effroi, je ne vous savais pas là. »

Un soldat à l'église

L'abbé Cœur prêchait à Saint-Roch. Un soldat désœuvré entre et prend une chaise. Pendant le sermon, la loueuse s'approche de lui et lui demande cinq sous. Le soldat, qui apparemment ignorait cet usage, répondit d'un air étonné : « Cinq sous ! si je les avais eus, je ne serais pas ici. »

Le Te Deum

Un chanoine de Chartres s'avisa, vers 1550, d'ordonner par testament que, le jour de son enterrement et tous les ans à pareil jour, la musique de la cathédrale jouerait un *Te Deum* au lieu d'un *De profundis*. L'évêque trouva cette disposition indécente et s'opposa à l'exécution de cette clause testamentaire. Les héritiers voulurent qu'elle fût exécutée. Leur avocat fit un long commentaire sur le *Te Deum* et s'efforça de prouver que cette hymne convenait autant pour la solennité du deuil que pour celle de 103l'action de grâces. Il l'examina verset par verset en théologien, en jurisconsulte, en historien, en philosophe et en poète. Le parlement se rendit à ses arguments, et les héritiers furent autorisés à faire chanter le *Te Deum*.

Menace d'un Gascon

Un Gascon et un Parisien avaient eu querelle ensemble. On les réconcilia sur-le-champ. « Vous êtes bien heureux, dit le Gascon au Parisien, de m'avoir surpris dans un moment d'humeur pacifique ; si vous m'eussiez fâché d'un cran de plus, je vous eusse jeté si haut en l'air, que les mouches auraient eu le temps de vous manger avant que vous fussiez redescendu à terre. »

L'indifférence littéraire

On ne fera peut-être jamais à aucune satire une réponse plus mortifiante que celle de Fontenelle à un auteur qui, ayant besoin de lui, venait s'accuser humblement de l'avoir outragé dans une brochure. « Monsieur, lui dit le philosophe, vous me l'apprenez. »

La perplexité

La Gossu, à sa première grossesse, était furieuse. « Ah ! dit-elle, si je connaissais le coquin qui a fait le coup. »

Un mot de joueur

Le maréchal de Grammont racontait souvent que trois soldats ayant commis des actions pendables, il s'était trouvé obligé d'en punir un. Au lieu de décider leur sort par des billets, on les fit jouer aux dés. Le premier amène quatorze, le second dix-sept, et le dernier, qu'on regardait déjà comme la victime, prenant les dés d'une main aussi assurée que s'il n'eût eu rien à craindre, fit rafle de six : « Parbleu, dit-il, si je jouais de l'argent, je ne serais pas si heureux. »

La jambe cassée

Le docteur Hill, piqué contre la Société royale de Londres qui avait refusé de l'admettre dans son sein, imagina, pour s'en venger, une plaisanterie d'un genre neuf : ce fut d'adresser au secrétaire de cette académie, sous le nom supposé d'un médecin de province, le récit d'une cure récente dont il s'annonçait pour être l'auteur. « Un matelot, écrivait-il, s'était cassé la jambe. M'étant trouvé par hasard sur le lieu, j'ai rapproché les deux parties de la jambe cassée, et, après les avoir fortement assujetties avec une ficelle, j'ai arrosé le tout d'eau de goudron. Le matelot, en très peu de temps, continue le malin docteur, a senti l'efficacité du remède, et n'a point tardé à se servir de sa jambe comme auparavant. » Or cette cure se trouvait publiée dans le temps que le fameux Berkeley, évêque de Cloyne, venait de faire paraître son livre sur les *vertus de l'eau de goudron*, ouvrage qui faisait beaucoup de bruit et qui excitait la division parmi les médecins. La relation du docteur fut lue et écoutée très sérieusement dans l'assemblée publique de la Société royale, et l'on y discuta de la meilleure foi du monde sur la cure merveilleuse. Les uns n'y virent qu'un témoignage éclatant en faveur de l'eau de goudron ; les autres soutinrent, ou que la jambe n'était pas réellement cassée, ou que la guérison n'avait pu être si rapide. On allait imprimer pour et contre, lorsque la Société royale reçut une seconde lettre du médecin de province qui écrivait au secrétai-re : « Dans ma dernière, j'ai omis de vous dire que la jambe cassée du matelot était une jambe de bois. » La plaisanterie ne tarda pas à se répandre, et divertit beaucoup les oisifs de Londres aux dépens de la Société royale.

Naïveté d'un Suisse

Voltaire rapporte qu'à la bataille de Spire on défendit à un régiment de faire aucun quartier. Un officier allemand demanda la vie à un des nôtres : c'était un Suisse. « Monsieur, demandez-moi toute autre chose ; mais, pour la vie, il n'y a pas moyen. » Cette naïveté passa de bouche en bouche, et l'on rit au milieu du carnage.

Le sorcier

Un officier d'un génie très médiocre, envieux de la gloire d'un capitaine qui avait fait une belle action, écrivit à M. de Louvois que ce capitaine était sorcier. Le ministre lui répondit : « Monsieur, j'ai fait part au roi de l'avis que vous m'avez donné de la sorcellerie du capitaine en question. Sa Majesté m'a répondu qu'elle ignorait s'il était sorcier, mais qu'elle savait parfaitement que vous ne l'étiez pas. »

Le champ de Suisses

Louis XIV faisant la revue de ses gardes françaises et suisses dans la plaine d'Ouille, un paysan de ce village, qui avait semé des pois sur une pièce de terre qui lui appartenait, la trouva ce jour-là couverte d'un bataillon de Suisses qui foulaient ses pois sous leurs pieds. Il se mit aussitôt à crier : « Miracle ! miracle ! – Qu'avez-vous, bonhomme, lui dit un officier, à crier miracle ? » Le paysan continua à crier : « Miracle ! miracle ! » jusqu'à ce qu'il pût être entendu du roi. Sa Majesté le fit approcher, et lui demanda elle-même pourquoi il criait ainsi miracle. « C'est, dit-il, Sire, que j'avais semé des pois sur ce terrain, et qu'il y est venu des Suisses. » Cette saillie fit rire le roi, qui fit dédommager le paysan.

Fontenelle et son domestique

Un homme de cour étant allé voir Fontenelle, et le trouvant de mauvaise humeur : « Qu'avez-vous donc ? lui dit-il. — Ce que j'ai ? répondit Fontenelle ; j'ai un domestique qui me sert aussi mal que si j'en avais vingt ! »

La peinture au beurre

Un Provençal venant à Paris annonçait à son voisin qu'il s'y ferait peindre. « De quelle manière ? demanda le voisin. — À l'huile, répondit l'autre. — Ah bien ! je te conseille d'en emporter d'ici, reprit le voisin ; car, dans ce diable de pays, ils font tout au beurre. »

L'aristocrate

Un député à la Convention, en mission auprès des armées, mandait au général Pérignon de faire arrêter tel officier. « C'est un aristocrate » disait-il dans sa lettre. Le général répond de suite : « L'officier que vous m'ordonnez de faire arrêter comme aristocrate a été tué hier en combattant pour la liberté. »

Un calembour du temps passé

« Marquis, disait un jour Louis XVI au marquis de Bièvre, vous qui faites des calembours sur tout, faites-en sur moi. — Sire, lui répondit le marquis, vous n'êtes pas un sujet[1]. »

La mesure de deux habits

Un homme venait de se faire prendre la mesure d'un habit brun. Comme le tailleur s'en allait, il le rappela. « À propos, j'oubliais qu'il faut aussi me prendre la mesure d'un habit noir. »

La concession au mari

Caraccioli, l'ambassadeur de Naples, qui fut si remarquable par sa tournure originale et sa manière piquante de peindre en contant, parlait un jour dans un cercle, chez mademoiselle de Lespinasse, de son séjour en Pologne, et appuyait sur la licence des mœurs et le ton des femmes de la cour de Varsovie. Il particularisait les gaillardises outrées d'une certaine comtesse Otoka... et finit par la désigner sous son nom de fille.

---

1   Prêté également à Rivarol.

« Mais c'est ma femme » reprit un Polonais présent à la conversation. « C'est madame votre femme, dit Caraccioli : eh bien ! n'en parlons plus. »

Une addition de Grétry

Grétry[2], passant dans la rue Saint-Honoré, cassa un carreau de boutique de la valeur de trente sous. Le marchand, n'ayant pas à lui rendre la monnaie du petit écu que lui présentait le musicien, voulait sortir pour aller la chercher. « C'est inutile, dit Grétry ; je vais compléter la somme. » Et il cassa un autre carreau.

Un vrai roi

Un monarque disait : « Si j'avais dans mes États un génie capable de faire produire à la terre deux épis au lieu d'un, je le préférerais à tous les génies politiques. »

L'ami des lumières

Le sieur B..., ferblantier à Besançon, instruit comme le sont beaucoup d'artisans de Genève et de Suisse, s'étant passionné pour Voltaire à la lecture de ses ouvrages, désirait ardemment le voir ; il arrive à Ferney, et demande à être présenté au maître du château ; les gens le refusent assez cavalièrement ; il insistait, lorsque le patriarche des philosophes, qui avait vu arriver celui-ci à pied, mal vêtu, enfin dans un équipage par trop philosophique, ouvre sa fenêtre et lui demande brusquement : « Qui êtes-vous ? que faites-vous ? » Le ferblantier répond fièrement : « Je fais comme vous, j'éclaire le monde... je fais des lanternes. » Cette plaisanterie lui valut un accueil favorable.

Un secret deviné

« Ma femme est accouchée. – D'un garçon ? – Non. – Ah, bon ! d'une fille. — Comment savez-vous cela? »

La montre à répétition

Un directeur de théâtre reprochait à une jeune actrice de faire toujours manquer les répétitions parce qu'elle arrivait trop tard ; elle lui répondit : « Vous n'avez qu'à me donner une *montre à répétition.* »

---

2   Une autre version met en scène le compositeur Gluck.

L'heureux expédient

Une jeune femme vivement pressée par un séducteur, lui dit d'un air tout à fait naïf : « Monsieur, quand j'étais enfant, j'obéissais à ma mère ; quand je devins plus grande, j'obéis à mon père ; aujourd'hui, j'obéis à mon mari ; si donc vous voulez quelque chose de moi, adressez-vous à lui. »

Une économie bien placée

Lorsque milord Lonsdale, qui devint garde du sceau privé du roi Guillaume II, était jeune homme, il aimait fort à se divertir, ce qui l'entraînait dans de grosses dépenses. Le chevalier Jean Lowther, son aïeul, qui possédait de grands biens, conçut un tel chagrin de l'humeur prodigue de son petit-fils, qu'il fit tout exprès un voyage à Londres pour changer son testament, dans lequel il l'avait fait son légataire universel. Lorsqu'il fut à Londres, son petit-fils ne manquait pas d'aller tous les jours rendre ses devoirs à son aïeul, qui avait pour habitude de fumer tous les soirs.

Le premier soir, ayant pris sa pipe et l'ayant chargée, il demanda à son petit-fils un petit morceau de papier pour allumer sa pipe ; le jeune homme tira une vieille lettre de sa poche, la plia méthodiquement, l'alluma, la donna à son grand-père, et, après que celui-ci en eut fait usage, il éteignit ce qui restait, et le mit sur une fenêtre derrière le rideau. Le jour suivant, le bonhomme ayant chargé sa pipe, demanda encore un morceau de papier au jeune homme, qui alla à la fenêtre prendre ce qui était resté du jour précédent, ce que lord Lowther ayant remarqué, il jugea qu'il y avait dans son petit-fils un fond naturel de bon ordre et d'économie, et que lorsque les premiers feux de la jeunesse seraient passés, ce serait un homme de bonne conduite ; dès lors, il ne changea rien à son testament. La suite fit voir qu'il avait bien jugé.

Une bonne affaire

On sait que M. Erard, le célèbre facteur de pianos, mort en 1831, était grand amateur et fin connaisseur en tableaux. Un autre personnage du même temps et qui passait avec raison pour l'un des plus riches capitalistes du royaume, M. le comte R., avait beaucoup moins de goût pour les tableaux que pour la valeur monétaire qu'ils représentent. Ce dernier reçut un jour, comme dédommagement d'une somme de quarante mille francs qui lui était due par un homme devenu insolvable, trois tableaux qu'on lui disait très précieux, mais dont il lui paraissait fort difficile d'escompter le mérite. Il rencontra un jour, dans un salon, M. Erard qu'il connaissait et lui parla de l'acquisition forcée qu'il avait faite et du désir qu'il avait de s'en débarrasser. « Vous êtes, je le sais, dit-il à M. Erard, grand amateur de tableaux ; les miens vous conviendront peut-être, les voudriez-vous voir ? » M. Erard accepte la proposition, va le lendemain chez M. le comte, qui lui fait voir ses tableaux, et lui offre, avec quelque inquiétude d'être refusé, de les prendre pour les quarante mille francs qu'ils lui coûtent. « Soit, dit M. Erard ; ces tableaux me conviennent, je les prends. »*

Le marché conclu et les paroles données, M. Erard se retire, en annonçant qu'il enverra prendre les tableaux le lendemain et qu'il fera, en même temps, remettre à M. le comte les quarante mille francs dont il lui est redevable. M. Erard parti, le vendeur réfléchit que son acquéreur a cédé bien vite et qu'il aurait pu obtenir peut-être de meilleures conditions ; il se décide à lui écrire, pour lui demander s'il ne consentirait pas à lui donner comme pot-de-vin du marché qu'ils ont conclu ensemble, un piano pour madame la marquise de..., sa fille. M. Erard répond qu'il y consent, et le lendemain, il envoie à M. R..., avec les quarante mille francs, l'un des plus beaux et des plus riches pianos qui se trouvassent dans un atelier d'où il n'en sort que d'excellents. M. le comte était enchanté, et dans l'ivresse de sa joie de capitaliste, il allait racontant partout, avec un sourire légèrement ironique, la bonne grâce avec laquelle M. Erard l'avait débarrassé d'un gage aussi difficile à loger.

Six mois se passèrent environ, et M. R. rencontre de nouveau M. Erard dans le salon où l'affaire avait commencé. « Eh bien ! lui dit-il, êtes-vous toujours aussi satisfait de notre arrangement et avez-vous toujours mes tableaux ? – Je n'en ai plus que deux, répondit M. Erard d'un ton parfaitement calme, j'en ai cédé un pour quatre-vingt mille francs en Angleterre ; mais je conserve précieusement ceux qui me restent. »

M. le comte n'eut plus guère envie de sourire, et dès ce jour, il parla beaucoup moins dans le monde de la bonne affaire qu'il avait faite avec M. Erard.

L'affront lavé

Deux jeunes militaires, l'un fort grand et l'autre fort petit, s'étant heurtés sur le Pont-Neuf, le petit en prit une telle humeur, qu'il appliqua un vigoureux soufflet au grand. « Un pareil affront, dit celui-ci, se lave ordinairement dans le sang ; moi, je le laverai dans l'eau. » Et saisissant aussitôt son très petit adversaire, avec le plus grand flegme, il le jette pardessus le parapet dans la Seine.

Joseph II et l'invalide

L'empereur Joseph II n'aimait pas la représentation, et son goût pour la simplicité est assez connu. Un jour que, vêtu d'une simple redingote boutonnée, accompagné d'un seul domestique sans livrée, il était allé, dans une calèche à deux places qu'il conduisait lui-même, faire une promenade du matin aux environs de Vienne, il fut surpris par la pluie comme il reprenait le chemin de la ville. Il en était encore éloigné, lorsqu'un piéton qui regagnait aussi la capitale, fait signe au conducteur d'arrêter, Joseph II arrête ses chevaux.

« Monsieur, lui dit le militaire, car c'était un sergent, y aurait-il de l'indiscrétion à vous demander une place à côté de vous ? cela ne vous gênerait pas prodigieusement puisque vous êtes seul dans votre calèche, et cela ménagerait mon uniforme que je mets aujourd'hui pour la première fois. — Ménageons votre uniforme, mon brave, lui dit Joseph, et mettez-vous là. D'où venez-vous ? – Ah ! dit le sergent, je reviens de chez un garde-chasse de mes amis, où j'ai fait un fier déjeuner. — Qu'avez-vous donc mangé de si bon ? — Devinez ! — Que sais-je moi ? une soupe à la bière ! — Ah ! bien oui, une soupe ! mieux que ça. — De la choucroute ? — Mieux que ça. — Une longe de veau ? — Mieux que ça, vous dit-on. — Oh ! ma foi, je ne puis plus deviner, dit Joseph. — Un faisan, mon digne homme, un faisan tiré sur les plaisirs de Sa Majesté, dit le camarade, en lui frappant sur la cuisse. — Tiré sur les plaisirs de Sa Majesté, il n'en devait être que meilleur. — Je vous en réponds. »

Comme on approchait de la ville, et que la pluie tombait toujours, Joseph demanda au compagnon dans quel quartier il logeait, où il voulait qu'on le descendît. « Monsieur, c'est trop de bonté ; je craindrais d'abuser de… — Non, non, dit Joseph, votre rue ? »

Le sergent, indiquant sa demeure, demande à connaître celui dont il recevait tant d'honnêtetés.

« À votre tour, dit Joseph, devinez. — Monsieur est militaire, sans doute ? — Comme dit monsieur. — Lieutenant ? — Ah bien ! oui, lieutenant ! mieux que ça. — Capitaine ? — Mieux que ça. – Colonel, peut-être ? — Mieux que ça, vous dit-on. — Comment diable ! dit l'autre, en se rencognant dans un coin de la calèche, seriez-vous feld-maréchal ? — Mieux que ça. — Ah ! mon Dieu, c'est l'empereur. — Lui-même, dit Joseph, se déboutonnant pour montrer ses décorations. »

Il n'y avait pas moyen de tomber à genoux dans la voiture ; l'invalide se confond en excuses, et supplie l'empereur d'arrêter pour qu'il puisse descendre. « Non pas, lui dit Joseph ; après avoir mangé mon faisan, vous seriez trop heureux, malgré la pluie, de vous débarrasser de moi aussi promptement ; j'entends bien que vous ne me quittiez qu'à votre porte. » et il l'y descendit.

Le présent et le futur

Une jeune personne faisait un mariage de convenance ; la marchande de modes lui apporta la corbeille de noce. À la vue des parures élégantes que cette corbeille renfermait, la jeune personne témoignait sa satisfaction d'une manière vive et ingénue. La marchande de modes, qui se connaissait en mariages, et surtout en mariages de convenance, après l'avoir longtemps écoutée, lui dit : « Je vois que mademoiselle aime mieux le présent que le futur. »

Le nouvel Hercule

Un fermier anglais, qui passait dans son pays pour fort adroit aux exercices du corps, et en même temps très robuste, se trouvait souvent forcé de se mesurer avec des gens que la curiosité portait à vouloir essayer leurs forces avec lui. Il en vint un de très loin pour lutter avec notre champion. On lui dit qu'il était à travailler dans un enclos attenant à la maison. Là-dessus, le curieux met pied à terre, se rend près du fermier, en tenant son cheval par la bride ; puis, l'attachant à la barrière de l'enclos, il lui dit : « Camarade, comme j'avais beaucoup entendu parler de vous, je suis venu de 40 milles pour vous voir et pour essayer à qui des deux renversera l'autre le premier. » Le champion ne lui répondit qu'en le prenant par le milieu du corps et en le jetant, par-dessus la haie, dans le champ voisin ; puis, reprenant sa bêche avec le plus grand sang-froid, il se remit à l'ouvrage. Quand le curieux se fut relevé, tant bien que mal : « Eh bien ! lui dit le fermier, avez-vous encore quelque chose à me dire ? — Non, lui dit l'autre, si ce n'est que je vous prie de vouloir bien jeter mon cheval après moi. »

Présence d'esprit du comte D...

Un laquais alla avertir M. le comte D... qu'un homme était enfermé dans la chambre de madame la comtesse sa femme. Le mari, homme prudent, s'arme d'un pistolet, monte et ordonne au laquais de se tenir à la porte de l'appartement ; il entre ensuite dans la chambre, et surprend en effet sa femme. Il ordonne à l'amant de sauter par la fenêtre, sous peine d'avoir la tête cassée.

Celui-ci, voyant sa mort certaine, prit son parti sur-le-champ, et sauta par la fenêtre de l'entresol, qui n'était pas très élevée. Le mari sortit ensuite, en grondant beaucoup son laquais d'avoir calomnié sa femme, et sauva ainsi l'honneur de l'un et de l'autre.

La toilette

Une dame de Paris, célèbre par la diaphanéité de ses habits (madame Talien, en 1801), reçut, un jour qu'elle avait beaucoup de monde chez elle, un carton qui lui était adressé, et sur lequel on lisait cette inscription : *Parure pour madame.* Croyant que c'était un très élégant ajustement qu'elle avait commandé à sa marchande de modes, elle s'empressa de le faire voir à la compagnie ; mais à peine eut-elle ouvert le carton, qu'elle y trouva une feuille de vigne.

Milton et le duc d'York

Milton, quoiqu'il eût joué un rôle important dans les guerres civiles, ne fut pas inquiété après la restauration de Charles II. Le duc d'York (depuis, Jacques II) étant allé un jour lui rendre visite, fut assez maladroit pour lui dire : « Monsieur Milton, ne pensez-vous pas que la perte que vous avez faite de la vue soit un jugement de Dieu, à cause des nombreux écrits que vous avez publiés contre mon père ? – Si les malheurs sont des jugements de Dieu, lui répondit le poète, Votre Altesse me permettra de lui faire observer que je n'ai perdu que les yeux, et que le roi son père a perdu la tête. »

Le matelot imperturbable

Un matelot anglais fut condamné à mort pour vol de grand chemin. Lorsqu'on lui lut sa sentence, il mit dans sa bouche un morceau de tabac roulé qu'il mâcha tranquillement pendant la lecture. « Coquin, lui dit le juge, piqué de cet air d'indifférence, ne sais-tu pas que tu vas être pendu dans peu ? – Je l'entends bien, répondit le matelot, en crachant avec beaucoup de flegme. — Sais-tu où tu iras quand tu seras mort ? continua le juge. – C'est ce que je ne peux pas dire, répliqua le matelot. – Eh bien ! je vais te l'apprendre, lui cria le juge d'un ton de voix effrayant, tu iras en enfer. En enfer, entends-tu ? – Si cela est, repartit l'enfant de Neptune, j'espère, milord, que le Seigneur me donnera la force nécessaire pour supporter mon état. »

L'expédient

Une dame anglaise ayant prié le docteur Johnson de lui indiquer le moyen de conserver un tonneau d'excellente bière dont elle faisait le plus grand cas, et d'empêcher que ses gens n'y touchassent : « Le moyen est bien simple, lui répondit le docteur ; vous n'avez qu'à faire mettre à côté une pièce de vin de Bourgogne. »

La coïncidence

Un procureur ne passait jamais devant la boutique d'un cordonnier, que celui-ci ne se prît à rire. Le procureur, piqué, lui demanda un jour brusquement pourquoi il riait toutes les fois qu'il passait devant lui ; le cordonnier lui répondit sur le même ton : « Pourquoi passez-vous devant moi, toutes les fois que je ris ? »

Le punch de quarante francs

De jeunes officiers français se trouvant dans une petite ville d'Allemagne, l'un d'eux proposa à ses camarades d'aller prendre du punch dans une auberge dont, disait-il, il connaissait le maître, et beaucoup mieux encore, la maîtresse. « Vous allez voir un singulier corps ; je lui dirai les plus grosses sottises, sans qu'il se fâche. » On le suit.

« Du punch ! dit-il en entrant. — *Ja, mein Herr.* – Eh bien ! mon cher Hermann, es-tu toujours aussi bête qu'autrefois ? — *Ja, mein Herr.* — Ta femme t'est fidèle comme à l'ordinaire n'est-ce pas ? — *Ja, mein Herr.* — Tu crois que tous ces enfants-là sont à toi, n'est-ce pas ? — *Ja, mein Herr.* – Grosse bête ! — *Ja, mein Herr.* »

Et tous les jeunes officiers de pouffer de rire à toutes ces interpellations. Quand il fut question de payer, notre plaisantin tire de sa poche une pièce de quarante francs. « Tiens, rends-moi trente-cinq francs. — *Ja, mein Herr.* »

Et cependant l'hôte avait enfermé la pièce dans son comptoir, et ne rendait rien. « Mais, butor, tu ne comprends donc pas qu'il y a cinq francs de punch, et que tu dois me rendre trente-cinq francs ? — Non, Monsieur, il n'y a rien à rendre, dit l'hôte d'un ton grave et sérieux : cinq francs de punch, et trente-cinq francs pour les impertinences que vous débitez depuis un quart d'heure, cela fait le compte tout juste. — Vous avez raison, monsieur Hermann, dit l'officier un peu honteux : la leçon est bonne ; elle n'est même pas payée trop cher.»

L'Espagnol en Hollande

Un Espagnol établi dans une petite ville de Hollande, où il serait mort de faim sans un domestique qui parlait le castillan et le hollandais, disait à un autre Espagnol voyageur qui était venu le voir : « Vous ne sauriez vous imaginer, mon cher ami, à quel point les gens de ce pays-ci sont bêtes ; il y a bientôt vingt ans que j'y suis, et ils n'entendent pas encore l'espagnol. »

Pair ou non

Un officier, au siège d'Oudenarde, jouait avec son colonel. Celui-ci perdit dans une nuit toute sa fortune, qui pouvait se monter à un million. Il ne lui restait plus que le fonds de huit cents livres de rente. Dépité contre sa mauvaise étoile, il veut la braver jusqu'au bout. Le capitaine lui propose de jouer à pair ou non tout ce qu'il venait de lui gagner contre ses huit cents livres de rente qui lui restaient à perdre. Le colonel accepte. L'officier tire de sa poche des pièces de monnaie : « Pair ou non ?» dit-il.

Le perdant hésite quelque temps sur l'important monosyllabe d'où dépend sa ruine complète ou le rétablissement de sa fortune. Enfin, il dit : « Pair ! – Vous avez gagné » reprend le capitaine, en remettant dans sa poche, sans les compter, les pièces de monnaie qu'il venait d'en tirer.

Le mausolée de Frédéric-le-Grand

Un habile sculpteur de Berlin (M. Tassard), trouvant qu'il n'avait pas assez d'occupation, demanda son congé au roi de Prusse, quoique pensionné par Sa Majesté. Frédéric lui dit : « S'il ne s'agit que de vous occuper, je vous commande mon mausolée.» L'artiste, enchanté d'avoir un ouvrage de cette importance à exécuter, répondit au monarque : « Sire, il ne faut pas moins de dix ans pour ce travail. – Je vous en donne vingt, » répondit Frédéric.

La survivance

M. P..., négociant à Lyon, était un bon homme, fort attaché à ses intérêts, et qui avait épousé en premières noces une demoiselle également remarquable par sa beauté et par la blancheur de son teint. Il n'hésita pas à l'abonner à la comédie, vu la modicité du prix fixé pour les dames. Mais elle ne jouit pas longtemps de ce petit avantage. Elle mourut presque subitement un mois après l'ouverture du spectacle. Après trois mois de veuvage, M. P... se remaria et épousa une demoiselle extrêmement brune. Ayant encore huit mois à profiter du spectacle, il ne douta pas que ce qu'il avait payé pour sa première femme, ne dût servir également pour sa seconde. Il se présenta hardiment avec elle à la porte d'entrée, bien muni de sa quittance ; mais le portier refusa cruellement de l'admettre, à moins qu'on ne payât de nouveau, disant que les abonnements étaient personnels, et qu'ils ne pouvaient être transmis. Le mari insista, se prévalut de sa quittance en faveur de madame P..., et le portier se montra inflexible, quoique avec toute la politesse possible.

Plusieurs jeunes gens qui entraient au spectacle, s'arrêtèrent pour écouter cette discussion. M. P... s'adresse à eux, leur disant : « Voyez donc, Messieurs, quelle injustice on me fait. J'ai payé l'abonnement de madame P.., et c'est madame P... que j'amène ici. À la vérité, ce n'est pas la même qui devait en jouir il y a quatre mois, et qui n'en a pas profité plus de douze fois ; mais c'est toujours ma femme. »

Les jeunes gens baissaient les yeux et ne répondaient rien, quand l'un d'eux, M. Martin de L.., connu par ses reparties froides et plaisantes, prit la parole et lui dit : « Oui, Monsieur, c'est une injustice criante. Soutenez fermement votre droit, il est incontestable ; car moi, qui vous parle, je suis abonné au péage du pont du Rhône, pour moi et mon cheval ; et, soit que je monte un cheval blanc ou un cheval noir, on ne me fait jamais la moindre difficulté. »

Sur cela, les éclats de rire partirent de tous les côtés, et la jeune femme, sentant le ridicule d'une scène où son mari et elle jouaient un si singulier rôle, le détermina enfin à se retirer.

L'esprit des femmes

« C'est une maxime généralement reconnue, disait un homme à sa femme, que celui-là est un vrai fou qui n'épouse pas une femme sotte ; car l'esprit d'une femme peut-il lui servir à autre chose qu'à faire un sot de son mari ? – Si fait ! Monsieur, reprit sa femme. – À quoi donc ? – Il peut servir encore à empêcher qu'il ne s'en doute. »

Le Gascon et le prince de Condé

Le grand prince de Condé pressait un Gascon plein d'esprit de le divertir par quelque gasconnade : « Non, Monseigneur, lui dit le Gascon, je n'en ferais pas une à présent pour cent mille écus. » Le prince rit de celle-là ; mais il en demanda encore une autre. « Monseigneur, lui répondit le Gascon, ne m'excitez pas davantage ; car j'en ferais une qui vous ferait trembler. »

Longitude et latitude

Un marin anglais racontait un jour à un passager qu'il avait voulu se faire peindre pour donner son portrait à sa maîtresse. « Je m'adressai, continua-t-il, à un peintre fameux, et, lorsque je fus arrivé dans son *râtelier*, il me dit de me mettre en *latitude*. – Vous voulez dire en *longitude*, lui répondit le passager qui avait peine à s'empêcher de rire. – Non, non, reprit le premier d'un air important, je suis marin, je m'y connais mieux que vous, et je puis vous répondre que c'était en *latitude*. »

Le signalement du diable

La Voisin, noircie de tant de crimes horribles, étant tombée entre les mains de la justice, dit dans ses réponses que la duchesse de B... était venue la consulter, et avait eu la curiosité de parler au diable. M. de la Reynie, commissaire nommé par le roi, se transporta chez cette duchesse pour s'éclaircir de ce mystère. La laideur affreuse du magistrat et sa gravité concertée auraient effrayé toute autre que cette dame. Elle le laissa tranquillement s'acquitter de sa charge ; elle avoua le désir qu'elle avait eu de lier conversation avec le diable, et qu'elle avait même vu cet ange infernal. « Comment était-il fait ? lui demanda le commissaire. – Ma foi ! répondit la duchesse, si vous voulez que je vous le dépeigne au naturel, tenez, Monsieur, il vous ressemblait comme deux gouttes d'eau ; puis, s'adressant au greffier : « Écrivez ma réponse, lui dit-elle. » Le commissaire, qui vit que cette procédure apprêterait à rire à ses dépens, jugea à propos de supprimer ce procès-verbal.

L'espion

Quand le maréchal de la Ferté voulait faire pendre quelque soldat, il avait coutume de lui dire : « Corbleu ! toi ou moi *seras* pendu. » C'est ce même discours qu'il fit à un espion pris aux avant-postes de nos armées. Lorsqu'on voulut conduire ce misérable à la potence, il demanda à parler au maréchal, à qui il dit : « Monseigneur, vous vous souviendrez de ce que vous m'avez dit, que vous ou moi *seriez* pendu. Je viens pour savoir si vous voulez l'être ; car si vous ne voulez point, je vois bien qu'il faut que je le sois. » Le maréchal se mit à rire, et fit grâce à l'espion.

La tentation

M. B..., peintre de portraits, mort à Londres, en 1739, était bien fait et d'une figure très agréable. Un jour qu'il se promenait dans le parc de Saint-James, il fut remarqué par une lady qui passait pour la plus belle femme des Trois-Royaumes, et qui, s'étant informée de sa profession, l'envoya chercher le lendemain matin pour lui commander son portrait. Si M. B... fut un peu surpris de la trouver seule, il le fut bien davantage encore des œillades passionnées qu'elle lui lançait, en affectant de lui laisser apercevoir les charmes les plus faits pour séduire. Ravi de ses attraits, mais choqué de sa conduite, il retourna chez lui, rassembla toute sa petite famille autour de lui, prit sa femme sur ses genoux, et se mit à discourir sur les douceurs de la vertu, les avantages de la modestie et les délices d'une tendresse légitime.

La grande dame ne tarda pas à le mander une seconde fois. Il se rendit chez elle, mais il eut soin de prendre avec lui la fille d'une de ses voisines, âgée de dix ans, feignit de l'avoir rencontrée à la porte de l'hôtel, et pria milady de permettre qu'elle assistât à la séance, attendu qu'il voulait la reconduire chez son père. La dame y consentit en se mordant les lèvres, et parut de fort mauvaise humeur tant que la séance dura. Le jour suivant, nouveau message. Cette fois, le peintre chargea mistress B... de lui porter ses excuses. « Annoncez, lui dit-il, que je suis légèrement indisposé ; engagez-la à venir elle-même prendre sa séance chez moi, et surtout, lorsqu'elle y viendra, ayez soin d'être présente. « Ces paroles causèrent quelque étonnement à mistress B... ; mais, sans chercher à en pénétrer le sens, elle courut exécuter sa commission. La dame insista pour que M. B... se rendît en personne chez elle, dans l'après-midi. « J'ai pris, dit-elle à mistress B..., tous mes arrangements en conséquence, et le temps que je peux lui donner aujourd'hui ne se retrouverait pas de sitôt. » Mistress B... porta cette réponse à son mari ; mais celui-ci persévéra dans la résolution qu'il avait formée de n'y point aller, et, se taisant toujours sur ses motifs, prit affectueusement congé de son épouse, qui devait, ce soir-là, faire une visite. Il fut de retour avant qu'elle eût fini de s'habiller ; mais, la croyant déjà sortie, il se renferma dans son cabinet. Il y était à peine, qu'un grand coup frappé à la porte de son appartement l'avertit de l'arrivée de quelque personnage d'importance ; c'était, en effet, la dame du parc, qui lui dit, en entrant : « Eh quoi ! Monsieur, on dirait que l'amour qui m'amène vous cause de l'effroi. » Mistress B..., qui était dans une pièce attenante, fort surprise de l'entendre aborder son mari sur ce ton, regarda par le trou de la serrure pour voir ce qui allait se passer. L'étrangère fit à M. B... des reproches sur sa froideur, et lui demanda, entre autres choses, ce qu'il trouvait en elle de si terrible, qu'il n'osât pas se hasarder à l'entretenir chez elle tête à tête. M. B... fit semblant de ne pas la comprendre, et lui dit seulement : « Votre grâce désire-t-elle s'asseoir ? — Non, répondit-elle avec beaucoup de vivacité ; l'idée d'avoir mon portrait de votre main n'est qu'un prétexte dont je me suis servie pour pouvoir me trouver seule avec vous. Malgré le peu de zèle que vous y apportez, c'est une affaire d'amour que nous avons à traiter ensemble. » En disant ces mots, elle ôta son mouchoir et découvrit un sein admirable qui frappa madame B... elle-même. Elle se précipita ensuite dans les bras du peintre, et demeura penchée sur son épaule. À ce spectacle inattendu, la pauvre mistress B... fut près de s'évanouir ; mais ses craintes se dissipèrent bientôt, lorsqu'elle vit avec quelle fermeté son mari soutenait cette attaque. Dérobant à peine à la dame les signes évidents de son dégoût et de son mépris, il la posa doucement sur un siège et s'éloigna d'elle. Ce fut alors que, ne gardant plus aucune mesure, elle lui déclara sans détour qu'elle l'aimait éperdument ; et, tirant une bourse pleine d'or, elle la lui offrit, en disant que sa fortune serait pour toujours à sa disposition, s'il voulait consentir à l'aimer. « Non, Madame, répondit-il avec fermeté n'essayez point de m'engager à tromper, à offenser une épouse vertueuse et adorée. Il n'est pas au pouvoir de l'or, ou de quoi que ce soit au monde, de lui enlever la moindre partie de mon affection. –

Comment ? reprit la dame ; mais votre épouse n'est point belle. – Non, certes, répliqua-t-il, ma femme ne peut vous être comparée pour la figure ; mais elle a une âme angélique. » Il s'approcha alors d'une croisée, et pria une de ses voisines de monter. Lorsque celle-ci fut arrivée, il lui dit qu'elle lui ferait plaisir, pendant qu'il travaillerait au portrait de la dame, d'examiner tour à tour la copie et l'original, pour l'avertir lorsqu'il paraîtrait manquer la ressemblance. Convaincue par là qu'il fallait renoncer à tout espoir de le séduire, lady B... sortit furieuse, en le menaçant de sa vengeance. M. B... n'essaya pas de la retenir, et la laissa partir sans lui dire un seul mot. Il sortit lui-même quelque temps après, pour se remettre, sans se douter que son épouse eût été témoin de cette scène. Mistress B... alla aussitôt faire sa visite : « Mais, disait-elle en racontant cette aventure, quand je rentrai le soir, je ne savais plus quel ton prendre avec mon mari, ni quelles caresses lui faire. Je ne pus faire autre chose que l'embrasser et le serrer contre mon cœur, à plusieurs reprises. »

Le grand nez

Un homme d'une taille beaucoup au-dessous de la médiocre, avait un nez d'une grandeur prodigieuse ; on disait que c'était un petit homme attaché à un grand nez. Il regardait jouer au lansquenet, il se baissait et avançait sa tête sur la table du jeu. Un camus lui cria : « Monsieur, rangez votre nez, qui m'empêche de voir le jeu. » Le nason lui répondit : « Je vois bien que vous m'en voulez ; il faut, sans doute, que vous vous soyez imaginé que mon nez a été fait aux dépens du vôtre. »

Le maître corrigé

Un colonel, qui se faisait un plaisir, lorsqu'il avait sablé le champagne, de s'amuser avec ses pistolets, ordonna un soir à son domestique de les lui apporter. James obéit. Le colonel, après les avoir chargés, ferma la porte sur lui, et lui commanda de tenir la bougie jusqu'à ce qu'il l'eût mouchée avec une balle. Les prières, les larmes du valet furent inutiles, et il fallut céder aux caprices du maître. Le colonel, après avoir rasé du premier coup la mèche, alla rouvrir la porte ; mais, pendant ce temps, James, sautant sur l'autre pistolet, lui dit : « Monsieur, c'est actuellement mon tour. Prenez l'autre bougie ; je veux aussi essayer mon adresse. » Le colonel eut beau pester, tempêter, jurer, James était muni de la puissance, et il fallut tenir la bougie. Mais, comme c'était le premier coup d'essai du valet, non seulement il manqua son but, mais la balle enleva un des boutons de l'habit de son maître. Cette leçon dégrisa le colonel, qui se réconcilia avec James, et jura de ne plus s'amuser d'un aussi dangereux passe-temps.

La médecine

Un apothicaire de Newcastle, s'étant chargé du traitement d'un malade qui était à l'article de la mort, lui envoya une fiole dans laquelle était contenue une médecine, avec ces mots : *Bien secouer avant de faire prendre.* Le lendemain, il alla voir l'effet qu'elle avait produit ; il demanda en entrant, au domestique, comment se portait son maître. Celui-ci ne lui répondit que par des larmes. « Quoi ! est-ce qu'il est plus mal ? dit l'apothicaire. A-t-il pris la médecine ? – Oui, Monsieur ; mais comme vous nous aviez dit de *le secouer*, avant de la lui faire prendre, nous avons suivi vos ordres, et il a passé entre nos bras. »

Le général inconnu

Les Anglais mettent toujours l'adjectif avant le substantif : ainsi ils disent un serein temps, un ardent soleil. Un officier de cette nation ayant dit un jour, devant un vieux caporal français établi à Londres, qu'il pleuvait de manière à lui rappeler le *général déluge.* « Ventrebleu ! lui répondit le vétéran, j'ai entendu nommer tous les généraux de l'Europe ; mais le diable m'emporte, si l'on m'a jamais parlé de celui-là ! »

Le mot d'ordre

Pendant le siège d'Amiens, on fit proclamer l'ordre de ne pas sortir sans lanterne. Le soir même, un bourgeois sort, une lanterne à la main. « Ta lanterne ! lui crie la sentinelle. – La voilà. – Il n'y a pas de chandelle ! – On n'a pas dit d'en mettre. »

Le lendemain matin, nouvelle proclamation de ne sortir le soir qu'avec une lanterne dans laquelle il y eût une chandelle. Le soir, le même homme sort avec un chandelle dans sa lanterne. « Où est ta lanterne ? – La voilà. – Ta chandelle ? – La voilà. – Elle n'est pas allumée. – On n'a pas dit qu'il fallait qu'elle le fût. Diable ! expliquez-vous donc ! »

Le lendemain, on fit publier de ne pas sortir sans une lanterne, dans laquelle il y eût une chandelle allumée.

Vestris

Le plus fameux danseur de l'Opéra, Vestris le père, qui se faisait appeler le *Diou* de la danse, disait hautement : « Je ne connais que trois grands hommes en *Eourope* ; le roi de *Prousse*, Voltaire et moi. »

Ses ridicules surpassaient encore ses talents. Vestris répondait à quelqu'un qui le louait sur le bonheur d'obtenir les suffrages unanimes du public : « Ah ! croyez que tout n'est pas roses dans mon état. En vérité, il est des moments que je préférerais celui de simple capitaine de cavalerie au mien. » Et l'on sait qu'à cette époque les plus grands seigneurs se faisaient honneur d'obtenir l'agrément d'une compagnie de cavalerie.

Vestris avait eu de mademoiselle Allard, danseuse à l'Opéra, un fils qui fut longtemps connu sous le nom de Vestrallard, et qui, élevé avec beaucoup de soin dans l'art que ses parents possédaient si parfaitement, a fini par surpasser ce qu'on croyait inimitable. Son père, voulant récompenser et encourager le talent par lequel il se distinguait déjà à l'âge de dix-huit ans, crut l'honorer beaucoup, en lui permettant, pour ses étrennes, au jour de l'an, de porter dorénavant son nom, et célébra son adoption avec la plus grave solennité. Il était si enthousiasmé de son fils, qu'il disait en le voyant danser : « S'il ne s'élève pas plus haut, c'est pour ne pas trop humilier ses camarades ; car, s'il se laissait aller à son élan, il s'ennuierait en l'air, faute de conversation. »

L'enfant de neige

Un marchand turc ayant été obligé, pour les affaires de son commerce, de faire un voyage de deux ans, sa femme, jeune et jolie, pour attendre plus patiemment son retour, prit un amant.

Cependant, le cher homme arriva tout à coup, et trouva sa femme occupée à allaiter un enfant. D'un air de douceur, il s'informe humblement de la cause à laquelle il doit l'augmentation de sa famille. La dame lui répond : « Il faut que le grand Mahomet soit le père de cet enfant ; car un jour, comme j'étais couchée sur un banc, dans le jardin, un nuage vint tout à coup à crever au-dessus de ma tête. En levant les yeux ers le ciel, je vis tomber de la neige. Aussitôt je me mis en prières ; un flocon de neige me tomba dans la bouche, et dix mois après je mis ce bel enfant au monde. — Je rends grâce au saint prophète, dit le marchand, je désirais un héritier, il me l'a envoyé. Je suis satisfait ; il faut que nous prenions grand soin de ce rejeton du père des fidèles. »

Ce marchand savait parfaitement dissimuler ; il aimait la paix, et ne fit jamais aucun reproche à sa femme, témoignant au contraire beaucoup d'amitié au fils du saint prophète. Le jeune homme grandit ; il avait à peine quinze ans, que son père putatif proposa de l'emmener dans un voyage qu'il allait entreprendre. Effectivement il le conduisit à Alexandrie, où il le vendit à un marchand qui faisait le commerce des Indes Orientales.

À son retour, sa femme fut désolée de la perte de son fils. « Modérez votre douleur, lui dit-il, c'est du prophète que vous devez vous plaindre. Un jour qu'il faisait très chaud, votre fils et moi nous passions sur une haute montagne ; tout à coup je le vis se dissoudre et fondre à mes yeux. J'aurais bien essayé de le secourir, mais je me suis rappelé que vous m'avez dit qu'il avait été fait de neige, et j'ai cru ne pas devoir prendre une peine inutile. »

Un ami inconnu

Un jour, au palais Royal, le chevalier de G... avait gagné quinze cents louis, qu'il tenait dans son chapeau. Quelqu'un s'approche et lui dit : « Mon cher ami, de grâce, prêtez-moi cent louis. – Je le veux bien, mon cher ami, répondit le chevalier, pourvu que vous me disiez comment je m'appelle. » L'autre demeurant sans réponse à cette demande :« Vous voyez bien, mon cher ami, reprend le chevalier, que vous seriez trop embarrassé pour me rendre ces cent louis, si je vous les prêtais. »

Le jeûne méritoire

Une dévote en grande coiffe et d'un air pénitent, un jeudi saint, au sortir des Ténèbres, fut à confesse à un capucin. Après avoir conté ses peccadilles, les péchés de ses enfants, de son époux et même de ses voisins, le moine lui demande : « Ma sœur, jeûnez-vous ? – Si je jeûne ! Oui, mon père ; même tous les jours, et c'est de ma part, je vous proteste, un acte méritoire ; car je suis délicate et j'ai peu de santé. Je prends trois œufs chaque soir, en mémoire de la très sainte Trinité ; à ces œufs, j'ajoute cinq pommes ou d'autres fruits, que je mange en l'honneur des blessures que le Sauveur endura pour sauver le genre humain ; je mange quarante pruneaux en faveur de l'abstinence à laquelle se condamna Jésus pour laver nos péchés ; de plus, je bois sept gobelets de vin en mémoire de Notre-Dame des Sept-Douleurs. – Est-ce là tout ? lui demande le capucin. – Oui, lui dit la béate femme, si ce n'est que dans ces jours-ci j'ajoute treize biscuits pour rendre honneur aux treize cierges.– Eh ! Morbleu, que ne jeûnez-vous, reprit le révérend en courroux, en souvenir des onze mille vierges ! »

Le Purgatoire

Un paysan reprochait à un mari de ne point faire prier pour sa femme qui était morte. « À quoi bon, dit le mari ; ma femme est dans le ciel ou dans l'enfer. Si elle est dans le ciel, elle n'a plus besoin de prières : si elle est dans l'enfer, il n'y a plus de ressource. – Mais, répond le paysan, ne peut-il pas se faire qu'elle soit en purgatoire pour deux ou trois cents ans ? – Ah ! Alors, dit le mari, c'est encore inutile : je connais ma femme ; elle est entêtée, elle voudra faire son temps.»

Une question d'histoire ecclésiastique

Quelques religieux s'entretenaient un jour de l'âge et des actions de J. C., et disaient qu'il avait commencé à prêcher à la fin de sa trentième année. Un ignorant qui les écoutait demanda quelle avait été la première action du Sauveur après avoir atteint l'âge de trente ans. Comme ils hésitaient là-dessus : « Vous voilà bien embarrassés, leur dit-il, avec tout votre savoir ; ce qu'il fit d'abord, ce fut d'entrer dans sa 31ème année. »

La fierté conjugale mise à l'épreuve

Un particulier qui, par le soin extrême qu'il avait pris de son bien, et par son commerce de bestiaux, était parvenu à amasser une fortune considérable, se décida à prendre femme. Il eut bientôt obtenu la main d'une demoiselle de qualité, la fille d'un baronnet. La demoiselle prenait avec lui les plus grands airs ; et lorsque quelquefois il l'invitait à coucher avec lui : « Quoi ! lui disait-elle, ne voudriez-vous pas que la fille de sir R. A. oubliât son rang, et s'abaissât à coucher avec un marchand de bœufs ? Non, monsieur, je coucherai dans mon appartement, si vous le voulez bien.– De tout mon cœur, reprit le mari ; mais moi je ne veux pas coucher seul. » En disant ces mots, il sonna une très jolie femme de chambre de madame, qu'il chargea d'apporter la bassinoire, en ajoutant : « Je ne suis pas sûr de décider Betzi à me tenir compagnie ; mais, Madame, si vous me refusez cette faveur, je vais lui en faire la proposition. » Cette résolution fit changer d'avis à la dame, qui ne se fit plus prier.

La blanchisseuse du roi de Prusse

Le grand Frédéric ne pouvait souffrir que les femmes se mêlassent dans les rangs avec les soldats. Un jour qu'on était en marche, il en aperçut une, et il l'apostropha ainsi : « À qui appartiens-tu, p... ? – À Votre Majesté, répondit la femme, en faisant une profonde révérence. – Comment, coquine, à moi ? – Oui, Sire, j'ai l'honneur de blanchir le linge de Votre Majesté. » Le roi se mit à rire, et la laissa marcher avec les autres.

Plaidoyer d'un abbé

Un jeune abbé, homme de qualité, avait loué une loge à l'Opéra. Un maréchal de France voulut avoir cette loge, que l'abbé s'obstina à refuser ; le maréchal s'y prit si bien que l'abbé fut obligé de céder à la force. Il n'avait pas le courage de mettre l'épée à la main, quoique sa naissance l'y autorisât, suivant les ridicules distinctions d'alors ; il attaqua le maréchal au tribunal de la connétablie, et obtint d'y plaider lui-même sa cause. Désignant chaque maréchal de France par les actions mémorables qui l'ont illustré : « Ce n'est point, dit-il, M. le maréchal un tel dont j'ai à me plaindre ; ce n'est point M. le maréchal de Broglie, qui s'est si bien distingué dans les dernières guerres ; ce n'est pas M. de Clermont-Tonnerre, qui a fait de si belles retraites ; ce n'est pas M. de Richelieu, qui a pris le Port-Mahon ; celui dont j'ai à me plaindre n'a jamais rien pris que ma loge à l'Opéra. » Le tribunal décida que l'abbé avait raison de se plaindre ; mais que la tournure de son plaidoyer l'avait assez vengé.

La ruse d'une femme

Les Orientaux s'amusent souvent à des jeux qui durent plusieurs semaines ; ils consistent à ne rien recevoir de la personne avec laquelle on est convenu de jouer, sans prononcer le mot *Iadesté*, d'où le jeu a pris son nom. Toute l'adresse de ce jeu est de faire recevoir quelque chose à son adversaire, sans qu'il prononce le mot convenu.

Certain philosophe avait composé un très ample recueil de tous les tours dont les femmes sont capables. En voyageant, il se trouve un jour près d'un camp des Arabes du désert. Une jeune femme arabe l'invita si obligeamment à se reposer dans sa tente, qu'il ne put la refuser. Son mari était alors absent, et le philosophe fut à peine assis, que, pour se défendre des charmes qu'il commençait à craindre, il prit son recueil et se mit à lire. La femme, piquée de ce dédain, lui dit : « Il faut que ce livre soit bien intéressant, puisqu'il est seul digne de fixer votre attention ; peut-on vous demander de quelle science il traite ? – Le sujet de cet ouvrage, répondit le philosophe, n'est point de la compétence des dames. »

Cette réponse piqua vivement la curiosité de la jeune Arabe ; elle le pressa tellement, qu'il lui dit enfin : « Je suis l'auteur de ce livre, mais le fond n'est pas de moi. Il contient toutes les ruses que les femmes ont inventées. – Quoi ! toutes absolument ? dit la dame. – Oui, toutes, et ce n'est qu'en les étudiant que je suis parvenu à m'en garantir, et à ne les plus craindre. » La jeune femme, changeant de propos, se mit à lancer au prétendu sage des regards si vifs, qu'il oublia bientôt son livre et les tours qu'il contenait. Voilà mon philosophe devenu en peu d'instants le plus passionné des hommes ; il hasarde une déclaration. On feint de l'écouter. Le sage s'enivrait déjà d'espérance, lorsque la jeune dame aperçut de loin son mari. « Nous sommes perdus, dit-elle à cet amant improvisé, mon mari va nous surprendre, c'est le plus jaloux et le plus brutal de tous les hommes. Au nom du prophète, cachez-vous dans ce coffre. » N'ayant pas d'autre parti à prendre pour se tirer de ce mauvais pas, le philosophe se mit dans le coffre, que la dame ferma sur lui, et dont elle prit la clef.

Elle alla ensuite au-devant de son mari, et le voyant de belle humeur : « Il faut, lui dit-elle, que je vous conte une aventure bien singulière. Il est venu ici une espèce de philosophe, qui prétend avoir rassemblé dans un livre toutes les fourberies dont mon sexe est capable. Ce faux sage m'a entretenue d'amour. Je l'ai écouté. Il est jeune, pressant. Vous êtes arrivé bien à propos pour soutenir ma vertu chancelante. » À ces mots le mari, naturellement jaloux et emporté, éclata en menaces. Le philosophe, qui, de son coffre, entendait tout, maudissait de bon cœur son livre, les femmes et les jaloux. « Où est ce téméraire ? que je l'immole à ma vengeance ! » Elle feignit beaucoup d'effroi, lui montra le coffre et lui en présenta la clef. Comme le jaloux se disposait à l'ouvrir, sa femme lui dit avec un grand éclat de rire : « Payez-moi, vous avez perdu l'*Iadesté* ; une autre fois, ayez plus de mémoire. » Le mari, se croyant fort heureux d'en être quitte pour cette fausse alarme, rendit la clef à sa femme, et s'en alla, après l'avoir priée de ne plus lui donner de pareils sujets de crainte. La jeune dame tira le philosophe du coffre, où il était plus mort que vif ! « Monsieur le docteur, lui dit-elle, n'oubliez pas ce tour, il mérite une place dans votre recueil. »

Le mariage impossible

Un mari et sa femme qui se querellaient du matin jusqu'au soir, étaient sur le point de se séparer, lorsque la dame, feignant de se trouver mal, dit à son mari qu'elle se sentait près de sa fin, et que, pour ne pas faire parler le monde, il serait mieux qu'ils se séparassent d'un commun accord, et qu'elle allât finir ses jours dans une maison de campagne très éloignée, qui leur appartenait. Le mari accepta avec empressement cette proposition, et lui demanda qui elle lui conseillerait d'épouser quand elle serait morte ; c'était par trop : « Épousez le grand diable, lui répondit-elle en fureur. – Le grand diable ! cela n'est pas possible, ma chère ; les canons de l'Église s'y opposent : j'ai déjà épousé sa fille. »

Ce qu'il faut à une femme pour être belle

Les Italiens disent qu'une femme, pour être belle, doit avoir le visage d'une Anglaise, le sein et les épaules d'une Française, et être faite depuis les hanches jusqu'en bas comme une Hollandaise.

Le gouvernement d'une femme

On demandait à Milton la raison pour laquelle un roi peut être investi de la couronne à quatorze ans dans certains pays, et qu'il ne peut prendre femme qu'à dix-huit. « C'est, dit le poète, qu'il est moins facile de gouverner une femme qu'un royaume. »

Le peintre

Dans le gréage d'un vaisseau on distingue en anglais, sous le nom de *peintre*, un certain câble qui sert à amarrer un bateau au bord du vaisseau dont il dépend. Un jour un peintre étant occupé à barbouiller la figure des éperons d'un bâtiment mouillé près de la tour de Londres, le commandant qui venait l'aborder dans la chaloupe, cria au mousse : *jette le peintre à l'eau !* Le mousse, qui ne connaissait point encore cette espèce de cordage, courut au peintre qui avait le corps à moitié hors du bâtiment et le précipita dans la mer. Le capitaine ne voyant point tomber de son côté le cordage, répéta en jurant : « Jette donc le peintre. – *Eh, je l'ai jeté*, reprit l'autre, *avec son pot et sa brosse.* » Le capitaine songea heureusement que ce pouvait être son ouvrier et le fit repêcher sur-le-champ.

Les arbres

Un médecin anglais se promenant un jour dans un jardin de M. Hamilton à Cobham, lui exprima son étonnement de la crue prodigieuse de ses arbres. « Monsieur le docteur, reprit Hamilton, songez donc qu'ils n'ont pas autre chose à faire. »

L'alouette toute rôtie

Gaveaux, chanteur du théâtre Feydeau et compositeur agréable, eut une maladie terrible, à la suite de laquelle il perdit d'abord la voix, et ensuite la raison. Le compositeur Berton l'ayant rencontré an théâtre, lui demanda des nouvelles de sa santé. Gaveaux, qui était né à Toulouse, et qui avait conservé l'accent gascon, répondit à son confrère : « *Cer ami, zé vais mieux, ma zai que la louette m'est tombée.* — Cela se peut, répondit Berton, mais tu conviendras qu'elle n'était pas toute rôtie. »

Adresse et bravoure du chevalier de Gravelles

Le chevalier de Gravelles, mousquetaire, et qui est mort sous-brigadier de sa compagnie, à la bataille de Ramillies, était d'une singulière adresse, l'épée à la main ; sa bravoure égalait son adresse ; sa figure ne faisait pas l'éloge de son esprit : elle lui attirait des querelles, des combats. Il avait tué plusieurs personnes pour venger sa physionomie insultée, et avait obtenu grâce de tous ces meurtres.

Un jour, au coin de la rue de la Comédie, il s'amusait à lire une affiche : trois petits-maîtres passèrent ; ils observèrent la contenance stupide du lecteur : ils voulurent se divertir à ses dépens. Ils le crurent un sujet merveilleux pour leur servir de jouet. L'un d'eux s'approcha de lui, et lui tourna son chapeau sur la tête ; ils firent ensuite de grands éclats de rire. « Messieurs, leur dit le chevalier, pourquoi m'interrompez-vous ? Laissez-moi en paix, je ne vous dis rien. » Le ton pacifique et un peu niais dont il parla, confirma les petits-maîtres dans leur opinion. L'un d'eux fit entre ses doigts une petite boule d'une mie de pain, et la darda au nez du chevalier : il fut bientôt imité par les autres, qui en firent de même. « En vérité, messieurs, cela n'est guère honnête à vous, dit le chevalier, de me donner des nasardes ; je pourrais bien à la fin me fâcher. — Nous vous en prions instamment, lui dit un de ces messieurs. Voyons comment vous vous y prendrez, cela sera curieux. – Je ne suis pas obligé, dit le chevalier, de satisfaire votre curiosité : laissez-moi en paix, encore une fois. »

Malgré toute la bravoure du chevalier, et l'amour qu'il avait pour son honneur, il fallait lui faire boire le calice jusqu'à la lie, pour l'obliger à se battre. Ces petits messieurs continuèrent de l'agacer. Il mit enfin l'épée à la main, en leur disant d'un grand sang-froid : « Voyons si vous savez soutenir les querelles que vous faites si mal à propos. » Ils eurent bientôt appris à quel homme ils avaient affaire. Ils ne rougirent point de se battre tous trois contre lui : il sut si bien se défendre et les attaquer, qu'il les tua en très peu de temps. Jamais on n'a combattu avec tant d'adresse et de vigueur. Il essuya ensuite son épée ensanglantée, et alla raconter l'affaire à son commandant, qui l'aimait. Celui-ci le querella d'abord ; mais quand il fut instruit de tout ce qui avait eu lieu, il ne put pas le blâmer. Il alla à Versailles avec le chevalier, pour demander trois grâces à Louis XIV. Ce monarque se récria : « Comment, dit-il, trois grâces ! en voilà déjà plusieurs que je lui ai accordées. Cet homme-là dépeuplera mon royaume. » Le commandant fit l'apologie du mousquetaire, et persuada le roi, qui dit au chevalier : « Je vous accorde ces trois grâces ; mais je vous ordonne, à l'avenir, de vous nommer lorsque vous serez obligé de mettre l'épée à la main. »

La reconnaissance

Un jeune Écossais entra un jour dans la boutique d'un coiffeur nouvellement établi, et lui commanda de lui prendre la mesure d'une perruque. « Monsieur, lui dit l'autre, le dîner est servi ; et comme vous êtes une nouvelle pratique, vous m'obligerez d'accepter la fortune du pot. – Volontiers » reprit l'étranger, qui officia on ne peut pas mieux à table. Après le dîner, le café, la liqueur, et même le punch, le coiffeur se mit en devoir de préparer ses mesures. « Ce que vous faites là est inutile, lui dit son hôte. – Pourquoi donc, monsieur ? – C'est que vous ne ferez pas ma perruque. – Comment ! est-ce que vous auriez à vous plaindre de moi ? – Non.– De ma femme ? – Encore moins, mon bon ami ; mais si vous travailliez pour moi, vous ne seriez jamais payé. »

Le polichinelle

Un homme de la plus haute taille se promenait un soir à la foire de Saint-Ovide, tandis qu'on jouait, en dehors, des parades. Tout occupé des lazzis qui se faisaient à celles d'un jeu de marionnettes, il heurta par mégarde un petit bossu, qui, se redressant sur la pointe du pied, apostropha très incivilement ce grand homme, ou plutôt cet homme grand. Celui-ci, sans témoigner la moindre colère, affecta de se courber, et de dire en élevant la voix : « Qu'est-ce qui est là-bas ? » L'Ésope, furieux de ce sarcasme, mit la main sur la garde de son épée, et en demanda raison à son adversaire. Mais l'homme de haute stature, toujours de l'air le plus tranquille, prit le myrmidon par le milieu du corps, et le posa sur le balcon de la parade, en disant froidement : « Tenez, récupérez votre polichinelle, qui s'avise de faire ici du tapage. »

La question de temps

« O Julie, s'écriait sentimentalement un jeune amoureux, la première fois que vous me direz des paroles si désespérantes, je me tuerai à vos pieds. – Et la deuxième fois ? » dit la demoiselle.

Les trois Arabes

Trois frères arabes, s'étant mis en voyage pour voir le pays, firent rencontre d'un chamelier, qui leur demanda s'ils n'avaient point vu un chameau qui s'était égaré sur le chemin qu'ils tenaient. L'aîné d'entre eux demanda au chamelier s'il n'était pas borgne. « Oui » lui répondit-il. Le second frère ajouta : « Il lui manque une dent sur le devant. » Et ceci se trouvant vrai, le troisième frère dit : « Je parierais qu'il est boiteux. » Le chamelier, entendant ceci, ne douta plus qu'ils ne l'eussent vu, et les pria de lui dire où il était. Ces frères lui dirent : « Suivez le chemin que nous tenons. » Le chamelier leur obéit, et les suivit sans rien trouver. Après quelque temps, ils lui dirent : « Il est chargé de blé. » Ils ajoutèrent, peu après : « Il porte de l'huile d'un côté et du miel de l'autre. » Le chamelier, qui savait la vérité de tout ce qu'ils lui disaient, leur réitéra ses instances, et les pressa de lui découvrir le lieu où ils l'avaient vu. Ce fut alors que ces trois frères lui jurèrent, non seulement qu'ils ne l'avaient point vu, mais qu'ils n'avaient même entendu parler de son chameau qu'à lui-même. Après plusieurs contestations, on les mit en justice et on les emprisonna. Les juges, s'apercevant que c'étaient des gens de qualité, les firent sortir de prison et les envoyèrent au roi du pays, qui les reçut fort bien, et les logea dans son palais. Un jour, dans l'entretien qu'il eut avec eux, il leur demanda comment ils savaient tant de choses de ce chameau, sans l'avoir jamais vu. Ils répondirent : « Nous avons vu que, dans le chemin qu'il a suivi, l'herbe et les chardons étaient broutés d'un côté, sans qu'il parût rien de mangé de l'autre ; cela nous a fait juger qu'il était borgne. Nous avons aussi remarqué que, dans les herbes qu'il a broutées, il en est resté au défaut de sa dent ; et la trace de ses pieds nous a fait voir qu'il en avait traîné un : c'est ce qui nous a fait dire qu'il lui manquait une dent et qu'il était boiteux. Les mêmes traces nous ont appris qu'il était extrêmement chargé, et que ce ne pouvait être que de grain ; car ses deux pieds de devant étaient imprimés fort près de ceux de derrière. Quant à l'huile et au miel, nous nous en sommes aperçus par les fourmis et les abeilles qui s'étaient amassées de côté et d'autre du chemin, dans les lieux où il pouvait être tombé quelques gouttes de ces deux liquides. Par les fourmis, nous avons conjecturé le côté de l'huile, et par les abeilles celui du miel. »

Les juges compatissants

Les juges du présidial de B... étaient fort embarrassés sur le genre de peine auquel ils devaient condamner un voleur dont ils jugeaient le procès. La chaîne des galériens passa alors dans leur ville : ils apprirent cette nouvelle ; ils ordonnèrent que le voleur serait condamné aux galères, attendu la commodité de la chaîne.

Ils condamnèrent un autre voleur aux galères. À peine eurent ils prononcé ce jugement, que, faisant réflexion sur la fatigue que ce criminel, qui était d'une complexion délicate, essuierait dans le chemin, ils opinèrent, touchés de compassion, qu'il serait pendu, afin de lui épargner la peine et les dangers du voyage.

Un ennemi des compliments

Un homme, ennemi des longs compliments et des cérémonies, disait à ceux qui en faisaient : « Abrégez, la vie est courte. »

L'avis inutile

Comme Jacques II, duc d'York, revenait un matin de la chasse, il rencontra son frère Charles dans Hyde-Park, sans aucune suite, à une époque où ce pouvait être une imprudence. Le duc exprima à Sa Majesté la surprise où il était de le voir ainsi seul en public, dans des circonstances aussi dangereuses. « Jacques, reprit le monarque, ne vous occupez que de vous, je vous prie : je n'ai rien à craindre ; il n'est pas un homme en Angleterre qui voulût me tuer pour vous faire roi. »

Nez aquilin

Dans la petite pièce intitulée *le Sourd*, le papa Doliban donne ainsi le signalement de son gendre futur : « Front large, cheveux châtains, nez aquilin... – Comment, né à Quilin ! Papa, vous vous trompez vous savez bien que je suis né à Châlons. »

Le juge compétent

Un maître de danse ayant demandé à l'un de ses amis, s'il était vrai que M. de Harlay fût nommé trésorier général : « Rien n'est plus vrai, lui répondit celui-ci. – Cela est bien étonnant, reprit le maître de danse ; quel génie la reine peut-elle donc trouver dans cet homme ? *Je l'ai eu deux ans pour écolier, et jamais je n'en ai pu rien faire.* »

Toujours Noël

Un bourgeois de Paris avait un valet appelé Noël, qui était extrêmement naïf. Son maître le donna à un conseiller du Châtelet, qui était de ses amis. Au bout de quelque temps qu'il fut dans cette maison, son premier maître, ayant un procès au Châtelet, fut obligé d'aller voir ce conseiller pour lui recommander sa cause. Étant allé de bon matin, de peur de le manquer, et avant qu'il fût levé, il rencontra ce valet, qui lui fit un bon accueil comme à son premier maître. Celui-ci lui demanda comment il se trouvait dans cette maison-là : « Assez bien, dit-il, si ce n'est une servante qui fait tout ce qu'elle peut pour me mettre mal avec mon maître et ma maîtresse. Elle me fait gronder tous les jours ; car, s'il y a quelque chose de mal fait dans la maison, c'est toujours Noël. » Là-dessus le conseiller se leva, et, passant dans la salle, il vit deux vitres cassées. Il demanda à sa servante, en criant, qui avait cassé les vitres. Elle répondit aussitôt que c'était Noël. Lui, qui entendait ce discours de la cour, dit à son premier maître : « Eh bien ne vous le disais-je pas bien, Monsieur, que c'était Noël qui faisait tout ? » Ce conseiller, après, vit une serviette qui, après avoir été mise sur un chenet de cuivre trop chaud, était brûlée, et commença à dire à la servante : « Qui a mis cette serviette là-dessus, pour la faire brûler ? – Ç'a été Noël, Monsieur, dit-elle. – Eh bien, dit Noël, ai-je menti ? – Comment, dit le conseiller, où est-il, ce maraud-là ? – C'est de moi qu'il parle, dit Noël à son premier maître.– Que fait-il, ce pendard-là ? ajouta le conseiller. Au lieu d'être auprès de sa maîtresse, à qui il arrive des inconvénients à chaque moment, étant près d'accoucher, il s'amuse à jouer. – Eh bien, dit Noël à celui qui était dans la cour, je gage qu'on dira encore que c'est moi qui ai fait cet enfant-là, comme toutes les autres choses qui se font ici. »

La menace irlandaise

Un Irlandais, d'une taille gigantesque et d'une force athlétique, se trouvant au parterre de l'Opéra à côté d'un jeune homme très mince et très délicat, qui lui cherchait dispute : « Je vous conseille de vous taire, lui dit-il ; car, si vous ne finissez, je vous mets entre deux tartines de beurre, et je vous avale comme un anchois. »

Les deux religions

Un soldat, condamné par le conseil de guerre à être fusillé, était conduit au lieu du supplice. Chemin faisant, il montra une grande indécision pour savoir dans quelle religion il mourrait. Il avait été protestant, et s'était fait catholique. Dans cette perplexité, il s'adressa au major de son régiment, et lui dit : « Monsieur le major, laquelle de ces deux religions est la meilleure ? – Parbleu ! mon ami, répondit le major, de la meilleure foi du monde, je donnerais bien sur-le-champ 50 louis pour le savoir. »

Les perruques volantes

À la répétition de l'opéra-comique *les Fêtes publiques*, mademoiselle S..., connue sous le nom de *Mamie Babichon*, s'étant glissée derrière le banc des musiciens, rangés sur une ligne de l'orchestre, attacha avec adresse des hameçons qui se réunissaient à un fil de rappel fixé à une des troisièmes loges.

Mamie Babichon monte au troisième, et attend avec impatience le signal de l'ouverture. Au premier coup d'archet, la toile se lève, en même temps les perruques s'envolent : grande surprise, grands éclats de rire. On cherche l'auteur de cette espièglerie ; un grave musicien, qui présidait à la répétition, veut en avoir raison. Cependant la jeune espiègle avait eu le temps de descendre, elle s'était placée auprès du plaignant, et criait plus fort que lui. Mais elle fut bientôt reconnue à son air hypocrite et malin. Elle avoua sa faute et s'adressant au sermonneur : « Hélas ! monsieur, lui dit-elle, je vous supplie de me pardonner : c'est un effet de l'antipathie insurmontable que j'ai pour les perruques ; et même dans ce moment, malgré le respect que je vous dois, je ne puis m'empêcher de me jeter sur la vôtre », ce qu'elle fit en prenant la fuite aussitôt.

Tous les musiciens, courroucés de cette injure, tiennent conseil, et forment la résolution de venger l'honneur des têtes à perruque. On porte plainte : Babichon fut mandée devant un commissaire ; elle parut en riant, et raconta si plaisamment son histoire, que le juge, l'accusée, les accusateurs et les auditeurs étouffèrent de rire, et terminèrent gaiement ce procès burlesque.

L'étoile

Un amant disait un soir à sa maîtresse habituée à voir tous ses caprices satisfaits, et qui regardait fixement une étoile : « Ne la regardez pas tant, ma chère ; je ne puis pas vous la donner. »

Un suisse ponctuel

Madame de M... avait donné l'ordre un jour à son suisse de dire qu'elle n'y était pas. Le soir, dans le nombre de ceux qui s'étaient présentés, le suisse nomme madame V..., sa sœur. « Eh ! dit-elle, ne vous ai-je pas dé-jà dit que, quelque ordre que je vous donne, j'y suis toujours pour elle ? » Le lendemain madame de M... sort, madame V... revient. « Ma sœur y est-elle ? — Oui, madame, répond le suisse. » Madame V... monte, elle frappe de toute part, et longtemps. Elle redescend : « Il faut bien que ma sœur n'y soit pas. – Non, madame, dit le suisse, mais elle y est toujours pour vous. »

La dîme

Un bon curé savoyard, qui remarquait avec peine que ses paroissiens étaient peu exacts à payer la dîme, entreprit de les convertir sur ce point. Un beau dimanche donc, il monte en chaire, leur rappelle longuement leurs obligations sous ce rapport, et pour donner plus de force et d'auto-rité à ses exhortations, il leur rappelle en ces termes l'exemple de Caïn et d'Abel : « Caïn, leur dit-il, se montrait toujours récalcitrant et inexact à payer la dîme ; encore, ne donnait-il que ce qu'il avait de pire. Abel, au contraire, était toujours très exact, il ne manquait ni la messe tous les jours, ni de payer la dîme tous les ans, et toujours avait-il soin de donner ce qu'il avait de mieux. Faites donc comme lui et non comme ce maudit Caïn, auquel vous seriez certainement bien fâchés de ressembler. »

La correspondance du roi de Prusse et du sacristain

Le sacristain de l'église cathédrale de Berlin écrivit un jour à Frédéric II : « Sire, j'avertis Votre Majesté, 1° qu'il manque des livres de cantiques pour la famille royale ; j'avertis Votre Majesté, 2° qu'il manque de bois pour chauffer comme il faut la tribune royale ; j'avertis Votre Majesté, 3° que la balustrade qui est sur la rivière, derrière l'église, menace ruine.

Signé Schmidt,
Sacristain de la cathédrale. »

Le roi de Prusse s'amusa beaucoup de cette lettre, et fit la réponse suivante :

« J'avertis M. le sacristain Schmidt, 1° que ceux qui veulent chanter peuvent acheter des livres ; j'avertis M. le sacristain Schmidt, 2° que ceux qui veulent se chauffer peuvent acheter du bois ; j'avertis M. le sacristain Schmidt, 3° que la balustrade qui est sur la rivière ne le regarde point ; enfin j'avertis M. le sacristain Schmidt, 4° que je ne veux plus avoir de correspondance avec lui. »

L'union conjugale

Un curé reprochant à un couple nouvellement marié, le tort qu'ils avaient de se disputer aussi souvent qu'ils le faisaient : « Vous êtes d'autant moins excusables, leur dit-il, que vous ne faites qu'un à vous deux. – Nous ne faisons qu'un ! reprit le mari : ah ! monsieur le curé, si vous preniez de temps à autre la peine d'écouter à nos fenêtres, vous croiriez que nous sommes vingt. »

La revanche

Un cavalier fort aimable s'étant vengé, par une épigramme un peu dure, de l'infidélité d'une jolie femme, celle-ci lui écrivit sur-le-champ pour lui demander pardon de ses torts, le supplier de détruire toutes les traces de sa vengeance, et l'engager à venir chez elle à une heure indiquée, pour sceller une réconciliation sincère. Le cavalier connaissait trop bien les femmes pour aller sans défiance au rendez-vous. Il se munit de pistolets. À peine avait-on commencé les premières explications, que quatre grands gaillards arrivent, le saisissent, l'étendent sur un lit, le déshabillent autant qu'il était nécessaire pour exécuter leur dessein, et lui administrent cinquante coups de verges par le commandement et sous les yeux de la dame. L'exécution terminée, le cavalier se relève froidement, se rajuste ; et s'adressant aux spadassins, que la vue de ses pistolets à deux coups fit trembler : « Vous n'avez pas fini votre besogne, leur dit-il ; madame doit être satisfaite ; mon tour est venu : je vous brûle la cervelle à tous les quatre, si vous ne lui rendez à l'instant ce que je viens de recevoir. » Cet ordre, donné d'un ton résolu, fut exécuté sans égards aux larmes de la belle. Mais ce ne fut pas tout : le cavalier voulut que les exécuteurs de ces actes de vengeance s'infligeassent mutuellement une semblable punition ; puis, prenant congé :« Adieu, madame, dit-il, que rien ne vous empêche de publier cette plaisante aventure, je serai le premier à en régaler les oisifs... » On prétend que la dame se mit à ses genoux, et le conjura de garder le secret ; qu'il soupa chez elle ; et qu'en fin la scène se prolongea fort avant dans la nuit, et se termina beaucoup plus gaiement qu'elle n'avait commencé.

Le compte juste

Le maréchal de Bassompierre examinait toujours le soir ce qu'il avait dépensé le jour ; et comme une fois il avait donné cent écus à son maître d'hôtel pour faire faire la meilleure chère possible à sept ou huit de ses meilleurs amis, celui-ci porta ses comptes au moment où le maréchal allait se coucher. Dans son mémoire il ne trouva que quatre-vingt-dix écus pour la dépense du repas. Le maréchal lui dit après l'avoir lu : *Faites que le compte soit juste, si vous voulez que je l'arrête*. Le maître d'hôtel descend au même instant et rapporte le compte après avoir simplement ajouté au bas : *Item, dix écus pour faire les cent écus*.

Napoléon et le paysan de l'Escaut

Dans un voyage que l'empereur Napoléon fit en Hollande peu de temps avant sa chute, il alla voir un paysan dont la maison était isolée sur les bords de l'Escaut. Deux aides de camp accompagnaient le monarque ; l'un d'eux dit au paysan : « Voilà l'empereur Napoléon ! » Le Hollandais, assis, le bonnet sur la tête, lui répond : « Qu'est-ce que cela me fait ? » Napoléon entre aussitôt. « Bonjour, bonhomme. » Le paysan ôte son bonnet, mais reste sur son siège en se contentant de répéter : « Bonjour. – Je suis l'empereur. – Vous ? – Oui, moi. – J'en suis bien aise. – Je veux faire ta fortune. — Je n'ai besoin de rien. — As-tu des filles ? — Oui. – Combien ? – Deux. – Je les marierai. – Non, je les marierai moi-même. » Ces mots surprirent fort le vainqueur de l'Europe ; il tourna brusquement le dos au paysan, et sortit.

Le prix de mémoire

Un Breton étant venu à Paris, alla voir un de ses compatriotes auquel il demanda, par occasion, un écu de six livres qu'il lui avait prêté il y avait une quinzaine d'années. Le débiteur le quitte et lui rapporte un livre qu'il lui donne avec son écu, en lui disant : « Prenez, monsieur ; c'est un prix de mémoire que j'ai remporté dans ma jeunesse ; vous le méritez assurément mieux que moi. »

Santeul et le portier

Santeul se retirait quelquefois plus tard qu'il ne convenait à un homme de son état. Un soir qu'il voulait rentrer à Saint-Victor après onze heures, le portier refusa de lui ouvrir, parce que, disait-il, on le lui avait défendu. Après bien des prières et bien des refus, notre poète glissa un demi-louis sous la porte, et les verrous tombèrent aussitôt. À peine fut-il entré qu'il feignit d'avoir oublié un livre sur une borne où il s'était assis pendant qu'on le faisait attendre. L'officieux portier sortit pour aller chercher le livre, et Santeul de fermer aussitôt la porte sur lui. Maître Pierre, qui était à demi nu, se met à frapper à la porte : notre poète lui répond qu'il n'ouvrira pas, parce que M. le prieur l'a défendu. « Eh ! Monsieur de Santeul, je vous ai ouvert de si bonne grâce ! – Je t'ouvrirai au même prix, dit Santeul. » Le portier rend le demi-louis et la porte lui est ouverte.

La tabatière de Frédéric

Frédéric II, étant un jour à regarder par une fenêtre, s'aperçut qu'un de ses pages prenait une prise de tabac dans sa boîte, qui était sur la table. Il ne l'empêcha point ; mais se retournant après, il lui dit ; « Cette tabatière est-elle de ton goût ? » Le page, fort embarrassé, garda le silence. Le roi répéta la question. Le page dit, en tremblant, qu'il la trouvait fort belle. « En ce cas, dit Frédéric, garde-la, parce qu'elle est trop petite pour deux. »

La bonne marchande

Un pauvre paysan, en danger de mourir, fit son testament. Il dit ensuite à sa femme : « Je vous ai laissé quelque chose que je voulais vous donner en récompense de l'amitié que vous avez eue pour moi. Vous savez que j'ai un cheval ; je vous prie de le vendre et de donner à mes parents l'argent que vous en aurez ; j'ai encore un chien, je vous le donne ; gardez-le pour vous, parce que je suis assuré qu'il vous servira en beaucoup de choses. La femme promit d'obéir à son mari, et pour s'acquitter de son devoir, elle alla au marché un matin, avec le chien et le cheval. « Combien voulez-vous de votre cheval ? lui dit un marchand. — Je voudrais, répondit la femme, vendre le cheval avec le chien que vous voyez : et vous me donnerez, s'il vous plaît, dix écus du chien, et une demi-pistole du cheval. » Le marchand fut bien étonné de ce qu'elle disait ; mais comme il pouvait avoir le cheval à bon marché, il prit le chien aussi et lui donna l'argent. Ainsi la bonne femme, scrupuleuse dans l'exécution des dernières volontés de son mari, donna à ses parents une demi-pistole qu'elle avait eue du cheval, et garda pour elle l'argent qui lui avait été compté par le marchand pour son chien.

La promesse du débiteur

Un pauvre comédien, qui avait prêté une petite somme à l'un de ses camarades, le prit à l'écart dans la coulisse, et lui dit : « Au nom de Dieu, Tom, rends-moi donc mes deux guinées ; tu sais combien j'en ai besoin. — Cela suffit, mon ami, reprit l'autre ; sous dix jours tu seras payé *de manière ou d'autre.*— Tâche, je t'en prie, répliqua le prêteur, que ce soit d'une manière qui ressemble à mes deux guinées. »

Règlements domestiques d'un roi d'Angleterre

Les règlements de la maison de Henri VIII, roi d'Angleterre, offrent des articles curieux, tels que ceux-ci, par exemple :

« Il est ordonné au barbier du roi de se tenir proprement, et de ne pas fréquenter des femmes de mauvaise vie, pour ne pas compromettre la santé du prince.

« Le cuisinier n'emploiera pas des marmitons déguenillés, et qui passent la nuit sur le carreau devant le feu.

« Le dîner sera servi à dix heures et le souper à quatre.

« Les officiers de la chambre du roi vivront en bonne intelligence entre eux, et ils ne parleront pas des passe-temps de leur maître.

« Ils ne caresseront pas les filles sur les escaliers, ce qui souvent est cause qu'il y a beaucoup de vaisselle brisée. Ils auront le plus grand soin des assiettes de bois et des cuillers d'étain.

« Celui des pages qui fera un enfant à une des filles de la maison du roi, paiera une amende de deux marcs au profit du trésor, et sera privé de bière pendant un mois.

« Les valets d'écurie ne voleront pas la paille du prince pour mettre dans leur lit, parce qu'il leur en a été suffisamment accordé.

La contrebande

À son retour de Bruxelles, mademoiselle B... avait eu l'imprudence de confier à ses compagnons de voyage qu'elle rapportait de la Belgique un joli présent pour sa sœur ; il s'agissait d'un voile de dentelle, caché sous son corset. La diligence s'arrête devant la douane, et tandis qu'on visite la voiture, l'un des voyageurs, que sa taille et sa corpulence avaient rendu fort gênant dans le voyage, paraît entrer un peu mystérieusement au bureau. Il en revient bientôt, suivi d'un préposé qui invite la dame à vouloir bien se prêter à certain examen ; mais le discret douanier ajoute que c'est sa femme qui en sera chargée. Le voile est découvert, confisqué, et l'on remonte dans la diligence en maudissant tout haut le gros vilain délateur. « Eh, madame, s'écrie-t-il, lorsqu'on est à une certaine distance de la douane, voilà bien du bruit pour un chiffon de cinquante louis ! J'en ai sur moi pour soixante mille francs, et au premier relais je m'empresserai de vous offrir un voile qui ne le cédera en rien à celui que je vous ai fait saisir et qui a sauvé les miens. »

La dame obligeante

La reine, mère de Louis XIV, disait à une dame enceinte : « Ah ! que vous me feriez du plaisir d'accoucher ce mois d'août, afin que vous puissiez venir à Bourbon avec moi ! » La dame, de retour chez elle, dit à son mari qu'il fallait envoyer chercher la sage-femme, parce qu'elle voulait accoucher dès la nuit suivante, pour ne pas désobliger une aussi bonne reine.

Le galant matelot

La Duchesse de Devonshire, une des plus belles femmes d'Angleterre, se rendant de Londres à Bath, remarqua un matelot qui la considérait avec une extrême attention. Cet homme, au moment où les postillons se disposaient à monter à cheval, s'approcha de la voiture, une pipe à la main, et pria la Duchesse de vouloir bien lui rendre un service.

Celle-ci lui demanda avec bonté en quoi elle pouvait lui être utile : « Je voudrais, madame, lui répondit le marin, que vous me permissiez d'allumer ma pipe à vos yeux. » Ce compliment original ne déplut nullement à la Duchesse, qui depuis répétait souvent à ceux qui lui disaient des choses agréables : Tout cela est fort bien, mais j'aime encore mieux mon matelot. »

Le Père Éternel

« Eh bien, mon cher, quand me payes-tu ma lettre de change ? – Tu sais bien que je ne puis m'acquitter que sur mon héritage ; et, franchement, je ne puis pas désirer la mort de mon père. – Comment, ton vieux père n'est pas encore mort ? — Non, Dieu merci ! – Par exemple, je savais bien qu'il y avait un Père éternel, mais je ne pensais pas qu'il y en eût deux. »

L'épitaphe à terme

« Monsieur, je souhaiterais pouvoir placer sur la pierre tumulaire de mon oncle cette inscription : *Il fut bon époux, bon père, bon ami.* – Je ne vois pas d'inconvénient à ce que vous fassiez l'éloge d'un parent que vous aimiez. – Enfin, je termine par ces mots : *Il laisse des regrets éternels.* – Un moment, monsieur, vous ne pouvez pas mettre *éternels*. – Pourquoi donc, s'il vous plaît ? – La concession n'est pas à perpétuité. »

L'erreur de nez

Un gentilhomme de la cour de Louis XIV jouant au piquet, était fort ennuyé de l'insistance que mettait à se tenir auprès de lui et à regarder son jeu, un homme qu'il ne connaissait pas et qui lui était à charge. Il ne savait trop comment s'en débarrasser. À la fin, il tire son mouchoir et en mouche son voisin, mais se ravisant tout à coup : « Pardon, monsieur, lui dit-il, mais vous étiez si près de moi, que j'ai pris votre nez pour le mien. »

Le Mississippi

Un Européen se promenant sur les bords du Mississippi, qui est très rapide, demanda à un passant comment on appelait ce fleuve. « *Ma foi, Monsieur*, lui répondit le rustre, il n'y a pas besoin de l'appeler, il vient déjà assez vite. »

Les trois problèmes

« Il y a trois choses que j'ai toujours aimées, disait Fontenelle, et que je n'ai jamais pu comprendre : la peinture, la musique et les femmes. »

M. d'Ufel et son tournebroche

M. d'Ufel, gentilhomme lyonnais, a conservé, jusqu'à l'âge le plus avancé, une gaieté originale, sous laquelle perçaient cependant beaucoup de symptômes d'égoïsme, mais qu'il trouvait le moyen de rendre plaisants.

Célibataire et jouissant d'une fortune considérable, il devait être naturellement entouré de beaucoup de collatéraux, et ne voulant pas être gêné dans l'intérieur de son appartement, il avait mis sur la porte de sa chambre un écriteau portant en gros caractères ces mots : *Ne veux neveux.*

Étant à table avec tous ses parents, il leur disait : « Mes amis, vous avez tous des droits égaux à ma succession : elle sera bonne, et je vous aime tous également. Cependant, je suis décidé à ne faire qu'un héritier, et je ne sais sur qui fixer mon choix ; c'est à vous-mêmes à le déterminer. Celui qui me fera le plus de présents pendant ma vie aura mes biens après ma mort. » Quoiqu'il eût l'air de faire une plaisanterie, ses neveux le connaissaient trop bien pour ne pas savoir que c'était réellement le moyen de lui plaire, et que tout en ayant l'air de badiner, il avait dit franchement sa pensée. Aussi s'empressaient-ils de lui faire des cadeaux, qu'il acceptait avec beaucoup de plaisir, en leur disant, pour continuer sa plaisanterie : « Dieu vous le rende. »

Ayant rassemblé une nombreuse société à sa terre de Dortans, des jeunes gens fatigués d'une partie de chasse qu'ils avaient faite, se délassaient auprès d'un grand feu dans la cuisine. L'un d'eux s'était endormi profondément au coin de la cheminée, lorsque ses camarades imaginèrent fort imprudemment d'attacher le crochet du tournebroche à la ceinture de sa culotte, et de remonter précipitamment la roue, de manière que le malheureux patient se réveille suspendu en l'air, au risque de s'écraser contre terre, si le soutien venait à manquer. M. d'Ufel, attiré par les cris de la victime et les éclats de rire des assistants, entre, et frappé de ce spectacle, s'écrie : « Que diable, messieurs, avec vos plaisanteries, vous risquez de casser mon tourne-broche. » On peut imaginer la colère du nageur à sec, qui s'attendait à être délivré à cause de son propre danger, et non par rapport à celui de l'ustensile de cuisine, dont il s'embarrassait fort peu dans sa position.

Le vrai courtisan

On a vu, sous Louis XV et sous Louis XVI, une famille de courtisans comblée de faveurs ; divisée à Paris, elle était toujours unie à Versailles. Vaquait-il une charge, un gouvernement, une ambassade, elle était la première instruite, la première à solliciter. De là cette réponse vraiment précieuse du maréchal de N***, l'un des personnages les plus distingués de cette famille, à son valet de chambre, qui venait de le coucher et tirer sur lui ses rideaux. « À quelle heure monseigneur veut-il qu'on l'éveille demain ? – À dix heures, s'il ne meurt personne cette nuit. »

Le café sucré

M. Tr***, premier commis de la marine en 1786, savait très bien tirer parti des avantages de son état. Un capitaine de vaisseau, qui avait besoin de sa protection, lui envoya, en présent, une balle de café. « Qu'est-ce que cela ? demanda M. Tr** au domestique qui accompagnait le message. — Monsieur, c'est une balle de café Moka, que M. de S***, mon maître, vous prie d'accepter. – C'est bon, laissez cela là, et allez dire à votre maître que je ne prends jamais mon café sans sucre. »

Le capitaine de vaisseau n'hésita pas à envoyer tout de suite une balle de sucre.

Le prince et le poète

Le poète Le Pays voyageait en Languedoc. Le prince de Conti, qui vivait le plus ordinairement dans cette province, s'écarta un jour de son équipage de chasse, vint à l'hôtellerie où était Le Pays, et demanda à l'hôte s'il n'y avait personne chez lui. On lui répondit qu'il y avait un galant homme qui faisait cuire une poularde dans sa chambre pour son dîner. Le prince, qui aimait à s'amuser, y monta, et trouva l'homme en question occupé à parcourir des papiers. Il s'approcha de la cheminée en disant : « La poularde est cuite, il faut la manger.»

Le Pays, qui ne connaissait point le prince, ne se leva pas et lui répondit : « La poularde n'est point cuite, et elle n'est destinée que pour moi. » Le prince s'opiniâtra à soutenir qu'elle était cuite, et Le Pays à dire qu'elle ne l'était pas. La dispute s'échauffait, lorsqu'une partie de la cour du prince arriva ; pour lors Le Pays le reconnut, quitta ses papiers et alla se jeter à ses genoux, en lui disant plusieurs fois : « Monseigneur, elle est cuite, elle est cuite. » Le prince se divertit de cette aventure et dit au poète : « Puisqu'elle est cuite, il faut la manger ensemble. »

Une fortune improvisée

Un Français se promenait à Londres dans le parc de Saint-James. Un inconnu l'accoste, le salue et lui dit : « Chaque pas que je fais me conduit à la mort ; votre physionomie me plaît, recevez ce paquet, mais j'exige que vous ne l'ouvriez qu'à Charing-Cross. » L'Anglais s'éloigna alors, et le Français, qui n'eut rien de plus pressé que de se rendre à l'endroit indiqué, trouva dans le paquet 2,000 livres sterling en billets de banque. Pénétré de reconnaissance, il rentre dans le parc, y cherche avec empressement son bienfaiteur, et le voit retirer du canal, où ce malheureux venait de se noyer.

L'emprunteur

Un particulier vint trouver un jour un maître d'école de Tolède, pour lui emprunter cinquante ducats. Celui-ci alla chercher une bourse qui contenait cette somme en réaux, et la lui donna ; l'emprunteur la prit et la mit dans sa poche, sans compter. Le maître d'école le rappela, lui redemanda la bourse, comme pour voir s'il lui avait bien donné son compte ; puis, la remettant dans son secrétaire : « Un homme, lui dit-il, qui emprunte sans compter, n'a pas envie de rendre ; en conséquence, trouvez bon, mon cher ami, que je conserve une somme que je n'ai pas envie de perdre. »

Le cheval trop court

Lalande, musicien-violon de la chapelle de Versailles, était connu comme un homme jovial et qui aimait beaucoup le plaisir. Jeune, il lui prit envie, dans un temps de semaine sainte, d'aller figurer à Longchamp. Il va trouver Mousset, loueur de chevaux, loue un cheval richement caparaçonné, et donne neuf francs d'arrhes à compte sur dix-huit, prix convenu de la location. Sorti de l'écurie, il rencontre un ami qui lui parle d'une partie de Longchamp, en quatuor, dans sa voiture. Diable ! dit Lalande, si je pouvais retirer les arrhes que je viens de donner ! Au reste, allons chez Mousset, et nous verrons. – M. Mousset, montrez-moi encore une fois le cheval que je vous ai loué. – Monsieur, le voici. – Savez-vous, monsieur Mousset, que ce cheval-là est bien court ? – Comment, Monsieur, bien court ? – Mais oui. » Puis, s'adressant à son ami : « Voilà bien ma place, voilà la tienne, voilà celle de Daigremont. Mais où diable se placera Mondonville, et cependant il compte parmi nous ? – Comment, Monsieur, vous montez à quatre ? – Mais oui. — Tenez, voilà vos arrhes ; allez chercher ailleurs un cheval ; je ne donne pas le mien pour qu'on l'éreinte. »

À bon entendeur, demi-mot

Le président Rose, qui passait pour un homme d'esprit, mais surtout pour un avare, avait marié sa fille à un magistrat, qui venait lui faire des plaintes fréquentes sur l'humeur frivole et dépensière de sa femme. « Assurez bien ma fille, lui dit Rose, fatigué de ces doléances perpétuelles, que si elle vous donne encore sujet de vous plaindre, elle sera déshéritée. » Le gendre comprit et se montra moins susceptible à l'avenir.

Inscription persane

On a fait la découverte, dans un endroit très secret de la Perse, d'une tombe, avec l'inscription suivante, gravée en lettres d'or : « Celui qui n'a pas de fortune, n'a pas de crédit ; celui qui n'a pas une femme soumise, n'a point de repos ; celui qui n'a point d'enfants, n'a point de force ; celui qui n'a point de parents, n'a point d'appui ; mais celui qui n'a rien de tout cela, vit exempt de soucis. »

L'expédient du mari

Un prédicateur allemand, homme plein d'esprit et d'originalité, annonçait à ses paroissiens qu'il était marié pour la quatrième fois, et que, si sa quatrième femme mourait, il en épouserait une cinquième, parce qu'il aimait le changement. « Peut-être, mes chers paroissiens, s'écria-t-il, vous ignorez le moyen de devenir veuf et libre quand vous le désirez ; je vais vous apprendre comment je fais... Je suis la meilleure pâte de mari possible, et jamais je ne contrarie ma femme en rien ; mais l'absence de contradiction est fatale au beau sexe, car la contradiction est pour les dames un exercice nécessaire et le meilleur des régimes. Si au contraire on a pour système d'être toujours de leur avis, elles languissent bientôt, tombent dans la mélancolie, le marasme, et de là dans une léthargie qui finit par les emporter. »

Les recors

Un bon propriétaire des environs de Paris, maire de sa commune, avait à Paris un fils qui menait joyeuse vie. Ce fils, joueur et libertin, avait abusé de la tendresse paternelle, au point que le cher papa finit par lui refuser de l'argent ; mais le jeune homme avait contracté des dettes, et un beau matin M. le maire de *** vit arriver en voiture, escorté de deux gardes du commerce, l'enfant prodigue, qui lui apprit qu'il venait d'être arrêté pour une lettre de change de 1,200 fr. ; que MM. les gardes du commerce avaient bien voulu, par égard pour sa famille, le conduire jusque chez son père, pour qu'il essayât de l'attendrir, et que s'il ne payait pas, on allait le remmener à Sainte-Pélagie. Le papa débonnaire fit un sermon, et paya, en prêchant la sagesse à l'avenir ; mais hélas ! il apprit quelques heures après que les soi-disant gardes du commerce n'étaient autres que des amis de son mauvais sujet de fils, qui, après avoir beaucoup ri de la bonhomie et de la facile crédulité du pauvre maire de ***, étaient allés chez Véfour faire une brèche au montant de la prétendue lettre de change.

L'abbé Coquet

À l'époque où M. de Sartines était lieutenant de police, il parut un petit pamphlet très méchant, intitulé *l'Abbé Coquet*, que l'on vendait sous le manteau, et avec les plus grandes précautions. M. de Sartines mettait le plus vif intérêt à se le procurer, pour le faire poursuivre en parfaite connaissance de cause. Il dit à un inspecteur de police : « Ne négligez rien pour trouver *l'Abbé Coquet*, et que je l'aie ce soir ici. » L'inspecteur, n'imaginant pas qu'il fût question d'une nouveauté littéraire, ne douta pas qu'il ne s'agît d'un individu qui portait ce nom-là, et se mit à le chercher dans tout Paris. Par un hasard assez extraordinaire, un bon ecclésiastique, qui se nommait ainsi, et qui était prêtre habitué d'une paroisse de Lyon, s'était mis dans la diligence de cette ville pour se rendre à Paris, où il avait quelques affaires, et son nom se trouva inscrit sur la feuille, dont le double arrivait toujours quelques heures avant la voiture.

L'inspecteur, après avoir fait plusieurs recherches inutiles, eut l'idée de se transporter au bureau des diligences, pour s'assurer de l'homme qu'il se croyait obligé de trouver. Il eut grand soin de ne pas s'éloigner jusqu'à l'arrivée de la voiture publique, et saisit le pauvre ecclésiastique au moment où il en descendait. « Monsieur, vous êtes l'abbé Coquet : j'ai ordre de vous arrêter et de vous conduire chez monseigneur le lieutenant général de police ; point de résistance. » Hélas ! le malheureux abbé, atterré d'une réception si inattendue dans la capitale, où il ne croyait pas même être connu, était bien éloigné de s'opposer à la force. On recommande son paquet au bureau ; on le fait monter dans un fiacre, et mener à l'hôtel de la police, où, tandis qu'il est gardé à vue, l'inspecteur, bien fier d'avoir si heureusement rempli sa mission, va en rendre compte au lieutenant de police : « Monsieur, lui dit-il tout bas, je tiens l'abbé Coquet. – C'est bon, répond le magistrat, qui était en ce moment dans son salon avec quelques personnes ; enfermez-le dans mon cabinet, en voilà la clef, et rapportez-la-moi. » L'ordre fut exécuté ponctuellement, et M. de Sartines ayant reçu sa clef, monte dans sa voiture et sort.

Cependant le pauvre abbé, après une mortelle heure de retraite, commence à sentir également l'impatience de la faim et de la liberté. Il frappe à coups redoublés à la porte. Mme de Sartines, informée de ce bruit, accourt, interroge à travers la porte le prisonnier, qui dit ne pas savoir pourquoi il est ainsi renfermé, et demande surtout qu'on lui donne à manger, n'ayant pris aucune nourriture depuis la veille. Mme de Sartines lui annonce avec regret l'impossibilité où elle est de lui donner aucun secours jusqu'à l'arrivée de son mari, qui ne tardera pas à rentrer ; lequel revient en effet peu après. Il est fort étonné d'apprendre que quelqu'un est renfermé dans son cabinet : il y court, ouvre, demande au prisonnier qui il est, et la réponse l'éclaire aussitôt sur la méprise de son inspecteur, dont il ne peut s'empêcher de rire et dont il fait toutes les excuses possibles à celui qui en avait été victime. Il l'engage à souper, s'informe des affaires qui l'attiraient à Paris, et lui promet de le servir avec le plus grand zèle. La protection d'un magistrat aussi influent et la publicité même de l'aventure plaisante qui y avait donné lieu pouvaient sans doute coopérer à la fortune de l'homme qui aurait su en profiter ; mais malheureusement la simplicité de l'abbé Coquet n'offrait aucune ressource à l'obligeance la plus ardente.

Le modèle

Le célèbre peintre Restout était un homme d'une grande réserve, en fait de décence, et rien ne le prouve mieux que l'anecdote suivante racontée par Girodet. Un fort de la halle, habitué de l'atelier de Vien, posait chez ce peintre pour un Hercule. À la fin d'une séance, on l'ajourna au lendemain. « Demain, répondit-il, cela m'est impossible, je pose pour une Vénus chez M. Restout. »

Le legs
Un grand seigneur laissa par son testament des legs à tous ses domestiques, excepté à son intendant, et afin qu'on ne crût pas qu'il l'avait oublié, il avait fait mettre : « Je ne laisse rien à tel, mon intendant, parce qu'il y a vingt ans qu'il est à mon service.»

Le philosophe gourmet
Un grand seigneur qui avait plus de sujet d'être fier de sa naissance que de ses talents, se trouve un jour à dîner à côté d'un homme célèbre à la fois par son esprit et par d'heureuses et utiles découvertes dans les sciences. Il remarque que son voisin mettait une certaine délicatesse dans le choix de ses mets. « Ah ! ah ! lui dit-il, les philosophes aiment donc aussi les friandises.— Et pourquoi pas ? répondit celui-ci ; est-ce que vous penseriez, monseigneur, que les bonnes choses n'ont été faites que pour les sots ? »

Un avertissement
Le maréchal duc de Biron, qui avait hérité de toute la valeur de ses ancêtres, et qui méritait par lui-même le respect général dont il était investi, apprit qu'il courait contre lui une petite pièce de vers dans laquelle il était tourné en ridicule. Il trouva moyen de s'en procurer une copie ; et quelques circonstances particulières, ainsi que le bruit public, ne lui laissèrent pas douter que le duc d'Ayen, avec lequel il se croyait lié, n'en fût l'auteur. Il se rendit chez lui, et en présence d'une nombreuse société, lui dit : « Mon cher duc, on a fait contre moi une fort méchante diatribe en vers, dont l'auteur garde l'anonymat. Je ne suis pas poète, et ne connais d'autres armes que celles qui conviennent à un gentilhomme. Vous, qui vous servez également bien de la plume et de l'épée, faites-moi le plaisir d'y répondre : la voilà. — Eh bien, dit le duc, après avoir fait semblant de la lire, que voulez-vous que je réponde à cela ? – Eh ! mon ami, reprit le maréchal, il faut dire à l'auteur que celui qui est obligé de se cacher pour

pouvoir insulter impunément un honnête homme, est un...; que si jamais je le connais, je lui ferai donner cent coups de bâton. Arrangez-lui cela en prose ou en vers, tout comme il vous plaira. Je laisse ma commission en bonnes mains. Adieu. » Et le maréchal se retira, laissant les rieurs de son côté et le duc d'Ayen fort interdit.

Tel père, tel fils

Un homme extrêmement borné, mais qui se rendait bien justice, voyageait avec un de ses amis : il était à cheval, et portait en croupe son fils, âgé de douze ou treize ans. Le chemin devenant un peu difficile, il lui recommanda de bien se tenir. Cet avis mécontenta le jeune homme, qui ne se trouvait pas fort à l'aise, et il dit : « Mon père, n'est-il pas vrai que quand vous serez mort, j'irai en selle. – Ah ! malheureux que je suis ! s'écria le père, s'adressant à son ami, mon fils sera aussi bête que moi ! »

Farinelli et son tailleur

Le célèbre Farinelli, qui dirigeait l'opéra de Ferdinand II, roi d'Espagne, avait commandé à un tailleur un habit magnifique. Quand celui-ci le lui apporta, le musicien lui demanda son mémoire. « Je n'en ai point fait, répondit le tailleur, et n'en ferai point ; pour tout paiement je n'ai qu'une grâce à vous demander. Je sais que ce que je désire est au-dessus de ce que je puis prétendre, c'est un bien réservé à des monarques, mais puisque j'ai eu le bonheur de travailler pour un homme dont on ne parle qu'avec admiration, je ne veux d'autre paiement que de l'entendre chanter un air. »

Farinelli tenta inutilement, de lui faire accepter de l'argent ; le tailleur ne voulut jamais y consentir. Enfin, après beaucoup de débats, le musicien, vaincu par l'extrême désir que cet homme avait de l'entendre, et plus flatté peut-être de la singularité de l'aventure que de tous les applaudissements qu'il avait reçus jusque-là, s'enferma avec lui, chanta les morceaux les plus brillants, et se plut à déployer toute la supériorité de ses talents. Le tailleur était enivré de plaisir ; plus il paraissait attendri, plus Farinelli mettait d'expression et d'énergie dans son chant, plus il s'efforçait de faire valoir toute la séduction et toute la magie de son art. Quand il eut chanté, le tailleur, hors de lui-même, lui faisait des remerciements, et se préparait à sortir. « Un moment, lui dit Farinelli ; si je vous ai cédé, il est juste que vous me cédiez à votre tour. » En même temps il tire sa bourse, et force le tailleur à recevoir au moins le double du prix de son habit.

La chute

Un Anglais se plaignait vivement, dans un café, d'une chute qu'il avait faite et qui lui causait de très vives douleurs. « Monsieur, lui dit un chirurgien qui était à côté de lui, est-ce près des vertèbres que vous vous êtes fait mal ? – Non, reprit le malade, c'est près de l'Obélisque. »

Les maîtres et les valets

« Il faut avouer, disait un maître à un valet gascon, que les maîtres sont bien malheureux de ne pouvoir se passer de domestiques. – Ma foi, monsieur, répondit l'autre, les valets sont, à mon avis, encore bien plus malheureux de ne pouvoir se passer de maîtres. »

La jeune vieille

Une dame de quatre-vingt-trois ans écrivait un jour à son directeur : « Mon Père, je me recommande bien instamment à vos prières ; car j'éprouve de violentes tentations de la chair ; vous m'obligerez très sensiblement, si vous y connaissez quelque remède, de vouloir bien me l'indiquer. »

M. Rhomberg

Pour peu que votre acte de naissance date de 1780, vous avez pu voir rouler dans Paris une fort belle voiture, dont les armoiries, assez singulières, ont sans doute fixé votre attention. L'écusson avait la forme d'un corset de femme, et une paire de ciseaux, aux branches écartées, figurait au milieu. Ces armes étaient celles d'un M. Rhomberg, fils d'un paysan bavarois des environs de Munich. Cet homme, tout jeune encore, avait abandonné son village, et était devenu garçon tailleur à Paris. Soit instinct, soit bonheur, il y travailla particulièrement pour les femmes ; et comme ces dames le trouvaient à la fois bien fait de sa personne, et doué d'une merveilleuse intelligence pour cacher les difformités les plus disgracieuses, et faire ressortir les attraits les plus piquants, le jeune tailleur fit promptement sa fortune.

Un soir, un mendiant à la barbe épaisse, aux vêtements déchirés, frappe à la porte du père Rhomberg, demande à souper et un peu de paille : la vieille mère allait refuser, quand son mari lui dit : « Femme, fais entrer, et ne refuse pas à l'étranger l'hospitalité que d'autres accordent peut-être à ton fils. » Le mendiant vint s'asseoir au coin du foyer obscur ; il avait reçu de la jeune fille le pain de la charité, et ses hôtes s'étaient remis à table pour achever leur repas. « De quel pays êtes-vous ? dit le père. – De Carlstadt. – Huit lieues d'ici ? — Huit lieues. – D'où venez-vous ? ajouta-t-il après un instant de silence. – De Paris, dit-il. – De Paris ? répéta la vieille ; y parle-t-on d'un nommé Rhomberg ? — Tailleur pour femmes ? – Oui… – Approchez donc… qu'on vous entende, prenez place à table ; fait-il de bonnes affaires ? – Meilleures que mauvaises. – Mangez, disait la vieille ; et sa santé ? – Comme la mienne. – Il doit être bien grandi ?— De ma taille. — Il ne parle pas de revenir au pays ? — Il n'en parle plus. – Il aura oublié sa mère ! — Allons, femme, celui-ci est revenu, le nôtre reviendra de même ; fais boire à sa santé. » Et la bonne mère versait à boire ; mais son cœur était gonflé, et des larmes roulaient dans ses yeux.

Qui voit pleurer sa mère ne peut longtemps se contraindre devant elle ; et l'homme aux guenilles s'étant jeté au cou de ses parents s'en fit bientôt reconnaître pour leur fils. On rapporta de nouveau du vin, on détacha le jambon qui s'enfumait à la cheminée ; le père voulut à l'instant que le pauvre changeât ses guenilles contre d'autres habits. La mère parlait de vendre sa vache blanche pour le vêtir, et la petite Krettle offrait, en rougissant, la chaîne d'or que lui avait donnée son prétendu.

Rhomberg laissa vendre la chaîne d'or, et sortit pour acheter lui-même l'étoffe qu'on lui destinait. Il était absent depuis une heure, quand une chaise de poste s'arrêta devant la maison de son père, et un individu, un grand seigneur sans doute, car il était brillant de parure et de bijoux, demande à parler à un M. Rhomberg, récemment arrivé de Paris : on le fit entrer dans la maison pour l'attendre.

Le père Rhomberg s'impatientait, car son fils ne revenait pas ; la mère avait envoyé Krettle au-devant de lui, et Krettle n'avait rien rencontré. Voyant la peine de ces braves gens, l'inconnu se mit à sourire, et se coiffant du vieux chapeau que Rhomberg fils avait laissé sur la table, et changeant son habit brodé contre l'habit troué du mendiant, on lui trouva tout à coup les mêmes yeux, les mêmes traits, et surtout la même voix que le pauvre garçon tant désiré. Comme vous le soupçonnez sans doute, c'était lui-même.

Je vous laisse à penser la joie de ces pauvres paysans et celle de leur fils. Il acheta pour eux la maison qu'ils habitaient ; il y joignit le grand jardin et tous les champs qu'ils pouvaient cultiver ; la chaîne d'or de Krettle ne fut point vendue, mais elle apporta à son prétendu sa main, son cœur et la plus belle ferme du village.

M. Rhomberg, de retour à Paris, mourut encore jeune : il laissa 50,000 livres de rentes à ses héritiers, et le souvenir de son aventure aux auteurs dramatiques qui voudront en faire une comédie ou un opéra, sans pourtant avoir défendu qu'on en composât une tragédie ou un mélodrame, et même une petite nouvelle pour deux ou trois recueils qui s'en sont déjà emparés comme nous.

L'excuse fondée

Lorsque le lieutenant O'Brien sauta à Spithead, avec l'*Edgar*, vaisseau de ligne, il se sauva sur l'affût d'un canon ; et quand on l'apporta devant l'amiral, tout trempé et tout couvert de vase : « J'espère, lui dit-il, que vous voudrez bien me pardonner de paraître devant vous dans ce piteux accoutrement ; mais je suis sorti du vaisseau avec une si grande précipitation, que je n'ai pas eu le temps de changer. »

Les deux philosophies

Un philosophe morose a calculé approximativement qu'il mourait sur la terre soixante individus par minute. « Voyez, disait-il à une jolie femme, quel sujet de méditation vous offre votre pendule à secondes. – Eh bien, répondit-elle, s'il part soixante âmes par minute, il en arrive une par seconde ; c'est à quoi je pensais en regardant mon cadran. » C'est la même idée, et cette image est plus gaie.

Le petit-fils de Henri IV

Lorsque le roi Charles X alla au camp de Saint-Omer, en 1827, un de MM. les sous-préfets du Pas-de-Calais avait écrit la circulaire suivante à MM. les maires de son arrondissement :

« M. le maire, je vous engage à vous rendre au chef-lieu de l'arrondissement avec les habitants de votre commune, sur le passage du roi, afin de pouvoir contempler les traits d'un des petits-fils de Henri IV. »

Le maire de la commune de Sp... dont l'intelligence, à ce qu'il paraît, n'était pas supérieure à son style, répondit en ces termes à M. le sous-préfet :

« M. le sous-préfet, vu votre lettre du 4 août 1827, concernant les traits des petits-fils de Henri IV, à l'avenir pour remplir par leur présence le cortège qui recevra Sa Majesté dans votre chef-lieu de notre arrondissement.

« Je vous déclare que nous n'avons pas dans toute notre commune aucun de ces petits-fils de Henri IV susdits. »

On assure que cette lettre vraiment singulière, ayant été mise sous les yeux d'un auguste personnage, a excité son hilarité.

Une bûche de plus

Un jour que l'on pressait M. de Lauraguais d'aller passer la soirée chez une dame où se trouvait réunie habituellement l'élite de la société, il s'en défendit, en disant : « Par Dieu, non ! je n'irai pas ; on gèle dans son salon ; il n'y a jamais que deux bûches dans le feu. » Quelques jours après il se décida pourtant à s'y présenter en visite, et aussitôt que le valet de chambre l'annonça, il entendit la maîtresse de la maison dire très distinctement et à haute voix ces seuls mots : *une bûche de plus.*

Une annonce

On lisait, il n'y a pas très longtemps, dans un journal : « On demande une demoiselle de compagnie de l'un ou de l'autre sexe. »

La culotte de l'Apocalypse

Un tailleur de Dublin, ennuyé de sa profession et se croyant appelé à de plus hautes destinées, quitta subitement un jour sa boutique et se fit chef d'une nouvelle secte religieuse. Ces sortes de vocations subites et imprévues ne sont pas rares dans un pays où ne manquent ni les rêveurs ni les enthousiastes. Le nouveau prédicateur réussit au-delà de ses espérances, et, dans la joie de ses succès inespérés, il conçut le projet de convertir à la vraie lumière le célèbre Swift qui était à ses yeux sur la grande route de la perdition. Il s'adressait bien.

Un jour donc il se présente chez l'illustre doyen, et lui adresse l'allocution suivante, dans le langage mystique qui lui était habituel : « Je viens chez toi, lui dit-il, au nom du Seigneur, pour t'ouvrir les yeux, pour dissiper les ténèbres qui t'environnent, et pour t'apprendre à faire un bon usage de tes talents, dont tu as si longtemps abusé. – Ma foi, répondit le doyen, qui connaissait très bien son homme, je suis tenté de croire comme tu le dis, mon cher ami, que tu viens de la part de Dieu, car tu arrives à point nommé, pour me tirer d'embarras et pour m'aider à résoudre une difficulté qui m'embarrasse fort. » Le tailleur, à ce début, se croyait assuré du succès de sa mission. « Tu connais certainement, continua le docteur, ce passage de l'Apocalypse, où saint Jean décrit l'ange terrible qui descend du firmament avec un arc-en-ciel sur la tête, un livre dans la main, et qui place son pied droit dans la mer, tandis que son pied gauche repose sur la terre. Je désirerais savoir quelle peut être la dimension d'une pareille enjambée ; mais toi qui as l'habitude de prendre des mesures, tu pourras du moins me dire combien il faudrait à cet ange d'aunes de drap pour se faire une culotte. » Le convertisseur se le tint pour dit et se garda bien d'y revenir.

La précaution

Quelques amis se trouvaient ensemble dans un grand bal à Madrid et s'entendirent pour former une contredanse. Ils choisirent chacun leur danseuse, envers laquelle ils se montrèrent tous fort galants et fort empressés, à l'exception de l'un d'eux qui dansa sans prononcer une parole. Ses amis lui demandèrent en riant pourquoi, contre son ordinaire, il s'était montré si froid et si réservé. – « Ma foi, répondit-il, elle n'est ni jeune, ni jolie, et j'avais peur qu'elle ne me dît *oui*. »

Souvarov

Souvarov avait une petite taille, son corps était sec, nerveux, endurci au travail par l'habitude de la fatigue et des privations. Son regard était ferme et perçant, son sang était toujours bouillant, et ne lui permettait jamais un repos complet. Après avoir essuyé une disgrâce, il revint à St-Petersbourg où l'empereur le fit complimenter par son favori, le comte K... qui se fit annoncer : « Mais je ne connais point de famille russe de ce nom-là, dit-il, au surplus, qu'il entre. » Le comte étant entré, il lui demande encore à lui-même son nom, fait toujours l'étonné, et le prie de lui dire de quel pays il est originaire. Le comte, un peu embarrassé, répond enfin ; « Je suis natif de la Turquie, c'est à la grâce du monarque que je dois mon titre. – Ah ! dit le général, vous avez sans doute rendu des services importants à l'État ? Dans quel corps avez-vous servi ? à quelle bataille avez-vous assisté ? – Je n'ai pas servi dans l'armée. – Vous

étiez donc employé dans les affaires civiles ? et dans quel ministère ?
— Je n'ai jamais servi dans aucun ministère ; j'ai toujours été auprès de
l'auguste personne de S. M. – Ah ! mon Dieu ! En quelle qualité ? »» Le
comte eut beau rechigner, il fallut en venir au fatal aveu que l'impi-
toyable Souvarov voulait lui arracher : « J'ai été le premier valet de
chambre de S. M. – Ah ! Très bien, s'écria le général, et se tournant vers
ses domestiques qui étaient présents, il dit à son valet de chambre :
« Yvan, vois-tu ce seigneur ? Il a été ce que tu es ; il est vrai que c'est auprès de notre gracieux souverain. Vois-tu quel beau chemin il a fait ? Il
est devenu comte ; il est décoré des ordres de Russie : ainsi conduis-toi
bien ; qui sait ce que tu peux devenir ? »

La tontine

Un préfet écrivait circulairement afin de connaître s'il avait été établi
dans les communes de son département des *Tontines*, et de quelle nature
elles pouvaient être. La réponse du maire de St-N*** mérite d'être citée :
« M. le préfet, je reçois l'honneur de la vôtre du... Grâces à Dieu et à la vigilance que j'exerce, il n'y a pas une seule tontine dans ma commune, et
si je savais qu'il s'y en présentât quelqu'une pour s'y établir ou autrement, je la ferais arrêter sur-le-champ, et conduire sous bonne escorte au
dépôt du chef-lieu. Je vous prie, etc. »

Le centenaire

Tavernier rapporte, dans ses voyages, qu'étant en Perse, un de ses amis
lui procura la connaissance d'un homme, âgé de cent ans, qui n'avait jamais menti. Le roi de Perse ayant voulu s'éclaircir lui-même d'une chose
qui lui semblait si merveilleuse, envoya chercher cet homme et lui dit :
« Est-il vrai que vous ayez cent ans ? — Oui, Sire, lui répondit-il, j'ai
même quelques semaines de plus, mais c'est si peu de chose que je n'ose
dire à votre Majesté que j'aie plus de cent ans. – Il est assez rare, dit le
roi, d'avoir, dans un âge aussi avancé, une santé si parfaite. – Je suis, répliqua-t-il, d'une complexion assez heureuse ; quoique la diversité des
aliments ne me déplaise pas, je ne mange, à chaque repas, que d'un seul ;
et, quelque vieux que je sois, je ne me souviens pas d'avoir jamais fait de
débauche préjudiciable à ma santé. – Tout cela est parfaitement beau,
continua le roi ; mais on dit de vous une chose incomparablement plus
belle ; on assure que vous n'avez jamais menti. – C'est de quoi, Sire, je ne

voudrais pas positivement assurer Votre Majesté, repartit le vieillard ; il y a si peu d'hommes qui ne mentent que je n'ose me flatter de n'avoir jamais menti ; mais depuis que j'ai commencé à me connaître j'ai toujours trouvé quelque chose de si bas dans le mensonge, et par conséquent de si indigne d'un homme, que s'il m'en est échappé quelqu'un, ç'a été sans m'en apercevoir. – Qui était votre père ? Lui demanda le roi. – Ma foi, Sire, je n'en sais rien » répondit-il. Après avoir été cent ans sans mentir, il vit trop de risque à dire quel avait été son père.

Les ronfleurs

Un orateur aussi savant que spirituel, le docteur South, prêchait un jour à Saint-Paul, devant Charles II et sa cour. Il s'aperçut, vers le milieu de son sermon, que le roi et la plupart des seigneurs de sa suite s'étaient endormis. Quelques-uns même de ces auditeurs malencontreux ronflaient assez fort pour se faire entendre de leurs voisins. L'orateur s'interrompit aussitôt, et s'adressant à lord Lauderdale qui était à côté du roi : « Milord, lui dit-il, je vous demande pardon de vous déranger, mais je dois vous dire que vous ronflez si fort que vous courez risque d'éveiller Sa Majesté. » Cet avertissement réveilla tout le monde et personne n'eut plus envie de se rendormir.

Le tambour

Un général qui avait été battu en Allemagne, et en Italie, trouva un matin, au-dessus de sa porte, un tableau sur lequel se trouvait peint un tambour, avec cette inscription : *On me bat des deux côtés.*

La jambe de bois

M. de C... avait une jambe de bois et voyait une demoiselle qu'un autre gentilhomme voyait en même temps. La demoiselle étant devenue grosse, il y eut une dispute entre les deux galants pour savoir à qui appartiendrait l'enfant, ou plutôt à qui il n'appartiendrait pas. M. de C... dit à l'autre : « Si l'enfant vient au monde avec une jambe de bois, il sera à moi ; s'il naît avec ses deux jambes, il sera à vous. »

Un meurtre par amour

Une courtisane de Madrid tua son amant pour une infidélité qu'il lui avait faite. Elle fut arrêtée et conduite devant le roi Philippe IV, à qui elle ne cacha rien de ce qui avait eu lieu, sans chercher le moins du monde à s'excuser. Le roi la renvoya en lui disant : « Va, je te fais grâce ; tu avais trop d'amour pour avoir de la raison. »

L'antipathie conjugale

La comtesse de la Suze, qui était de la religion réformée aussi bien que son mari, s'étant faite catholique, la reine de Suède dit que madame de la Suze avait changé de religion pour ne se trouver avec son mari ni dans ce monde ni dans l'autre.

Charles II et le matelot

Sous le règne du roi d'Angleterre Charles II, un matelot qui venait de recevoir l'arriéré de sa solde se rendit dans un mauvais lieu où il passa la nuit, et où il fut complètement dépouillé de tout l'argent qu'il avait sur lui. Le matin, en sortant, il jura de prendre sa revanche sur la première personne qu'il rencontrerait. Sa résolution fut bientôt réalisée. Un riche bourgeois qui partait pour la campagne fut abordé par lui ; il lui raconta ses aventures de la nuit, et lui dit qu'il avait compté sur lui pour réparer les injustices du sort et lui rendre tout ce qu'on lui avait volé. Le bourgeois, surpris d'une telle proposition, essaye de lui représenter ce que sa conduite a de coupable ; mais le matelot, sans l'écouter, insiste de manière à lui ôter toute espérance et le décide, de crainte de quelque chose de pis, à lui remettre sa bourse qui était assez bien garnie. Quelques instants après, le matelot était arrêté et mis en prison. Il imagina alors d'adresser au roi la lettre suivante, qu'un de ses camarades se chargea de porter :

« Roi Charles,

Un de tes sujets m'a volé, la nuit dernière, une somme de quarante livres sterling (environ 1 000 fr.) ; et, à cette occasion, j'ai enlevé moi-même cette même somme à un bourgeois de Londres qui m'a fait enfermer à Newgate et qui prétend me faire pendre. En conséquence, je t'engage, dans ton intérêt, à me sauver la vie ; car tu perdrais, par ma mort, je te le jure par Dieu, l'un des meilleurs matelots de ta royale marine.

Tout à toi,
Jack Skifton. »

Le roi lui adressa sur-le-champ la réponse qu'on va lire :

« Jack Skifton,

Pour cette fois, je veux bien te faire grâce de la potence ; mais si tu re-commences, je te jure par Dieu que je te laisserai pendre, quoique tu sois le meilleur matelot de ma royale marine.

Tout à toi,
Charles, roi.

Les fous

Un paysan qui avait un procès à Paris vint implorer la protection d'un maître des requêtes auprès duquel il avait eu accès, lorsque celui-ci était intendant de la province. Le maître des requêtes l'accueillit avec bonté et lui demanda, par manière de conversation, s'il y avait toujours beaucoup de fous dans la province. « Il y en a toujours, Monseigneur, répondit le paysan, mais pas autant que quand vous y étiez. »

L'air et les paroles

Madame de Sévigné, voulant recommander une affaire au président de Bellièvre, s'embrouillait dans ses explications ; elle s'interrompit tout à coup : « Je sais bien l'air, dit-elle en riant, mais je ne sais pas les pa-roles. »

Un vrai mari

Un bonhomme fort riche et d'un âge plus que mûr se trouvait à un grand souper avec sa femme ; quelqu'un vint à raconter des histoires de voleurs, dont il était alors beaucoup question. Aussitôt le vieil époux prit la parole, et dit que le penchant au vol était plus commun qu'on ne le croyait, et qu'il avait des exemples que des jeunes gens qui passaient pour honnêtes et bien nés s'y étaient quelquefois laissé entraîner. À ces mots, madame de*** rougit, et voulut faire taire son mari ; mais on l'en-gagea à poursuivre, et sans se faire beaucoup prier, il continua de la sorte : « Depuis quelques années mon appartement est séparé de celui de ma femme. Un soir qu'elle était au lit, j'allais lui souhaiter une bonne nuit, lorsque j'entendis du bruit dans sa garde-robe ; je prends un flam-beau, j'entre, je vois quelqu'un qui se cache derrière une robe pendue au portemanteau ; je la lève, et j'aperçois un jeune homme très bien mis et de la plus belle physionomie du monde ; je lui demande ce qu'il fait là ; il me répond d'une voix tremblante : "Monsieur, excusez-moi, j'ai honte de vous avouer que mon projet était de dérober un bijou dont vous n'avez pas assez de soin.— Comment ! m'écriai-je, n'êtes-vous pas honteux de faire un si vil métier ? vous mériteriez que je vous fisse pendre." Mais sa physionomie m'intéressa, je le laissai aller. Vous pensez bien que ma femme était plus morte que vive de peur. Quelque temps après, me trouvant dans une société de gens honnêtes, je fus extrêmement surpris de voir mon voleur qui parlait familièrement avec un homme d'un rare mérite : on me dit même son nom, et je me sus bon gré de ne l'avoir pas mis entre les mains de la justice. »

Une harangue de maître d'école

L'administration municipale d'une petite ville ayant chargé le maître d'école de haranguer un prince qui devait passer, il se mit à leur tête, et adressant la parole au prince, il lui dit : « Monseigneur, les ignorants que voilà (en même temps il montrait le maire et les adjoints) ont chargé le pédant que voici (il mit la main sur sa poitrine) d'assurer Votre Altesse, qu'ils sont ses très humbles et très obéissants serviteurs. » Le prince fut charmé de la harangue et du harangueur qui eut un cadeau.

L'interprétation de l'Évangile

Quelques années avant la révolution de 1789, un capucin fut insulté sur le Pont-Neuf par un soldat à moitié ivre qui s'emporta jusqu'à lui donner un soufflet. Fidèle au précepte de l'Évangile, ce bon père présente l'autre joue, sur laquelle le brutal applique un autre soufflet. Le capucin, qui était un homme vigoureux et de grande taille, saisit alors l'insolent par la ceinture de la culotte, et en un tour de main il l'envoie dans la Seine, en lui faisant vivement franchir le parapet. « L'Évangile dit bien, ajoute-t-il tranquillement, qu'il faut présenter l'autre joue ; mais il ne dit pas ce qu'il faut faire après. »

Le capucin laconique

On avait écrit à un père capucin en lui donnant le titre que prennent les religieux de cet ordre ; l'adresse de la lettre était ainsi conçue : *Au R. P. d'Ormesson, capucin indigne.* – Le révérend père se contenta de renvoyer la lettre à celui qui l'avait écrite, en mettant un accent aigu sur l'**e** du mot *indigne*, ce qui faisait *indigné*. Il était impossible d'exprimer sa pensée plus nettement et plus brièvement.

Le bénéfice à résidence
Une dame d'esprit de la cour de Louis XIV écrivait à son amant qui tardait trop à revenir d'un voyage : « Mon absence, est-ce donc une chose que vous puissiez longtemps supporter ? Souvenez-vous qu'une maîtresse est un bénéfice qui oblige à résidence.»

La crème fouettée
M. le comte de Marsan dînant un jour chez le premier président, mangea d'une crème qui se trouva peu de son goût et dont il ignorait le nom. Il demanda au maître d'hôtel ce que c'était. Celui-ci lui répondit que c'était de la crème fouettée. « On a eu raison de la fouetter, répondit-il, car elle est bien mauvaise. »

Un grand cœur
Les affaires du duc de Guise se trouvant fort dérangées, il fut question de faire une réforme dans sa maison. Pour y parvenir, son intendant dressa un mémoire de toutes les personnes qui faisaient partie de la maison du duc et dont il pouvait rigoureusement se passer. Le prince examina ce mémoire avec attention. « Cela est à merveille, dit-il, et je conviens que tous ces gens-là me sont inutiles ; cependant, avant d'aller plus loin, je serais bien aise de savoir s'ils pourront se passer de moi aussi bien que je me passerais d'eux ; il faut le leur demander. »

La barbe faite à moitié
Un gentilhomme était la terreur des garçons barbiers ; jamais homme ne fut plus difficile à raser ; il aurait tué un barbier s'il lui avait laissé un seul poil ; il fallait le raser légèrement, avoir des rasoirs affilés exprès ; il fallait conduire le rasoir avec une dextérité singulière : un rien le mettait dans une colère terrible ; les barbiers ne l'abordaient qu'en tremblant. Comme il payait largement, le maître barbier était bien aise de conserver cette pratique ; mais aucun de ses garçons ne voulait entreprendre de raser cet homme redoutable. Un Gascon barbier se présente ; on lui annonce l'humeur étrange du gentilhomme et toutes ses manières brusques. « *Cadédis*, dit le Gascon, *fût-il lé diavlé, jé lé rasérai comme jé boudrai.* » Il alla chez le gentilhomme qui, ouvrant de grands yeux sur

lui, vit un homme d'une taille avantageuse et qui avait cet air aisé qu'on acquiert quand on a couru le monde. D'abord le gentilhomme fut frappé de la mine et du maintien du Gascon. « Monsieur, lui dit-il, savez-vous combien je suis difficile à raser ? – *Oh ! qué oui*, dit le Gascon ; *mais jé sais en même temps qué jé suis mille fois plus havile qué bous n'êtes difficile.* » Sans donner le temps au gentilhomme de se reconnaître, il lui met la serviette au cou, étale ses rasoirs sur une table, et le rase avec une si grande légèreté, qu'il ne semblait pas que le rasoir touchât la peau. De temps en temps il quittait son ouvrage et levait les yeux au ciel, comme s'il eût voulu demander à Dieu une grâce singulière. Le gentilhomme fut surpris de ces démonstrations : « Que signifie cela ? lui demanda-t-il ; est-ce qu'on prie Dieu quand on rase ? – *La prière*, dit le Gascon, *est vonne en tout temps.* – Hé bien ! je veux, dit le gentilhomme brusquement, que vous remettiez votre prière à une autre fois. – *Jé né puis pas*, dit le Gascon, *parcé qu'on prie Dieu quand on en a vésoin.* — Mais, reprit le gentilhomme sur le même ton, quelle nécessité pressante avez-vous de prier Dieu ? – *Puisqué bous boulez qué jé lé dise*, répondit le Gascon, *j'ai uné tentation biolente dé bous couper lé cou, et jé prie Dieu qu'il mé la fasse surmonter.* — Comment ! une tentation de me couper la gorge ! dit alors le gentilhomme avec une colère mêlée de quelque effroi ; retirez-vous, si vous ne voulez pas que je vous fasse jeter par les fenêtres. – *Rémettez-bous*, dit froidement le Gascon, *j'ai baincu la tentation, jé puis à présent bous raser tranquillement.* – Je ne veux pas seulement, dit le gentilhomme en haussant la voix de toute sa force, que vous m'approchiez ; j'aime mieux laisser ma barbe comme elle est : retirez-vous, si vous voulez sauver votre vie. » Le Gascon intrépide répondit d'un ton ferme : « *Jé né crains ni bous, ni botre balétaille ; si jé l'entreprénais, jé bous rasérais malgré bous ; mais qué m'importe après tout, puisqué bous né boulez qué la moitié de la varve faite, jé lé beux bien.* »

Le gentilhomme effrayé laissa partir le Gascon sans lui rien dire. Celui-ci, de retour à sa boutique, dit à son maître : « *Bous mé faisiez entendre qué cet homme né boulait pas qu'on lui laissât un poil ; il a donc vien changé d'humeur, car il a troubé von qué jé lui aie laissé la moitié dé la varve.* »

Le pardon

Le comte de Grammont se trouvant en Angleterre au dîner du roi

Charles II, remarqua que la table de Sa Majesté était assez mal servie, et voyant le maître d'hôtel se mettre à genoux, selon l'usage, pour servir à boire au roi : « Sire, dit le comte, votre maître d'hôtel vous demande pardon de la mauvaise chère qu'il vous fait faire. »

La question et la réponse

Une dame encore assez jeune et très belle, se regardant avec complaisance dans une glace, disait à sa belle-fille : « Que donneriez-vous, ma fille, pour avoir ma figure ? – Madame, lui répondit la jeune femme, ce que vous donneriez pour n'avoir que mon âge. »

L'utilité de la science (Conte indien)

Un paysan ne vivait que du produit de la chasse et de la pêche auxquelles il se livrait tour à tour. Un jour qu'il avait tendu ses lacets, trois oiseaux s'y prirent et d'autres allaient s'y prendre, lorsque le bruit de deux hommes qui semblaient se quereller, les écarta ; c'étaient deux savants qui disputaient. Le paysan les aborde et les conjure de suspendre leur dispute, de peur que le bruit qu'ils font n'effarouche les oiseaux. Pour prix de leur silence, les savants exigent que le paysan leur donne un oiseau à chacun, des trois qu'il avait pris. « Il ne m'en restera qu'un, leur dit-il, je suis pauvre ; ma famille est nombreuse ; la science doit rendre les hommes justes : quel droit avez-vous sur ma chasse pour en exiger les deux tiers ? c'est violer toutes les lois de la justice. » Les savants se contentèrent de lui répondre qu'ils allaient continuer leur dispute avec plus de chaleur. Le paysan, pour se délivrer de ces importuns, consentit à ce qu'ils voulurent : « Mais, dit-il, si vous voulez partager avec moi, je dois partager avec vous, et si je vous donne de mes oiseaux, vous devez me donner de votre science : quel était le sujet de votre dispute ? — Les hermaphrodites, répondirent-ils. » Le bonhomme que cette réponse ne rendait pas plus savant, leur demanda ce que c'était que les hermaphrodites. « Hermaphrodite, reprirent-ils, signifie ce qui est à la fois mâle et femelle. » Le paysan retint le mot hermaphrodite, et les savants emportèrent les deux oiseaux.

Le lendemain, avant le jour, le pauvre homme était sur le bord de la mer, où il avait jeté ses filets ; un énorme poisson s'y prit. Le paysan, transporté de joie, court au palais et présente sa pêche au sultan. Ce prince avait un superbe vivier où il faisait rassembler les poissons les plus rares ; il accepte celui-ci, et commande que l'on donne mille pièces d'or au pêcheur qui vient de l'apporter. Cette générosité parut excessive au grand vizir, et il dit à son maître : « Si pour une pareille bagatelle vous donnez une somme aussi considérable, on vous apportera tous les poissons de l'Océan, et vous ne serez pas en état de les payer. – J'ai promis mille pièces d'or pour le poisson, dit le sultan ; les rois plus que les autres hommes doivent être esclaves de leur parole. Comment me tirer de là ? — Demandez au pêcheur, reprit le vizir, si son poisson est mâle ou femelle. S'il vous répond : "il est mâle", vous lui direz : "Les mille pièces d'or seront à toi quand tu m'apporteras la femelle". S'il vous dit : "c'est une femelle", vous lui répondrez : "Apporte-moi le mâle, et tu auras les mille pièces". Il sera dans l'impossibilité de vous satisfaire, et vous en serez quitte pour une récompense modique. » Cet expédient plut au monarque ; il fit approcher le paysan : « Ton poisson, lui dit-il, est-il mâle ou femelle ? – Sire, répondit le pêcheur, il est hermaphrodite. » Le sultan et le vizir furent bien surpris de voir toutes leurs mesures renversées par cette réponse imprévue ; elle fit revenir le monarque à des sentiments plus généreux, et il ordonna qu'aux mille pièces d'or déjà promises on en ajoutât mille autres. Le tout fut remis sur-le-champ au pêcheur, qui n'eut pas lieu de regretter ses deux oiseaux.

La science, ajoute Bidpaï, est toujours utile ; on ne perd pas le temps qu'on emploie à l'acquérir.

Celui que le pêcheur y consacra fut assurément bien court ; mais il ne pouvait pas faire un meilleur usage du mot qu'il avait appris.

La permission

Philippe II, roi d'Espagne, s'étant rendu à l'Escurial, avec une suite nombreuse, dans le dessein d'y passer quelques semaines, défendit qu'aucun officier de sa garde allât à Madrid sans en avoir obtenu la permission du roi lui-même. Un jeune lieutenant, peu curieux apparemment de faire connaître les motifs d'un petit voyage qu'il se proposait de faire, partit sans rien dire et revint trois jours après, espérant que son absence aurait été inaperçue. Il se trompait, car à peine était-il arrivé, que le roi le fit appeler et lui demanda d'un ton sévère pourquoi il était allé à Madrid sans sa permission. « Parce que Votre Majesté ne me l'avait pas donnée» répondit le jeune homme, avec un sang-froid si parfait que le roi ne put s'empêcher de rire, et se contenta de l'inviter à se montrer à l'avenir un peu plus soumis à la discipline.

Le sourd, ou l'auberge pleine

Un particulier, menant son cheval par la bride, sur les cinq heures du soir, entre dans une auberge qui était remplie de monde. « Prends soin de mon cheval, dit-il au valet d'écurie. – Nous n'avons pas de lit, lui répondit le valet ; ainsi, monsieur, cherchez une autre auberge. – Cela est juste, reprit cet homme ; il faut donner quelque chose au valet, et j'aurai soin de toi demain matin. – Je ne vous dis pas cela, reprit ce garçon ; je vous avertis que nous n'avons pas de place, et que je ne puis mettre votre cheval à l'écurie, qui est pleine. – Cela suffit, reprit cet homme ; tu as l'air d'un brave garçon, aie bien soin de ma bête. — Je crois que ce diable d'homme-là est fou, s'écria le valet, voyant l'étranger prendre le chemin de la cuisine : que veut-il que je fasse de son cheval ? – Je pense qu'il est sourd, dit quelqu'un au valet ; prenez garde que son cheval ne sorte, vous en seriez responsable. » L'homme entre à la maison ; l'hôtesse lui fit le même compliment que son valet : il lui répondit qu'il lui était bien obligé ; mais qu'il la priait de ne point se fatiguer à lui faire des compliments, parce qu'il était si sourd, qu'il n'entendrait pas tirer le canon ; et tout de suite il prit une chaise et s'établit auprès du feu, comme s'il eût été chez lui. L'hôtesse tint conseil avec son mari et le cuisinier, et vu qu'il n'y avait pas moyen de faire sortir cet homme de force, il fut décidé qu'il coucherait sur sa chaise. Quelqu'un entre dans la salle et raconte l'embarras de l'hôtesse ; on en rit, et le conteur lui-même, qui ne croyait pas être dupe de l'aventure. On sert : notre homme entre à la suite des plats et s'assied auprès de la table, vis-à-vis de la porte. Comme c'était une société particulière, on lui dit qu'il ne pouvait se mettre à table d'hôte et qu'on ne voulait pas d'étranger. On lui avait fait ce compliment à tue-tête ; il crut apparemment qu'on voulait le mettre à la place distinguée, car il répondit qu'il était fort bien, et qu'il savait trop bien vivre pour se mettre au haut bout de la table. Voyant qu'il n'était pas possible de se faire entendre, la société se décida à prendre patience. Il mangea comme quatre ; et lorsqu'on apporta la carte de la dépense, il tira trente sous de sa poche et les mit sur la table. La dépense de chaque convive était bien plus forte, ce qu'on tâchait de lui faire comprendre ; mais il répondit toujours qu'il n'était pas homme à souffrir qu'on payât son écot ; que, quoiqu'il fût mal mis, il avait le gousset garni ; ce qu'il disait, sans doute, parce qu'on lui rendait sa monnaie pour qu'il donnât davantage. Sur ces entrefaites, ayant vu monter une bassinoire, il fit une révérence et sortit en laissant toute la société éclater de rire. Un moment après, la servante descendit et dit à quelqu'un de la société d'aller à la chambre dont cet homme s'était emparé sans avoir voulu écouter ses raisons. Tout le monde y monta, mais il avait barricadé la porte, et on sentit qu'il serait inutile de frapper. Comme il parlait seul, on prêta l'oreille. « Que ma condition est misérable ! disait-il, on pourrait enfoncer ma porte sans que je l'entendisse ; je n'ai d'autre ressource que de veiller toute la nuit avec une chandelle allumée, pour faire usage de mes pistolets si l'on cherchait à me voler. » Il n'en eut pas la peine ; celui à qui le lit était destiné passa la nuit auprès du feu, et pardonna à cet homme qui lui paraissait fort à plaindre. Il se lève le lendemain de bonne heure, donne trente sous pour la dépense de son cheval, et en montant dessus, il adressa la parole à celui dont il avait pris le lit : « Je vous demande pardon, lui dit-il, d'avoir pris votre lit ; un de mes amis, à qui on avait refusé un logement ici, a gagé vingt louis que je n'y coucherais pas ; cette somme valait bien la peine d'être sourd. » Il pique des deux en achevant ces mots, et laisse tout le monde fort étonné du grand sang-froid avec lequel il avait joué son rôle.

Définition du duel

Il y a des mots qui n'ont de valeur que dans la bouche de certaines personnes. Le maréchal de Luxembourg, dont personne ne pouvait contester la bravoure, disait un jour à quelques courtisans : « On a raison d'appeler le duel *point d'honneur*, car il n'y a point d'honneur à se battre de la sorte. » C'est un calembour que tout le monde n'oserait pas faire, et qui pourrait être fort mal reçu.

L'esprit d'économie

Un Espagnol de la vieille roche, qui envoyait son fils étudier à Salamanque, lui recommanda surtout, au moment de partir, de vivre avec la plus stricte économie. Le jeune homme, en fils soumis, s'informe dès son arrivée du prix de divers objets. Il demande d'abord combien valent les vaches dans le pays ? « Dix ducats environ (100 f.), lui est-il répondu. – Et les perdrix ? – Deux réaux (50 cent.).– Allons, se dit-il, il faudra donc, pour faire plaisir à mon père, que je mange des perdrix. »

L'almanach

La femme d'un savant reprochait à son mari de passer tout son temps à étudier ou à lire, sans s'occuper d'elle le moins du monde. « Je voudrais être un livre, lui dit-elle, au moins de temps en temps vous penseriez à moi. – Vous avez raison, ma chère, amie, je voudrais aussi que vous fussiez un livre..., au moins un almanach.., car on en change tous les ans. »

La condition raisonnable

Un jeune homme faisait une cour fort assidue à une charmante jeune fille aussi vive que spirituelle, et n'épargnait aucun soin pour obtenir d'elle quelques faveurs. « Vous êtes bien aimable, vous êtes bien pressant, lui dit-elle un jour ; mais je ne vous accorderai ce que vous me demandez que lorsque vous m'aurez donné vous-même ce que vous n'avez pas et ce que pourtant vous pouvez me donner, un mari. » On ne dit pas si le galant profita de la leçon.

L'Huissier bien reçu

On demandait à un huissier, qui était allé exploiter dans une maison de campagne, comment il avait été reçu. « À merveille ! répondit-il ; on a voulu me faire manger. » – On avait lâché contre lui deux gros chiens qui avaient failli le dévorer.

Le Lavement sucré

Un jeune enfant ne pouvait se décider à prendre un lavement, que le médecin regardait comme urgent et indispensable ; son père et sa mère, après avoir épuisé toutes les promesses, toutes les menaces, toutes les supplications, ne savaient bientôt plus à quel expédient avoir recours, lorsqu'il leur vint tout-à-coup à l'idée de proposer de sucrer ce lavement si odieux à leur fils. Leur proposition fut accueillie sur-le-champ, et l'enfant accepta, non seulement sans mot dire, mais avec joie, le remède qu'il avait jusque-là refusé opiniâtrement comme une médecine effrayante et de mauvais goût.

Ce n'est pas moi

« Eh ! bonjour, la Tulipe, tu reviens de la guerre ; ton frère était parti avec toi ? — Ah ! mon Dieu, oui, répond le soldat : mais il y en a un de nous deux qui a été tué ; ce n'est pas moi. »

Le Lièvre merveilleux

Pline, le grand naturaliste romain, raconte très sérieusement que l'on a vu un lièvre double qui, lorsqu'il était las d'un côté, se retournait de l'autre pour courir. La race de ces sortes de lièvres paraît avoir disparu complètement.

Le Remède héroïque

Un Suisse des environs de Zurich se plaignait à un de ses voisins d'un grand mal à l'œil, et lui demandait s'il ne connaissait pas quelque remède. Le voisin lui répondit : « J'avais, l'an passé, grand mal à une dent, je la fis arracher, et je fus guéri sur-le-champ. C'est à vous de voir ce que vous avez à faire. »

L'étonnement fondé

Dans le temps que la France, victorieuse sous Louis XIV, soutenait une guerre qui coûtait excessivement, on était obligé de doubler les impôts et les subsides. Un paysan avait grand-peine à digérer qu'on eût augmenté sa cote : « Quoi, disait-il, nous gagnons et nous mettons toujours au jeu ? »

Le Choix d'un archevêque

Un prélat, que le duc de la Feuillade n'aimait pas, lui demanda quel successeur on donnait à l'archevêque de Paris, qui était malade : « Si le père de la Chaise en est cru, répondit le duc, ce sera l'archevêque d'Alby ; si le roi ne consulte que lui-même, ce sera l'archevêque d'Aix ; si Dieu préside à cette nomination, ce sera l'évêque de Meaux ; si le diable s'en mêle, ce sera vous, monsieur. »

Ruse ingénieuse d'un Arabe

On pillait la maison d'un riche négociant ; un pauvre Arabe ayant mis la main sur un sac plein d'or, et craignant que les gens attroupés dans la maison et dans la rue ne lui enlevassent sa proie, il s'avisa de la jeter dans une des marmites qui étaient auprès du feu dans la cuisine ; ensuite, ayant mis la marmite sur sa tête, il se retira en grande diligence. Ceux qui le virent passer rirent beaucoup de ce qu'il s'était arrêté à une marmite pleine de viande, pendant que tous les autres emportaient des choses précieuses. Le pauvre continua son chemin sans s'arrêter, et leur dit : « J'ai pris ce qui est présentement le plus nécessaire à ma famille » et il passa de cette manière sans compromettre sa bonne fortune.

La Punition méritée

Un curé qui avait pris un Gascon pour valet, avait fait, pendant le carnaval, sa provision de harengs et de sardines pour son carême. Quelques semaines après, il demanda ce poisson salé : « Il n'y en a plus, dit le valet. – Comment, il n'y en a plus ! s'écria le maître ; et qu'est-il donc devenu ? — Monsieur, répliqua le valet, vous en avez mangé votre part et moi la mienne. – Que veut dire cela, malheureux ? dit le curé ; il devait y en avoir jusqu'à Pâques pour tous les deux, et nous sommes à la mi-carême ; tu en as donc mangé deux fois autant que moi ? – Je crois que oui, répondit le valet. — Tu crois que oui, reprit le maître. Que mériterais-tu pour avoir mangé mon poisson salé ? – Je mériterais de boire, répondit froidement le valet. »

La Guérison d'un bossu

Arlequin promet au Docteur de le guérir infailliblement de sa bosse : « Comment t'y prendras-tu ? lui dit le Docteur. – Je vous mettrai sous un grand pressoir de vendange, répond Arlequin, et puis je donnerai un petit tour de roue. – Mais je crierai, dit le Docteur. – Je le sais bien, reprend Arlequin, je ne m'embarrasserai pas de vos cris ; j'irai toujours mon chemin, et je donnerai un second tour de roue qui aura beaucoup de force. – Mais je crèverai ! s'écrie le Docteur. – J'en conviens, répond Arlequin ; mais aussi, après cela, vous serez mince comme une feuille de papier. »

Le Diable et le Bénitier

Comme on exorcisait un jour dans une église d'Italie une fille possédée du démon, celui-ci, forcé par les conjurations, dit que, s'il sortait de ce corps, il entrerait par le fondement dans celui d'un homme qui était là habillé à la française. Cet homme, tout effrayé, courut vers le bénitier et s'assit dedans, en criant au démon : « Viens quand tu voudras, je t'ai préparé ta sauce. »

Les figues de M. de Buffon

Thouin, le pépiniériste du Jardin des Plantes, avait chargé un domestique fort simplet de porter à Buffon deux belles figues de primeur. En route, le domestique se laissa tenter et mangea un de ces fruits. Buffon, sachant qu'on devait lui en envoyer deux, demanda l'autre au valet, qui avoua sa faute : « Comment donc as-tu fait ? » s'écria Buffon. Le domestique prit la figue qui restait, et, l'avalant : « J'ai fait comme cela, dit-il. »

Mademoiselle de Sévigné

L'abbé de la Mousse, janséniste fort sévère, reprochait à mademoiselle de Sévigné, sa parente, l'orgueil que lui inspirait son extrême beauté : « Comment pouvez-vous être si fière, lui disait-il, de tout cela qui doit pourrir un jour ? – Voilà qui est fort bien, reprit la jeune fille ; mais en attendant, cela n'est pas pourri. »

Une parade de Bobèche

Bobèche[3] désirant avoir une condition, se met à crier par les rues : « Valet à vendre, valet à louer, valet à prêter, valet à nourrir, valet à payer, valet à bien boire, à bien manger, valet à rien faire, à coucher avec la maîtresse, à battre la servante et à jeter le maître par les croisées. » Géronte l'appelle : « holà ho ! mon ami, vous êtes hors de maison ? – J'en viens d'en sortir par la fenêtre. – Eh bien ! s'il en est ainsi, je vous prends à mon service. – Vous êtes bien honnête, monsieur. – Mais il faut que je sache, avant, qui vous avez servi. – Je suis resté six mois chez un enfant de chœur dont je poudrais la perruque. – Ensuite ? – Je suis entré chez un invalide qui avait perdu les deux cuisses à l'armée et dont je cirais les bottes quand il montait à cheval. – Fort bien, après ? – J'ai fait une an-

---

3   Bobèche était un bateleur ou bouffon-paradiste, fort suivi par le peuple, de 1817 à 1827. Pour la manière et les lazzis, il descendait en droite ligne du Bruscambille et du Tabarin du XVII° siècle. Comme eux il a disparu, mais il n'a pas été remplacé.

née de service chez le bonhomme Cassandre, pour former l'éducation de sa fille ; il m'avait cédé sur elle toute son autorité paternelle, maternelle, fraternelle, tanternelle et sempiternelle. – Allons, c'est assez ; mais qu'est-ce que vous me prendriez si vous entrez chez moi ? – Monsieur, je n'ai jamais rien pris à personne. – Charmant ! vous ne voulez point de gages ? – Ah! si, monsieur, quand je dis que je ne prends rien, c'est que j'attends que l'on me donne. – Oh! c'est différent. Eh bien ! sur quel pied voulez-vous être chez moi ? – Sur les deux, monsieur ; un seul serait trop fatigant. – Je vois, mon ami, que vous êtes un homme jovial ; c'est ce qu'il me faut pour chasser la mélancolie qui s'empare de moi ; et vous viendrez à mon service. – À votre enterrement, si vous voulez, monsieur. »

La maison d'Arlequin

Dans une comédie, il y a une scène où Arlequin veut vendre sa maison ; il dit à l'acheteur qu'afin qu'il n'achète pas chat en poche, il veut lui en faire voir un échantillon, et là-dessus tirant de la basque de son casaquin une brique toute brisée : « voilà, dit-il, l'échantillon de la maison que je veux vous vendre. »

Dans une autre comédie, il joue un rôle de mendiant et demande l'aumône à un passant qui pour le plaisanter l'interroge sur plusieurs choses et lui demande entre autres combien il a de pères. – Je n'en ai qu'un ; je suis un malheureux, lui répond Arlequin, je n'ai pas moyen d'en avoir davantage.

L'Enfant bien instruit

Un père idolâtre voulant faire voir à son curé que son fils connaissait l'Histoire sacrée, il lui dit devant l'homme de Dieu : « Adolphe, mon ami, dis-nous qui a fait le ciel et la terre. – Papa, le ciel et la terre ? – Oui ! Le ciel et la terre, répète avec humeur le père irrité de l'hésitation de l'enfant – Dame ! papa, je ne sais pas. – Comment malheureux, tu ne sais pas ! – Eh bien ! papa, c'est moi, ne te fâche pas, je ne le ferai plus. »

Le curé croyant que l'enfant répondrait mieux à une autre question, lui dit : « Mon petit ami, quel jour Jésus-Christ est-il mort ? – Monsieur le curé, je ne puis vous le dire, je n'ai tant seulement pas su qu'il avait été malade. »

Le Chien et le Perroquet

Un boucher de province avait un perroquet, auquel il avait appris à parler ; un bourgeois entre chez le boucher et lui demande du bœuf. Le boucher lui dit, en lui montrant une épaule de médiocre grosseur : « En voici, monsieur, de très bon. — C'est de la vache, c'est de la vache, dit le perroquet. » Le boucher impatienté, prit le perroquet, lui tordit le cou et le jeta dans un seau d'eau qu'il avait dans sa boutique. Le perroquet qui n'avait été qu'étourdi sortit du seau et alla se chauffer auprès d'un bon feu qu'il y avait dans la cheminée. Un instant après, le chien de la maison entra tout mouillé et vint aussi se chauffer près du feu. « Tu as dit comme moi que c'était de la vache, lui dit le perroquet, tu es mouillé aussi. »

Le Paresseux

Marivaux voyant un homme qui demandait l'aumône, et qui paraissait jouir d'une santé assez brillante, lui en fit l'observation. « Pourquoi ne travaillez-vous pas ? vous avez l'air frais et vigoureux. – Ah ! monsieur, répondit le mendiant, si vous saviez comme je suis paresseux ! – Tiens, dit Marivaux, voilà un écu pour ta franchise ! »

L'estimation d'Arlequin

On demandait à Arlequin, combien il s'estimait ? « Vingt-neuf deniers, répondit-il. — Pourquoi vingt-neuf deniers seulement ? lui dit-on. – Parce que notre Seigneur a été vendu pour trente et que je pense qu'il en valait bien un de plus que moi. »

Les regrets de l'abbé de Choisy

L'abbé de Choisy, passant devant le château de Balleroy, qu'il avait été obligé de vendre, s'écria : « Ah ! que je te mangerais bien encore ! »

Le Laquais de d'Ablancourt

D'Ablancourt avait un laquais nommé *Bassan*. Il vivait avec lui dans une familiarité qui donna lieu à une saillie assez naïve de la part de ce domestique, et que d'Ablancourt racontait avec plaisir. Un jour le maître jouait et perdait son argent. Bassan, qui voyait ce qui se passait, le tira par le manteau, et lui dit à l'oreille : « Morbleu ! monsieur, vous perdez tout notre argent, et puis tantôt vous viendrez me battre. »

Le Domestique laborieux

« Lorsque je rentre, disait St-Germain à son domestique, je te trouve souvent à dormir.— Dame ! monsieur, c'est que je n'aime pas à ne rien faire. »

Pierrot l'amuse

Un paysan, dont le père était fort malade, alla chercher son curé, qui logeait à une lieue de là. Dès qu'il le vit : « Mon père se mourait, lui dit-il, quand je suis parti ; venez vite lui donner l'extrême onction. – Il sera donc mort, dit le curé, il est inutile d'y aller. – Non, monsieur, dit le paysan ; Pierrot m'a promis qu'il l'amuserait jusqu'à ce que vous arriviez. »

L'Escalier dérobé

Un partisan, connu pour ne pas être trop honnête, montrait à un de ses amis une belle maison qu'il avait fait bâtir. Après lui avoir fait parcourir plusieurs appartements : « Voyez, lui dit-il, cet escalier dérobé. Comment le trouvez-vous ? – Comme tout le reste de la maison, repartit son ami. »

La Promesse obligeante

Une dame demandait, en plaisantant, à un jeune homme s'il viendrait à son enterrement, dans le cas où elle mourrait avant lui. « Oh ! certainement, madame, avec plaisir ! »

Le Cheval rancuneux

Un paysan reçut dans l'estomac un coup de pied du cheval de son maître, qui le renversa par terre. Il donna peu de temps après des signes de vie, et revint enfin de cette dangereuse épreuve : « Je m'attendais bien, dit-il, à ce coup-là ; ce cheval m'en a toujours voulu, depuis que j'ai conseillé à mon maître de s'en défaire. »

Le Suisse véridique

On demanda à un suisse si son maître, qui était un gros financier, y était. Le suisse répondit que non. « Quand reviendra-t-il ? » lui demanda-t-on encore. Le suisse répondit : « Quand Monsieur a donné ordre de dire qu'il n'y est pas, on ne sait pas quand il reviendra. »

Le mariage

On conseillait à un père de ne pas marier son fils si tôt, et on lui disait qu'il fallait attendre qu'il fût plus sage. Il répondit : « Vous vous trompez ; car si mon fils devient sage, il ne se mariera jamais. »

Almanza

Un soldat saluait en espagnol le maréchal de Berwick. « Camarade, lui dit le maréchal, où as-tu appris l'espagnol ? – À Almanza, mon général. » On sait que Berwick y avait remporté une mémorable victoire.

Tirer le diable par la queue

Le cardinal de Luynes se trouvant chez la duchesse de Chevreuse, M. de Conflans plaisanta son Éminence de ce qu'elle se faisait porter la queue par un chevalier de Saint-Louis. Le prélat répliqua que c'était son usage ; qu'il en avait toujours eu un pour gentilhomme caudataire, et, qui plus est, ajouta-t-il, le prédécesseur de celui-ci portait le nom et les armes de Conflans. « Il y a longtemps, en effet, répliqua M. de Conflans avec gaieté, qu'il se trouve dans ma famille de pauvres hères dans le cas de tirer le diable par la queue. » Son éminence déconcertée devint l'objet de la risée générale, et en fut si furieuse, qu'elle exigea de la duchesse qu'elle ne reçût plus chez elle cet homme à bons mots.

Le mari et la femme

On sait que les journaux anglais contiennent souvent des avertissements curieux et bizarres ; en voici un qu'on lit dans un journal d'une date récente :

« Je désire que personne ne fasse crédit à Marie Williams, ma femme, parce que je ne paierai point ses dettes. »

Signé, Thomas Williams.

On trouva le lendemain, dans le même journal, la note suivante :

« *Thomas Williams aurait pu s'épargner l'avertissement qu'il a fait imprimer hier ; il ne doit pas craindre qu'on me fasse crédit à cause de lui ; comme il ne paye pas ses propres dettes, personne ne comptera sur lui pour payer les miennes.* »

Les deux sont bonnes

Le fils du célèbre Jean Bart fut envoyé au roi pour lui apprendre une belle action que son père avait faite sur mer. Après que Bart le fils, qui avait été au combat, en eut fait le récit au roi, ce prince lui dit qu'il méritait une lieutenance de vaisseau ou une pension. Le jeune homme répondit : « Toutes les deux sont bonnes. » Le monarque les lui accorda toutes les deux.

La girouette

Une dame soutenait que la femme était plus parfaite que l'homme, parce qu'étant le dernier ouvrage de Dieu, on devait penser qu'il y avait rassemblé les perfections des autres créatures. Un plaisantin dit alors que Dieu était un grand architecte qui, après avoir fini son édifice, y avait mis une girouette.

Le maire de Reims

Louis XIV, passant par Reims en 1666, fut harangué par le maire, qui, lui présentant des bouteilles de vin avec des poires de rousselet sèches, dit au Roi : « Sire, nous apportons à Votre Majesté notre vin, nos poires et nos cœurs, c'est ce que nous avons de meilleur. » Le roi lui frappa sur l'épaule en disant : « Voilà comme j'aime les harangues. »

La bonne confession

Un paysan étant à confesse s'accusait d'avoir volé du foin ; le confesseur lui demanda : « Combien en avez-vous pris de bottes ? – Devinez, dit-il. – Trente bottes ? dit le confesseur. – Oh non ! – Combien donc ? soixante ? – Oh ! vraiment nenni, reprit le paysan, mais mettez-y la charretée entière ; aussi bien ma femme et moi devons-je aller quérir le reste tantôt. »

La réconciliation

Un célèbre buveur qui n'avait jamais bu d'eau, demanda à la fin de sa vie un grand gobelet d'eau, en disant : «Quand on meurt, il faut se réconcilier avec ses ennemis.»

Le huitième péché capital

Un évêque faisant la visite de son diocèse, trouva un curé qu'il jugea être fort ignorant, et cela sur la mine un peu commune du personnage : «Je parierais, lui dit-il, que vous ignorez combien il y a de péchés capitaux. – Il y en a huit, répondit le curé. – Je ne me suis pas trompé, reprit le prélat, dans le jugement que j'ai fait de votre science. Dites-moi, je vous prie, quel est l'âne d'évêque qui vous a fait prêtre, et quels sont ces huit péchés capitaux? — C'est vous, Monseigneur, répondit le curé, qui m'avez conféré les ordres; à l'égard des péchés capitaux, outre les sept que tout le monde connaît, on doit y en ajouter un huitième, qui est le mépris que l'on fait des pauvres prêtres.»

Le Proverbe démenti

On disait à un homme qui buvait beaucoup et qui n'avait point de conduite : «Tant va la cruche à l'eau qu'à la fin elle se brise. – Votre avis, répondit-il, est hors d'œuvre, car ma cruche ne va jamais à l'eau, mais au vin.»

Le Mémoire du tailleur

Un tailleur apportait un jour son mémoire à P...; il le trouva au lit. «Ah! C'est vous, dit P.., vous m'apportez votre mémoire ?— Oui, monsieur, et je voudrais un peu d'argent. – Ouvrez mon secrétaire; voyez ce tiroir.» Le tailleur tire : «Pas celui-là, l'autre.» Le tailleur ouvre le second tiroir. «Celui de dessous, dit P...; bon, vous y voilà; que voyez-vous dans ce tiroir? – J'y vois, dit le tailleur, beaucoup de papiers. – Ce sont des mémoires; mettez le vôtre avec ceux-là;» et il se tourna de l'autre côté.

La Raison sans réplique

Louis XIV demandait à l'évêque de Senlis quel âge avait le comte de

Grammont, qui était présent, mais qui cachait son âge. Le prélat répondit : « Sire, j'ai quatre-vingt-trois ans ; le comte en a à peu près autant, car nous avons fait nos études ensemble. – M. de Senlis se trompe, reprit le comte, car ni lui ni moi n'avons jamais étudié. »

Le Cheval de Kosciusko

Kosciusko, général polonais, célèbre par son dévouement à l'indépendance de sa patrie, voulait envoyer quelques bouteilles de vin à un de ses amis qui demeurait à une certaine distance. Il chargea un jeune homme, nommé Zelker, de les porter, et lui prêta pour ce petit voyage le cheval que lui-même montait ordinairement. De retour de son excursion, le jeune homme déclara qu'il ne monterait plus ce cheval si le général ne lui prêtait sa bourse en même temps que son coursier. « Car, ajouta-t-il, chaque fois qu'un pauvre s'approche, ôte son chapeau et demande la charité, le cheval s'arrête et refuse d'avancer jusqu'à ce qu'on ait donné quelque aumône, si bien que, n'ayant pas d'argent sur moi, il m'a fallu faire semblant d'en donner pour obtenir de lui de continuer sa route. »

Harangue d'un charlatan

Un charlatan, avant de débiter ses drogues au public, lui parlait ainsi : « Béni soit le ciel, à qui je ne demande pour toute grâce que de vouloir bien, selon sa justice, me traiter au jugement dernier comme je vais vous traiter en vous vendant mes drogues. Je sacrifie ma vie et ma santé pour la vôtre ; mais le démon, ennemi éternel de tout bien, vous aveugle tellement, que vous épargnez quelque argent. Pour une bagatelle, vous négligez de vous procurer un aussi grand bien que mes remèdes, qui vous sauveraient la vie à vous, à vos parents et à vos amis. Si je prends de vous une obole contre ma conscience, je veux bien être condamné à avaler éternellement votre monnaie fondue au feu de l'enfer. Amen. » Il avait préparé cette énergique harangue pour débiter ses poudres à un sou.

Ni sacrés ni massacrés

Un Anglais s'étonnait que les Espagnols ne sacrassent pas leurs rois ; c'est une cérémonie inconnue en Espagne. L'Espagnol lui répondit : « Nous ne sacrons ni ne massacrons nos rois. »

La double Contrainte

Un criminel que l'on allait pendre s'écriait : « Hélas ! ç'a été malgré moi si j'ai failli. » On lui repartit : « C'est aussi malgré toi que l'on va te pendre. »

Le Colonel Boden

Le colonel Boden, d'une corpulence monstrueuse, avait appelé, au sortir de l'Opéra, des porteurs ; comme il s'efforçait de se placer dans la chaise, un de ses amis lui proposa de le conduire chez lui. Boden donna un shilling au porteur, et allait suivre son ami, quand l'un des porteurs lui dit en se grattant la tête : « J'aurais cru que vous eussiez été plus généreux. – Comment ! tu n'es pas content, maraud ! je ne suis pas entré dans ta chaise. – Mais, milord, considérez donc la peur que vous nous avez faite. »

Le Cocher de Philippe II

Philippe II, roi d'Espagne, que l'histoire nous représente comme un prince sévère et impérieux, dit à son cocher, en partant de Madrid pour l'Escurial, qu'il voulait y arriver à une heure qu'il lui marqua. Le cocher étant au milieu du chemin, vit que l'heure s'approchait ; il n'épargna pas à ses mules les coups de fouet, et s'emporta contre elles en les appelant mules de maquereau. Le roi remarqua l'épithète. Étant arrivé à l'Escurial, il demanda au cocher à qui étaient les mules. Le cocher se souvint fort heureusement du trait qui lui était échappé : « Sire, répondit-il, elles sont à moi. – Si elles sont à toi, reprit le prince, garde-les ; je ne veux point avoir des mules de maquereau à mon carrosse. » La présence d'esprit du cocher lui valut cet attelage et lui sauva la vie ; car, s'il eût répondu que les mules étaient au roi, ce prince l'aurait fait mourir infailliblement.

Le Gastronome

Un gourmand, tout à son ventre, étant à table avec des gens qui tenaient une conversation fort animée et fort bruyante, s'écria : « Paix donc ! Messieurs ! On n'entend pas ce que l'on mange. »

L'Architecte

On reprochait à Sophie Arnould d'être descendue des plus grands seigneurs à un simple architecte : « Que voulez-vous ? s'écria-t-elle, tant de gens cherchent à ruiner ma réputation, il faut bien que je prenne quelqu'un pour la rétablir. »

La précaution du gourmand

Montmaur célèbre gourmand, avait la vue très basse. Un jour qu'il se trouvait dans un très grand dîner, il demanda tout bas à son domestique : « Ai-je mangé de tout ? »

La leçon de danse

Un jeune seigneur, qui apprenait à danser, ayant changé de domicile après la mort de son grand-père avec lequel il demeurait, n'entendait plus rien aux leçons de son maître : « Oh ! non, disait-il, je ne pourrai jamais danser ce menuet ; cette chambre-là n'est pas comme chez mon grand-père. »

Le pouvoir de la bouteille

Le premier sultan qui se soit enivré de vin est Amurat IV. L'occasion qui l'y porta, et le goût qu'il prit ensuite à cette liqueur, méritent d'être rappelés. Un jour qu'il se promenait sur la place publique, plaisir que tous les sultans se donnent sous un habit qui les déguise, il rencontra un homme du peuple, nommé Bécri-Mustapha[4], si ivre qu'il chancelait en marchant. Ce spectacle était nouveau pour lui. Il demanda ce que c'était : on lui dit que c'était un homme ivre ; et, tandis qu'il se faisait expliquer comment on le devenait, Bécri-Mustapha le voyant arrêté sans le connaître, lui ordonna d'un ton impérieux de passer son chemin. Amurat, surpris de cette hardiesse, ne put s'empêcher de lui répondre : « Sais-tu misérable que je suis le sultan ! – Et moi, répondit le Turc, je suis Bécri-Mustapha. Si tu veux me vendre Constantinople je l'achète : tu seras alors Mustapha et je serai sultan. » La surprise d'Amurat augmentant, il lui demanda avec quoi il prétendait acheter Constantinople. « Ne raisonne pas, lui dit l'ivrogne, car je t'achèterai aussi, toi qui n'es que le fils

---

4   En turc, *bekri* veut dire *ivrogne*.

d'une esclave. » (On sait que les sultans naissent des esclaves du sérail.)

Ce dialogue parut si admirable au Grand Seigneur, qu'apprenant en même temps que, dans peu d'heures, la raison reviendrait à Bécri, il le fit porter dans son palais, pour observer ce qui lui resterait de ce transport, et ce qu'il penserait lui-même de tout ce qu'il rappellerait à sa mémoire. Quelques heures s'étant écoulées, Bécri-Mustapha, qu'on avait laissé dormir dans une chambre dorée, se réveille et marque beaucoup d'étonnement de l'état où il se trouve. On lui raconte son aventure et la promesse qu'il a faite au sultan. Il tombe dans une mortelle frayeur ; et, n'ignorant point le caractère cruel d'Amurat, il se croit au moment de son supplice.

Cependant ayant rappelé toute sa présence d'esprit, pour chercher quelque moyen d'éviter la mort, il prend le parti de feindre qu'il est déjà mourant de frayeur et que, si on ne lui donne du vin pour se ranimer, il se connaît si bien qu'il est sur le point d'expirer bientôt. Ses gardes, qui craignirent en effet qu'il ne mourût avant d'être présenté à l'empereur, lui font apporter une bouteille de vin, dont il ne feint d'avaler quelque chose que pour avoir occasion de la garder sous son habit.

On le mène après devant l'empereur, qui, lui rappelant ses offres, exige absolument qu'il lui paye le prix de Constantinople, comme il s'y était engagé. Le pauvre Turc tira sa bouteille : « O Empereur, répondit-il, voilà ce qui m'aurait fait acheter hier Constantinople ; et, si vous possédiez les richesses dont je jouissais alors, vous les croiriez préférables à la monarchie de l'univers. » Amurat lui demandant comment cela se pouvait faire : « Il n'est question, lui dit l'ivrogne, que d'avaler cette divine liqueur. » L'empereur voulant en goûter par curiosité, en but un grand coup, et l'effet en fut très prompt dans une tête qui n'avait jamais senti les vapeurs du vin. Son humeur devint si gaie, et tous ses sens se livrèrent tellement à la joie qu'il crut sentir que tous les charmes de sa couronne n'égalaient pas ceux de sa situation. Il continua de boire ; mais l'ivresse ayant suivi de près, il tomba dans un profond sommeil, dont il ne revint qu'avec un violent mal de tête.

La douleur de ce nouvel état lui fit oublier le plaisir qu'il avait goûté. Il fit venir Bécri-Mustapha, dont il se plaignit avec beaucoup d'emportement. Celui-ci, à qui l'expérience donnait bien des lumières, engagea sa vie qu'il guérirait sur-le-champ Amurat : et il ne lui offrait point d'autre remède que de recommencer à boire du vin. Le sultan y consentit. Sa joie revint, son mal fut aussitôt dissipé. Il fut si charmé de cette découverte qu'il en fit usage le reste de sa vie, dont il ne passa point un seul jour sans s'enivrer.

Bécri-Mustapha devint son conseiller privé, et il l'eut toujours auprès de sa personne, pour boire avec lui. À sa mort il le fit enterrer avec beaucoup de pompe, dans un cabaret, au milieu des tonneaux ; et il déclara, dans la suite, qu'il n'avait pas vécu heureux un seul jour depuis qu'il avait perdu cet habile maître et ce fidèle conseiller.

Le roi de Prusse et son médecin

Un jour, le grand Frédéric voyant venir son médecin, lui dit : « Parlons franchement, Docteur, combien avez-vous tué d'hommes dans votre vie ? – Sire, répondit le médecin, à peu près trois cent mille de moins que Votre Majesté ; avec moins de gloire aussi, ajouta-t-il sur-le-champ. »

La dame de province

Le duc d'Ayen ayant vu un jour à Versailles madame de Barentin, femme d'une taille monstrueuse, demanda qui elle était. « C'est, lui répondit-on, une dame de province. – Dites donc que c'est une province tout entière. »

La graine de niais

Robert-Macaire montrait un sac de graine à Bertrand et lui disait : « Vois-tu, Bertrand, cette graine-là guérit du mai de dents, de la colique, de la jaunisse, des rhumatismes... — Ha ! dit Bertrand, qu'est-ce que c'est donc que cette graine-là ? – C'est de la graine de niais, Bertrand. »

La ressemblance

Au café Valois, le chevalier de Saint-Luc, lisant le *Drapeau Blanc*, fut accosté par un monsieur qui lui dit : « Pardon, Monsieur, si je vous dérange ; mais dites-moi, si c'est à vous, ou à monsieur votre frère que j'ai l'honneur de parler ? – Monsieur, répondit le chevalier, c'est à mon frère. »

Le milicien bien avisé

Deux paysans d'un village devaient tirer au sort devant un intendant de province, pour savoir lequel des deux serait choisi pour la milice. La maîtresse de l'intendant lui recommanda le plus jeune, et le pria instamment de faire tomber le sort sur l'autre. « Comment faire ! dit ce magistrat, à moins d'user de supercherie. » Il ordonna que les deux billets qu'on mettrait dans la boîte seraient noirs. Il dit à nos deux paysans : « Celui qui tirera le billet noir partira. Tire le premier, dit-il au paysan qu'il voulait proscrire, je te l'ordonne. » Mais le paysan qu'il avait réprouvé, et qui ne pouvait pas, ce semble, éviter son malheur, fut plus fin que l'intendant : se doutant du tour qu'on lui jouait, il tira le billet, et l'avala sur-le-champ. « Que fais-tu, malheureux, lui dit l'intendant. » Monseigneur, lui dit le paysan, si le billet que j'ai avalé est noir, celui qui est dans la boîte doit être blanc, il faut le voir, dans ce cas je partirai ; et si j'ai avalé le billet blanc, mon camarade partira : vous pouvez facilement savoir la vérité. » L'intendant embarrassé fut obligé de lui faire grâce ; et pour ne pas déplaire à sa maîtresse, il fit grâce aussi à l'autre. Voilà une présence d'esprit merveilleuse, qu'on n'aurait jamais attendue d'un paysan.

Ce que peut un soldat

« Ne fumez donc pas si près des magasins, disait un bourgeois à un soldat entre deux vins, vous allez mettre le feu à la ville. — Hé bien ! si on la brûle, on vous la paiera votre ville » répondit le soldat.

Le sorcier

Un diseur de bonne aventure, qui rendait ses oracles en plein air, fut un jour arrêté et traduit devant le tribunal de police correctionnelle. « Tu sais donc lire dans l'avenir ? lui dit le président, homme de beaucoup d'esprit, mais par trop goguenard pour un magistrat. – Oui, monsieur le président, répondit gravement le sorcier. – En ce cas, tu sais quel est le jugement que nous allons prononcer ? – Certainement. – Eh bien, que t'arrivera-t-il ? – Rien. – Tu es sûr ?... – Que vous allez m'acquitter. — T'acquitter ? – Sans doute. – Et pourquoi ? — C'est que si vous aviez dû me condamner, vous n'auriez pas ajouté l'ironie au malheur. » Le président déconcerté se tourna vers les juges, et le sorcier fut acquitté.

J'y ai été tué

Un colonel avait battu un gros parti ennemi avec une petite troupe. Il avait fait des merveilles et avait joué parfaitement le rôle de capitaine et de soldat. Comme chacun racontait ses exploits au général, le colonel gardait le silence. À en juger par le récit que cette troupe faisait, toute la gloire était pour elle, sans qu'on en fît aucune distribution au colonel ; le général lui demanda à la fin : « Et vous, Monsieur, qu'avez-vous fait ? – Pour moi, Monsieur, dit-il, j'y ai été tué. »

Les femmes au concile de Mâcon

Dans un concile tenu à Mâcon, vers le XII° ou le XIII° siècle, un évêque ayant avancé que l'on ne pouvait ni ne devait considérer les femmes comme des créatures humaines, cette étrange proposition fut discutée sérieusement, et la discussion occupa plusieurs séances. Les avis furent longtemps partagés ; enfin on décida solennellement, à une faible majorité toutefois, « que les femmes et les filles faisaient bien et dûment partie du genre humain. »

Je rappellerai à cette occasion qu'une secte hérétique des premiers temps de l'Église, la secte des Androniciens, prétendait « que la partie supérieure de la femme était l'ouvrage de Dieu, et la partie inférieure, de la composition du diable. »

Le pari

Un Gascon, monté sur une rosse, rencontra à l'entrée du Pont-Neuf un grand seigneur de sa connaissance monté sur un cheval magnifique. « Cadédis, lui dit-il, je parie dix louis que je fais faire à mon cheval ce que le vôtre ne fera pas. – Accepté, répondit l'autre en jetant un coup d'œil de mépris au cheval du Gascon. » Celui-ci, le sourire sur les lèvres et d'un air parfaitement calme, prend son cheval dans ses bras, le jette dans la Seine, et demande ensuite à son adversaire s'il est disposé à lui disputer encore la gageure. Le gentilhomme stupéfait paya les dix louis sans hésiter.

Le café

On sait que le café ne fut introduit en France que vers le milieu du

XVII° siècle, et que ce fut un ambassadeur de la Porte Ottomane, Musta-pha-Ferugo, qui en fit connaître l'usage à Paris en 1669. Cette nouveauté fut d'abord assez froidement accueillie ; mais la défiance ne dura pas, et au bout de quelques mois, le café, devenu à la mode, figurait avec honneur sur les tables les plus somptueuses et les plus délicates. Un Arménien, du nom de Pascal, qui se trouvait alors à Paris, eut l'idée d'ouvrir un établissement spécial où les oisifs se réunissaient pour prendre du café et pour débiter des nouvelles. Jusqu'alors on n'avait connu à Paris que les cabarets.

Une dispute de préséance

Une dame anglaise, dont le mari remplissait à Demerara de hautes fonctions judiciaires, mit en émoi, dès son arrivée, toute la société au milieu de laquelle elle était appelée à vivre, par la prétention qu'elle éleva d'occuper la première place dans toutes les réunions. Cette prétention fut, comme on le pense bien, assez mal accueillie et fort contestée. Le mari prit parti pour sa femme, et alléguait à l'appui de ses exigences l'étiquette constamment adoptée en Angleterre à cet égard. Le gouverneur de la province se trouvant à ce sujet d'une opinion tout opposée, il en fut officiellement référé à lord Bathurst, alors ministre des colonies, qui ne jugea pas à propos d'intervenir, et qui crut devoir laisser indécise une si importante question. Dans une circonstance pareille, le général Eliott, qui commandait à Gibraltar, s'était montré moins réservé ou moins dédaigneux ; car il avait décidé péremptoirement que partout et en toute occasion, la préséance des dames serait réglée par l'âge, et que la première place appartiendrait de droit à la plus âgée et successivement dans les mêmes conditions. À partir du jour où cette décision fut connue, non seulement il ne s'éleva plus dans la société aucun débat relatif à la préséance, mais on remarqua dès lors une véritable émulation et comme un combat de déférence et de courtoisie entre toutes les dames, dont aucune ne se montra soucieuse d'occuper nulle part le premier rang

I.a conclusion

On racontait dans une société comment Pâris s'était déterminé à donner la pomme à Vénus, préférablement à ses deux rivales ; c'est, disait-on, que la déesse des amours s'était montrée beaucoup plus aimable et bien plus complaisante pour le berger troyen, que Junon avec sa fierté et Minerve avec sa sagesse. «Vous voyez bien, dit sur-le-champ une dame qui se trouvait là, qu'on gagne toujours quelque chose à ne point faire la bégueule. »

Le vieillard sensé

Un vieillard qui avait, disait-il, oublié de se marier lorsqu'il en était temps, pressé d'entrer dans les liens du mariage à un âge avancé, répondit à ses amis : «Autrefois je me serais peut-être décidé ; aujourd'hui, je ne puis ; car je n'aime pas les vieilles femmes, et je suis parfaitement convaincu que les jeunes ne m'aimeraient pas. »

Le *Miserere* de Lulli

La musique de Louis XIV exécutait le *Miserere* de Lulli ; le roi étant à genoux y tenait naturellement toute sa cour. À la fin du psaume, il demanda au comte de Grammont comment il trouvait la musique. « Très douce à l'oreille, Sire, répondit le Comte, mais un peu dure aux genoux. » Le Roi prit très bien la plaisanterie.

Les ressources d'une femme

J'aime à rappeler ici une observation peu connue, et qui a le double mérite d'être parfaitement vraie et de renfermer un conseil qui peut être utile à bien des femmes : « Une femme ne peut être belle que d'une façon ; elle peut plaire de cent mille manières. »

À cette observation, j'ajouterai celle-ci qui la complète et peut-être la confirme : «On n'est guère belle que dans la jeunesse ; tandis qu'on peut plaire en tout temps et à tout âge. »

Une femme trop sensible

Une femme qui se piquait d'avoir le cœur extrêmement tendre, reprochait un jour amèrement à son boucher d'avoir pris une si odieuse profession. «Comment pouvez-vous, lui disait-elle, avoir la cruauté de mettre à mort ces pauvres agneaux ? – Madame, lui répondit le boucher étonné, est-ce que vous aimeriez mieux les manger tout vivants ? »

Les mulets et les muletiers

Le duc de Vendôme disait que, dans la marche des armées, il avait souvent examiné les débats qui s'élevaient fréquemment entre les muletiers et leurs montures, et, qu'à la honte de l'humanité, il avait presque toujours reconnu que la raison était du côté des Mulets.

La vengeance d'une femme

Une jeune anglaise, d'une haute naissance et d'une beauté remarquable, s'était unie, par un mariage d'inclination, à un jeune lord d'un extérieur séduisant, dont les tendres et délicates galanteries semblaient lui promettre le bonheur. Les premiers mois de cette union si bien assortie passèrent comme un rêve délicieux pour les deux amants ; mais un an s'était à peine écoulé, que la jeune femme, au milieu d'une ivresse qui durait encore, crut remarquer que son mari n'avait plus pour elle cet attachement exclusif et cette ardeur de tendresse qu'elle avait cru devoir être éternelle. Elle soupçonna que son mari était, sinon tout à fait infidèle, du moins fort disposé à le devenir, et le cœur d'une femme se trompe rarement en pareille occasion. Plus affligée d'abord qu'irritée d'une pareille découverte, elle mit tout en œuvre pour rappeler à elle l'homme qu'elle préférait encore à tous les autres, et ne négligea rien pour ranimer en lui un amour qui vivait en elle comme au premier jour. Ses efforts furent couronnés d'un plein succès ; elle triompha complètement de toutes ses rivales ; mais ce triomphe ne fut que de très courte durée, et plusieurs tentatives du même genre, successivement répétées, furent toujours suivies des mêmes résultats. Convaincue, enfin, qu'il fallait renoncer à posséder seule et sans partage le cœur de son volage époux, lady N. ne put se soumettre froidement à cette cruelle nécessité, et songea dès lors bien plus à se venger qu'à se plaindre. Elle ne pardonnait pas à son mari d'avoir détruit, anéanti chez elle des espérances qui faisaient seules la joie de sa vie.

Son désespoir lui inspira une résolution énergique et terrible. Elle savait, par expérience, que son mari, tout infidèle, tout inconstant qu'il pût être, n'en était pas encore arrivé au point d'être insensible à des charmes qui brillaient alors de tout l'éclat de la jeunesse et de la beauté ; elle était donc certaine de l'attirer dans le piège où elle avait résolu de le faire périr, et ne s'occupa plus que des moyens d'assurer sa vengeance.

Tous ses préparatifs furent faits en quelques jours, pendant lesquels personne ne put surprendre chez elle aucun signe d'émotion qui trahît sa secrète pensée. Elle prit soin de garnir elle-même tous les meubles de son appartement de matières combustibles, qu'elle rendit plus facilement inflammables en les arrosant, en les pénétrant de liqueurs alcooliques; les matelas, les rideaux du lit, les oreillers furent soumis à une pareille préparation.

Le jour fixé pour l'exécution de ce fatal projet, elle redoubla d'agaceries et de prévenances pour l'homme qu'elle voulait perdre à tout prix, et parvint sans peine à attirer dans son appartement un mari enivré des attraits et des gracieuses coquetteries d'une femme qu'il trouvait, ce soir-là, ravissante de beauté et de grâce. Pendant quelques instants, la conversation fut simple et sérieuse; mais peu à peu, et d'une manière presque insensible, lady N. la rendit plus vive, plus personnelle, plus tendre, et bientôt l'heureux lord regarda comme une faveur délicieuse la permission qu'il obtint de prendre sa place dans le lit conjugal, à côté de la charmante épouse que depuis quelque temps il avait trop délaissée. Mais la scène ne tarda que bien peu à prendre un autre aspect. Tout à coup, au milieu des transports réciproques qui semblaient être le gage d'une réconciliation qui devait durer, lady N. saisit un flambeau qui se trouvait à sa portée, l'approche des rideaux et en un instant, les deux époux se trouvent entourés de flammes ardentes qui parcourent avec rapidité toutes les parties de l'appartement. Lord N. effrayé, stupéfait, hors de lui, s'élance vers la porte, appelle de toutes ses forces, et frémit en reconnaissant que la flamme le gagne de toutes parts, sans qu'il lui soit possible ou de s'échapper ou de se faire entendre. Sa femme le poursuit, l'entoure de ses bras, le retient, l'accable à la fois de caresses et de reproches, et ne veut pas se séparer de lui, comme pour mieux assurer sa vengeance L'éclat de la flamme et les cris avaient enfin éveillé les domestiques; on accourt, on enfonce les portes; il était trop tard. Tous deux étaient étendus par terre, dévorés par le feu, expirants au milieu des plus atroces douleurs. « Tout est fini, dit froidement lady N. à son mari, nous mourons ensemble; c'est là ce que je voulais. » Elle mourut en prononçant ces derniers mots, et son mari ne lui survécut que quelques heures.

Le secret du peintre

« Comment faites-vous donc, Monsieur, disait un jour une charmante jeune femme à un peintre en miniature, pour donner à la fois tant de charmes et une si parfaite ressemblance à vos portraits ? – Cela est bien simple, Madame, répondit l'artiste, quand la nature s'est montrée un peu sévère pour nos modèles, nous la copions, mais en l'adoucissant quelque peu ; si elle s'est montrée favorable, nous ajoutons encore quelque petit agrément à ses bienfaits. »

On ne saurait nier que ce ne soit là le secret des grands peintres ; mais les grands peintres sont rares.

La fondation de l'évêque d'Exeter

L'évêque d'Exeter, un des meilleurs prélats d'Angleterre, avait fondé, à ses frais, une maison de retraite pour vingt-cinq vieilles femmes. Un jour, en causant avec lord Mansfield, il exprima le désir de trouver une inscription convenable pour cette maison. Lord Mansfield tira un crayon de sa poche et traça sur un carré de papier le projet d'inscription suivant comme le plus simple et par conséquent le plus convenable :

Le Lord Évêque d'Exeter entretient vingt-cinq femmes dans cette maison.

L'évêque se mit à rire et lord Mansfield aussi.

La bassinoire

Horace Walpole était un grand amateur d'objets antiques. Il raconte, dans une de ses lettres, qu'il trouva un jour chez un brocanteur une bassinoire très ornée, qui avait appartenu au roi d'Angleterre Charles II. «Cette bassinoire, ajoute-t-il, qui avait probablement servi plus d'une fois à chauffer le lit des maîtresses du roi, portait cette inscription : *Servez Dieu et vous vivrez éternellement*, ce qui faisait un singulier contraste avec les souvenirs que pouvait éveiller ce petit meuble.

La femme consciencieuse

On lisait, il y a quelques années, dans un journal du royaume de Belgique, le *Mercure de Gand*, l'avis suivant, qui prouve au moins une grande bonne foi dans celle qui l'a rendu public :

« Je soussignée Perpétue de G..ck, épouse de Bernard-Benoit Gysel.. , à Sleydingue, prie tous les boutiquiers et autres personnes, de ne plus me faire le moindre crédit, puisque j'ai la malheureuse habitude de m'abandonner à la boisson, et que mon mari ne paie plus mes dettes. Qu'on se le dise. »

Le nez des femmes turques

Le Grand-Seigneur n'aime pas que les femmes turques laissent voir aux passants leur nez et leur bouche ; ce que démontre le firman qui suit ; rendu public il y a quelques années à Constantinople :

« Attendu qu'il est venu à la connaissance de ceux qui doivent surveiller la moralité des Croyants, que certaines femmes d'une impudeur à l'épreuve de la honte, à l'imitation des filles de perdition (les femmes chrétiennes), ont exposé leur nez et même leurs lèvres aux regards des passants, il est ordonné, au nom du Tout-Puissant, que les femmes et les filles des Croyants aient à s'abstenir rigoureusement de pareilles indécences, qu'elles aient soin de bien se cacher la face avec leur *lakmé* (voile), de façon à dissimuler leurs lèvres et leur nez, et à ne laisser dans leur voile que l'ouverture suffisante pour pouvoir se garer, dans les rues, du contact des infidèles. Qu'elles fassent attention au présent, ou malheur à elles ! »

L'émétique

Un médecin ordonnait l'émétique à un de ses malades. « N'essayez pas de ce remède, Docteur, dit le patient ; déjà deux fois on a essayé de me le faire prendre, et je n'ai pu parvenir à le garder dans mon estomac plus de quelques minutes. Vous voyez bien qu'il ne ferait aucun effet. »

La mère de famille

L'épitaphe suivante constate un fait assez rare pour devenir l'objet d'un souvenir particulier :

« Ici repose le corps de Marie Water, fille de Rob. Water, Esq., de Lenham, comté de Kent, épouse de Robert Honeywood, Esq., de Charing, comté de Kent, son seul mari ; elle avait à sa mort **trois cent soixante-sept** enfants provenant de son légitime mariage ; elle était mère de *seize* enfants, grand-mère de *cent quatorze*, bisaïeule de *deux cent vingt-huit* et trisaïeule de *neuf*. Elle vécut pieusement et mourut très chrétiennement à Markshall, dans la quatre-vingt-treizième année de son âge, et dans la quarantième de son veuvage. Le X mai MDCXX. »

Saint Crampace

Un peintre ignorant, chargé de faire pour une église de campagne un tableau représentant saint Pancrace, patron de la paroisse, écrivit par erreur au-dessous du tableau lorsqu'il fut terminé, saint *Crampace*, au lieu de saint *Pancrace*. La méprise porta ses fruits, et le nouveau saint fut honoré dans tous les environs et visité par un grand nombre de pèlerins comme ayant reçu de Dieu la mission spéciale de guérir les *crampes*, comme son nom semblait l'indiquer. C'est par une raison analogue que saint Clair est invoqué pour le mal des yeux.

Une terrible aventure

Un grand seigneur anglais, obligé de s'absenter pour se rendre dans une de ses terres, avait laissé une vieille domestique gardienne de son hôtel à Londres, ayant eu soin de faire transporter son argenterie chez un banquier. Peu de temps avant l'époque fixée pour son retour, on reçut de lui une lettre qui annonçait son arrivée pour un jour indiqué, et donnait l'ordre de faire rentrer son argenterie la veille de ce jour. La domestique porta chez le frère du lord cette lettre dont celui-ci reconnut parfaitement l'écriture ainsi que le banquier lui-même, qui remit sur-le-champ l'argenterie qu'il lui avait été confiée.

La domestique inquiète de se voir, même pour une seule nuit, chargée de la surveillance d'un pareil dépôt, obtint du boucher de la maison que celui-ci lui prêterait pour la nuit un de ses chiens les plus vigoureux, que l'on fit coucher dans la salle où l'argenterie avait été déposée. Le lendemain matin en entrant dans cette salle, on trouva par terre un homme mort que le chien avait étranglé ; cet homme n'était autre que le frère du lord, qui avait contrefait l'écriture de son frère dans l'intention de le voler. On tint cet événement aussi secret que possible dans l'intérêt de la famille, et l'on répandit à dessein que le gentilhomme qui avait disparu si subitement était allé faire un grand voyage à l'étranger.

L'homme ponctuel

Un riche propriétaire anglais, des environs d'Exeter, peut passer pour avoir été le modèle de l'exactitude et de la ponctualité ; et c'est à cette double qualité, dit-on, qu'il devait l'immense fortune dont il était possesseur. Il avait l'habitude de faire tous les ans une tournée pour ses affaires, et il garda cette habitude jusque dans l'âge le plus avancé. Pendant plus de cinquante ans, tous les maîtres d'hôtel des comtés de Devon et de Cornouailles qui se trouvaient sur sa route, connaissaient parfaitement à l'avance le jour et l'heure même de son arrivée. Peu de temps avant la mort de cet homme exact, un gentilhomme du pays s'arrêta pour dîner dans une petite auberge du port Isaac, et demanda ce qu'on pouvait lui servir. Rien de ce qu'on lui offrait n'était à son gré, et comme il voyait à la broche un canard qui lui semblait presque cuit à point, il demanda qu'on le lui servît. « Impossible, Monsieur, lui répondit le maître d'hôtel, ce canard est destiné à M. Scott d'Exeter. – M. Scott, répondit le voyageur, je le connais parfaitement ; mais il n'est pas ici. – Vous avez raison. Monsieur, répondit le maître d'hôtel, mais il y à six mois, M. Scott, en nous quittant, nous a ordonné de lui tenir prêt pour aujourd'hui, à deux heures précises, un canard rôti. » Au moment même, en effet, au grand étonnement du voyageur, M. Scott lui-même entrait dans la cour de l'hôtel, cinq minutes environ avant l'heure indiquée

Un remède contre la superstition

Les mineurs passent en général pour être fort superstitieux. Dans une des mines du pays de Galles, il ne se passait pas de jour que quelques-uns des ouvriers ne vissent le diable, et du moment que l'apparition avait eu lieu, l'ouvrier effrayé interrompait son travail et ne le reprenait pas de toute la journée. Le propriétaire de la mine, dont les intérêts se trouvaient fortement compromis par ces accidents qui semblaient se multiplier à l'infini, voulut au moins essayer d'y porter remède. Il réunit un jour tous ses ouvriers, et leur déclara que pour lui, il était convaincu que le diable n'apparaissait qu'à ceux qui avaient quelque chose à se reprocher et même quelque gros crime sur la conscience ; qu'en conséquence, à l'avenir, celui d'entre eux qui recevrait la visite du tentateur, recevrait à l'instant même son congé, parce qu'il n'entendait nullement occuper dans ses travaux un homme d'une conduite au moins équivoque. Cette déclaration fit plus d'effet que tous les exorcismes ; et à partir de ce jour, le calme fut rétabli dans la mine et le diable n'y reparut plus.

Le panégyrique très abrégé

Un jour de Saint-Étienne, un moine devait faire le panégyrique de ce saint. Comme il était déjà tard, les prêtres qui avaient faim, craignant que le prédicateur ne fût trop long, le prièrent à l'oreille d'abréger. Le religieux monta en chaire, et après un petit préambule : « Mes frères, dit-il, il y a aujourd'hui un an que je vous ai dit tout ce qui peut se dire touchant le saint du jour. Comme je n'ai pas appris qu'il ait rien fait de nouveau depuis, je n'ai rien non plus à ajouter à ce que j'en dis alors. » Là-dessus il fit le signe de la croix et s'en alla.

Le Sacristain

M. de G..., sacristain de la cathédrale à Marseille, étant encore fort jeune, fut surpris une nuit par la patrouille, comme il montait sur l'auvent d'une boutique pour pénétrer dans la chambre d'une marchande qui le recevait en l'absence de son mari. On le prit pour un voleur et on lui cria de descendre ; il obéit et tirant à part le commandant de la patrouille, il lui dit eu lui mettant de l'argent dans la main : « Mon ami, ne me perdez pas, je ne suis pas un voleur, mais le sacristain de la cathédrale, qui viens voir une femme, et je ne veux pas être connu. Allez boire à ma santé. — À la bonne heure, dit le caporal en le saluant profondément ; et se retournant vers sa troupe ; il lui cria à haute voix : "Allons, enfants, retirons-nous, ce n'est pas un voleur, c'est M. le sacristain de la cathédrale qui vient voir une femme et qui ne veut pas être connu. Allons boire à sa santé, il a donné de quoi". »

Ancienneté de la maison de Lévis

Tout le monde est persuadé que la maison de Lévis, qui est très illustre et très ancienne, n'a d'autre fondement que son nom pour se prétendre alliée à la Sainte Vierge. On dit qu'on conserve avec beaucoup de soin dans un château du marquis de... qui est de cette maison, un tableau ancien, qui représente un des ancêtres du marquis, à genoux devant la Sainte Vierge, de la bouche de laquelle il sort un rouleau avec ces mots :

Levez-vous, mon cousin. Un autre rouleau sort de la bouche de cet aïeul du marquis, avec ces paroles : *Je suis dans mon devoir, ma cousine.*

Le curé prudent

Le prince d'Orange ayant pris Bréda et voulant y établir un ministre de la religion réformée, fit dire au curé de se retirer. Le curé vint le trouver et s'offrit à être ministre, s'il l'agréait. Le prince répondit qu'il le voulait bien, mais que pour ôter tout soupçon, il fallait qu'il se mariât. Le bon-homme, ayant un peu rêvé, lui dit : « Monseigneur, je ne puis pas le faire, car si les Espagnols reprenaient la ville, je ne pourrais plus être curé. »

Le docteur Gall et le fou

Le docteur Gall, célèbre par ses découvertes anatomiques et surtout par son système relatif aux dispositions morales et intellectuelles de l'homme, étant allé visiter l'hôpital des fous à Bicêtre, fit à un fou qui le conduisait la question suivante : « Pourquoi vous a-t-on mis ici, mon ami ? car il me semble que vous n'êtes rien moins que fou, et je ne trouve pas non plus sur votre crâne l'organe de la folie. » Le fou répondit : « M. le docteur, ne soyez point étonné de ne pas trouver sur cette tête que vous me voyez les signes de la folie ; car il faut vous dire que c'est une tête que l'on m'a mise en place de celle que j'ai perdue pendant la Révo-lution. »

Le singe et la guenon

Une marquise, qu'un amant aurait trouvée laide, vint solliciter auprès de M. de Harlay un procès qu'elle poursuivait. Il la reçut avec un front sourcilleux. Elle crut que cet accueil triste lui annonçait qu'elle perdrait son procès. Elle s'en alla fort mécontente, et dans sa colère elle ne dési-gnait ce magistrat que par le nom de *vieux singe*. Les propos de cette dame revinrent jusqu'à lui. Sourd à la voix de son ressentiment, il écouta seulement celle de l'équité qui lui parlait en faveur de la marquise : elle gagna son procès. Surprise de ce succès inattendu, elle alla remercier ce magistrat, et lui montra un cœur plein de reconnaissance : « Ce que j'ai fait pour vous, madame, lui dit-il, est très naturel ; les vieux singes aiment à faire plaisir aux vieilles guenons. »

Madame la cardinale

Le cardinal de Bonzi, dans un cercle de belles dames, reçut d'un paysan un panier de fruits rares par leur beauté ; il fut très content de ce présent. Comme il vit que le paysan considérait les dames avec attention, il lui demanda laquelle il choisirait pour épouse, s'il avait la liberté de faire un choix parmi tant de belles personnes. Le paysan, que la vue des dames avait frappé agréablement, ne consultant que sa hardiesse, parcourut, avec des yeux qui pétillaient de joie, tous ces beaux objets. Il se sentit fixé par une dame dont la beauté semblait imposer silence aux autres ; il paraissait même que le cardinal avait des attentions particulières pour elle. Le paysan, qui observa tout cela, dit au cardinal : « Ma foi, Monseigneur, je choisirais madame la cardinale. »

Les gendres en sont-ils !

Quelque difficile qu'il soit de faire passer insensiblement les spectateurs de l'attendrissement au rire, ce passage n'en est pas moins naturel aux hommes. M. de Voltaire cite cet exemple d'événements qui affligent l'âme, et dont certaines circonstances inspirent ensuite une gaieté passagère. « Une dame respectable voyant une de ses filles en danger de mort, s'écriait en fondant en larmes : "Mon Dieu ! rendez-la-moi, et prenez tous mes autres enfants". Un homme qui avait épousé la sœur de la moribonde, s'approcha d'elle, et la tirant par la manche : "Madame, dit-il, les gendres en sont-ils ?" Le sang-froid et le comique avec lequel il prononça ses paroles, firent faire un grand éclat de rire à la mère, à la malade et à toute la famille qui l'environnait. »

L'homme taciturne

Un gentilhomme breton extrêmement taciturne et laconique, ne faisait jamais de questions et ne répondait que par monosyllabes à celles qu'on lui adressait ; se trouvant à dîner chez une princesse, cette dame défia un officier général, M. de Courten, lieutenant-colonel des gardes suisses, et homme d'esprit, de le faire parler. Le défi fut accepté ; l'officier se mit auprès du Breton et lui fit les honneurs du dîner : « Quel potage mangez-vous ? – Riz. – Quel vin préférez-vous ? – Blanc » Dix autres questions pareilles obtinrent les mêmes réponses. « Monsieur, continua l'officier, vous êtes de Saint-Malo ? – Oui. – Est-il vrai que cette ville est gardée par des chiens ? – Oui. – Oh ! cela est bien singulier !— Pas plus singulier que de voir le roi de France gardé par des Suisses. — Ah ! princesse, dit l'officier, vous voyez bien que je l'ai fait parler. »

La présence nécessaire

Un conseiller au parlement de Paris jouait à la paume ; on vint lui dire : « Monsieur, madame vient d'accoucher. – Eh bien, cet enfant ne lui rentrera pas dans le corps. » À une demi-heure de là, on vient encore lui dire : « Madame est accouchée d'un autre enfant. – Ah ! pardieu ! dit-il, je m'en vais ; si je n'y allais, elle ne ferait qu'accoucher tout aujourd'hui. »

L'eau bénite en l'air

Un Normand dont le père avait été pendu lui fit faire un service fort honorable. Dans le temps que le curé faisait la procession autour d'une représentation, tendue d'un drap mortuaire, et jetait de l'eau bénite pardessus, le Normand lui prit la main, et la lui leva, en lui disant ! « Monsieur, jetez l'eau bénite en l'air, j'ai mes raisons. »

La bataille de Luzara

Un jeune seigneur envoyé par M. le duc de Vendôme pour apporter au roi la nouvelle de la victoire de Luzara, s'embarrassa dans le récit qu'il en fit. Madame la duchesse de Bourgogne riait de tout son cœur, Louis XIV ne perdait rien de sa gravité. Le jeune seigneur ayant fini son récit comme il put, dit au roi : « Sire, il est plus aisé à M. de Vendôme de gagner une bataille qu'il n'est aisé de la raconter. » Il ne pouvait pas mieux louer ce général, ni s'excuser.

Une fille de Louis XIV

Une religieuse de l'abbaye de Moret passait pour être fille de Louis XIV, qui lui avait donné vingt mille écus de dot en la plaçant dans ce couvent. L'opinion qu'elle avait de sa naissance lui inspirait un orgueil dont ses supérieures se plaignirent. Madame de Maintenon, dans un voyage de Fontainebleau, alla au couvent de Moret ; et voulant inspirer plus de modestie à cette religieuse, elle fit ce qu'elle put pour lui ôter l'idée qui nourrissait sa fierté. « Madame, lui répondit celle-ci, la peine que vous prenez de venir ici exprès me dire que je ne suis pas la fille du roi, me persuade que je le suis. »

Le livre du mariage

Une fille qui ne se mariait point, disait : « Vous verrez que si mon mariage est écrit au ciel, c'est au dernier feuillet de ce grand livre. » Un homme d'esprit, en parlant des mariages mal assortis, disait qu'il devait y avoir dans ce livre de bien vilaines pages.

L'ingénieuse réponse

Une dame de grande naissance était aimée en secret d'un galant homme. Elle désira enfin savoir de lui quel était l'objet de sa tendresse ; elle l'apprit en ouvrant une petite boîte garnie d'un miroir, qu'il lui envoya pour toute réponse.

Un mot de Mme Cornuel

On vint dire à madame Cornuel, qui avait plus de 80 ans, qu'une dame qui était encore plus âgée qu'elle venait de mourir : « Hélas ! dit-elle, il ne restait plus que cette dame entre la mort et moi. »

Les hommes et les femmes

Les hommes disent des femmes tout ce qu'il leur plaît, les femmes font des hommes tout ce qu'elles veulent.

Une imprécation de joueur

Un joueur fut ruiné au jeu par son ami ; il lui dit : « Je voudrais qu'avant que nous eussions été tous deux au monde, ma mère se fût étranglée en avalant la tienne. »

La reconnaissance

M. le comte de M*** traversait la rivière entre les Invalides et le Pont-Royal, dans le même bateau qu'une femme du peuple. Un homme d'esprit tire parti de tout. Le nôtre interroge la bonne femme : « Êtes-vous mariée ? – Oui, monsieur.— Et que fait votre mari ? – Il travaille sur la rivière. — Quel quartier de Paris habitez-vous ? — Le Gros-Caillou. – Où allez-vous ? – À la barrière du Roule. – Vous allez bien loin de chez vous ! – Je vais acheter du pain. – Du pain ? est-ce qu'on n'en vend point au Gros-Caillou ? – Pardonnez-moi. — Il est donc meilleur ou moins cher au Roule ? – Point du tout, Monsieur. – Et qui vous détermine à faire au moins deux fois par semaine un si long voyage ? — Avant que mon mari fût employé, nous étions dans la misère. Le boulanger qui habite à présent au Roule habitait alors au Gros-Caillou, et il avait la bonté de nous fournir du pain à crédit, quand nous étions sans argent. Depuis il nous a quittés, et nous sommes devenus plus à notre aise. Eh bien, Monsieur, on témoigne sa reconnaissance comme on peut. J'achète aujourd'hui mon pain chez notre ancien voisin, pour le remercier de celui qu'il m'a fourni longtemps à crédit. »

Présence d'esprit d'un Gascon

M. le duc de Bourbon, donnant un grand repas à Dijon, on n'avait invité que certaines personnes choisies, et l'on avait dressé plusieurs tables. Un Gascon, qui était un de ces aventuriers qui se glissent partout, et dont l'effronterie déconcerte ceux qui voudraient les chasser, se plaça à une table. M. le duc lui envoya dire de se retirer ; mais il chargea celui qui devait exécuter l'ordre, de lui parler tout bas, afin de lui en épargner la confusion. Le Gascon ne fut point étonné du compliment ; et afin de donner le change à l'assemblée, en faisant croire que le prince usait avec lui d'une distinction particulière, il dit tout haut : « Qu'on me donne du vin blanc ou du clairet, n'importe ; je suis obligé à son Altesse de son attention. » On rapporta cela à M. le duc, qui admira la présence d'esprit du Gascon, et ordonna qu'on le laissât.

Mariage et Paradis

On demandait à Prior pourquoi il n'y avait pas de mariages au paradis ? « C'est, répondit le poète, qu'il n'y a pas de paradis dans le mariage. »

L'amour et la lune

L'amour ressemble à la lune : quand il ne croît pas, il faut qu'il diminue.

Une grâce

Une dame fort jolie et très aimable demandait à un jeune homme à voir ses vers ; et comme il se faisait prier, elle ajouta : « Je vous le demande en grâce. – Ah, Madame ! répondit le jeune homme, vous ne sauriez le demander autrement. »

Le bréviaire et le lard

La Bruyère n'a point rapporté de trait de distraction plus plaisant que celui que j'ai vu dans un curé de village en Bresse. J'étais avec lui auprès de son feu. Il tenait son bréviaire d'une main, et de l'autre un gros morceau de lard qu'il voulait mettre dans son pot. Il y jeta son bréviaire croyant mettre le lard, et prit le lard et le mit sous son bras en guise de bréviaire. Comme je vis la méprise, je voulais voir ce que ferait mon distrait. Il s'en alla de la sorte en rêvant jusque dans son église, et ne s'aperçut de son erreur que lorsqu'il fut dans le chœur, parce qu'un gros chien qui le talonnait se jeta sur le faux bréviaire et l'emporta.

Maximes de conduite

Un ancien philosophe disait : « Défie-toi du devant d'une charrette, du derrière d'une mule, et d'un moine de tous les côtés. »

Un observateur moderne nous dit : « Défie-toi de la couverture d'un livre, du fichu d'une jolie femme, de l'enseigne d'un marchand, des belles paroles d'un grand : le dehors est bien souvent trompeur. »

Origine de la noblesse

François Ier demanda à Castellanus, bel esprit, s'il était gentilhomme ; il répondit : « Votre Majesté sait qu'ils étaient trois dans l'arche de Noé, je ne sais duquel je suis descendu. » Cette réponse lui valut l'évêché d'Orléans.

L'Opéra sans intérêt

Une personne demandait quel était l'auteur d'un opéra qu'on représentait. On lui répondit que c'était le fils d'un juif. « Cela m'étonne, fit le questionneur ; en ce cas, il devrait y avoir plus d'intérêt dans cet opéra. »

L'Épreuve

On reprochait à une demoiselle de consentir à épouser un homme qui heurtait de front les mœurs et les modes de son temps, un original enfin ; mais la singularité de cet homme n'était qu'un vice de l'esprit, et personne n'avait l'âme plus honnête ; aussi cette demoiselle, qui ne manquait pas de jugement, répondit très finement : « Je l'épouse, parce que j'espère qu'il sera bon par singularité. »

La Tentation

Théodore Agrippa d'Aubigné, l'un des ancêtres de madame de Maintenon, obtint, sous le règne de Henri IV, une certaine célébrité, non seulement pour la part active qu'il prit aux guerres civiles et religieuses de cette époque, mais encore par les ouvrages qu'il donna au public, et qui sont encore, de nos jours, lus avec plaisir. Sa *Confession de Sancy* est une satire vive et piquante, son *Baron de Fæneste* un modèle d'excellente plaisanterie, et ses poèmes, qui portent le titre de *Tragiques*, une composition qui porte les traces d'un véritable talent, que le loisir eût certainement perfectionné. D'Aubigné était connu pour un esprit caustique et frondeur, et un caractère dont la franchise allait souvent jusqu'à la brusquerie ; mais on peut dire de lui qu'il était un véritable honnête homme. On cite un trait de sa jeunesse qui lui fait grand honneur, et qui mérite bien d'être plus connu qu'il ne l'est.

D'Aubigné racontait un jour à M. de Talcy les nombreux embarras qu'il éprouvait par suite de la gêne à laquelle il était réduit, et qui rendaient sa vie fort difficile. Celui-ci, après l'avoir écouté avec intérêt, lui dit, sous forme de conseil : « Je sais que vous avez entre les mains des papiers qui intéressent vivement le chancelier de l'Hospital, qui vit aujourd'hui retiré dans sa terre, auprès d'Étampes. Ce chancelier, aujourd'hui tout à fait vieux, n'est plus bon à rien, comme vous le savez. Si vous le désirez, je puis lui faire savoir indirectement que vous avez ces papiers à votre disposition, et, comme je suis certain qu'il attachera beaucoup de prix à les recouvrer, je me fais fort de vous procurer dix mille écus, soit de lui-même, soit de ceux qui voudraient en faire usage pour le ruiner. » Talcy n'eut pas achevé ces mots, que d'Aubigné disparut, courut chercher ces papiers, les rapporta et les mit au feu sur-le-champ, en présence de celui qui lui avait tenu ce discours. Talcy demeura muet de surprise. « Je les ai brûlés, dit aussitôt d'Aubigné, de peur qu'ils ne me brûlassent ; car j'aurais pu quelque jour succomber à la tentation. »

Le lendemain de cette conférence, le vieux Talcy vint trouver d'Aubigné, le prit par la main et lui dit : « Quoique vous n'ayez pas cru devoir m'ouvrir votre cœur, j'ai de trop bons yeux pour n'avoir pas découvert votre amour pour ma fille ; vous savez qu'elle est recherchée de plusieurs prétendants dont la fortune surpasse la vôtre de beaucoup ; il n'importe. Votre générosité, en brûlant hier les papiers, de peur, disiez-vous, qu'ils ne vous brûlassent, m'a fait connaître la bonté de votre naturel, et cette générosité m'a déterminé à vous dire aujourd'hui avec franchise que je souhaite passionnément de vous avoir pour gendre. »

Le Multiplicateur

Ménage dit qu'un petit bourgeois, nommé Blunet, avait eu de sa femme vingt-un fils en sept couches ; que ces enfants *trigémeaux*[5] avaient non seulement été baptisés, mais qu'ils avaient vécu, les uns plusieurs jours, les autres plusieurs mois, et qu'il en était resté douze des plus forts, qui étaient tous grands et en bonne santé. Cet auteur ajoute que, comme on aurait pu douter lequel des deux, de sa femme ou de lui, contribuait le plus à cette espèce de prodige, il abusa d'une servante qu'il avait, et qu'au bout de neuf mois cette fille accoucha de trois enfants mâles, qui, malgré la faiblesse et le jeune âge de leur mère, ne laissèrent pas de vivre quinze jours ou trois semaines.

Les Courtisans dupés

Brisack, major des gardes sous Louis XIV, détestait l'hypocrisie de cour, et voyait avec impatience toutes les tribunes bordées de dames, au salut, quand le roi devait y assister, tandis qu'il n'y en avait aucune quand on savait de bonne heure que le roi ne s'y rendrait pas. Un soir donc que Louis devait venir au salut, lorsque les dames et les gardes étaient postés, Brisack paraît à la tribune du roi, il tire son bâton, et crie : « Gardes, retirez-vous ! rentrez dans vos salles ; le roi ne viendra pas. » Les gardes obéissent : un petit murmure s'élève entre les femmes ; leurs petites bougies s'éteignent, et les voilà toutes parties, à deux ou trois près.

---

5 Triplés.

Le major avait posté aux débouchés de la chapelle les brigadiers pour arrêter les gardes, et on leur fit reprendre leurs places quand les dames furent assez loin pour ne pas s'en douter. Là-dessus arrive le roi, qui, bien étonné de la solitude des tribunes, en demande la cause après le salut. Brisack la lui ayant racontée, le prince en rit beaucoup ; mais les dames en rirent très peu, comme on le peut croire.

Le Divorce dans l'Inde

L'inscription suivante est en gros caractères sur la principale porte de la ville d'Agra, dans l'Indostan : « Dans la première année du roi Julef, deux mille couples furent divorcés par le magistrat, de leur propre consentement. L'empereur, en apprenant cela, fut si indigné qu'il abolit le divorce. L'année suivante, le nombre des mariages à Agra diminua de trois mille ; le nombre des adultères augmenta de sept mille ; trois cents femmes furent brûlées pour avoir empoisonné leurs maris ; soixante-quinze hommes furent brûlés pour avoir tué leurs femmes, et il y eut pour trois millions de roupies de meubles brisés dans l'intérieur des bons ménages. L'empereur rétablit la loi sur le divorce. »

Chamfortiana

Chamfort était un homme d'esprit qui aimait à s'exprimer en maximes ; nous avons extrait de ses œuvres quelques-unes de celles qui ont semblé les plus piquantes :

« Il faut convenir qu'il est impossible de vivre dans le monde, sans jouer de temps en temps la comédie. Ce qui distingue l'honnête homme du fripon, c'est de ne la jouer que dans les cas forcés, et pour échapper au péril, au lieu que l'autre va au-devant des occasions.

« La philosophie, ainsi que la médecine a beaucoup de drogues, très peu de bons remèdes, et presque point de spécifiques.

« Il y a des sottises bien habillées, comme il y a des sots bien vêtus.

« Un sot qui a un moment d'esprit étonne et scandalise comme des chevaux de fiacre au galop.

« Il y a deux choses auxquelles il faut se faire, sous peine de trouver la vie insupportable. Ce sont les injures du temps et les injustices des hommes.

« Les gens faibles sont les troupes légères de l'armée des méchants ; ils font plus de mal que l'armée même ; ils infestent et ils ravagent.

« On ne s'imagine pas combien il faut d'esprit pour ne pas être ridicule.

« Des qualités trop supérieures rendent souvent un homme moins propre à la société. On ne va pas au marché avec des lingots ; on y va avec de l'argent ou de la petite monnaie.

« Quand on veut plaire dans le monde il faut se résoudre à se laisser apprendre beaucoup de choses qu'on sait par des gens qui les ignorent.

« Un homme d'esprit est perdu, s'il ne joint à l'esprit l'énergie du caractère. Quand on a la lanterne de Diogène, il faut avoir son bâton.

« La plupart des livres d'à présent ont l'air d'avoir été faits en un jour, avec des livres lus de la veille.

« Peu de philosophie mène à mépriser l'érudition ; beaucoup de philosophie mène à l'estimer.

« Ce qui fait le succès de quantité d'ouvrages est le rapport qui se trouve entre la médiocrité des idées de l'auteur, et la médiocrité des idées du public.

« On n'est point un homme d'esprit pour avoir beaucoup d'idées, comme on n'est pas un bon général pour avoir beaucoup de soldats.

« M... me disait : J'ai vu des femmes de tous les pays ; l'Italienne ne croit être aimée de son amant que quand il est capable de commettre un crime pour elle ; l'Anglaise une folie, et la Française une sottise. »

Le sommeil dans l'antichambre

La marquise de L..., qui avait un mari disgracié de la nature et un fils beau comme un ange, disait un jour : « En vérité plus je regarde mon fils, plus je me persuade qu'il me sera arrivé de m'endormir dans mon antichambre. »

Le libraire de Fielding

Miller, l'un des meilleurs et des plus honnêtes libraires de Londres, avait payé deux cents livres (environ 5,000 fr.) à Fielding, le manuscrit du roman de *Tom Jones*. Ce roman obtint un tel succès qu'il rapporta au libraire éditeur plus de dix-huit mille livres (450,000 fr.) de profit net.

L'honnête Miller se crut alors en quelque sorte obligé de faire successive-ment à l'auteur plusieurs cadeaux, qui s'élevèrent ensemble à la somme de cinquante mille francs, et il fit en outre, par testament, un legs assez considérable aux enfants de Fielding.

Heureux auteurs que ceux qui trouvent de pareils éditeurs ; mais plus heureux encore les libraires qui rencontrent des auteurs qui puissent les mettre en état de se montrer si généreux !

L'histoire

Un homme de beaucoup d'esprit était fâché de ne pas savoir l'histoire. « Toutefois, disait-il, je m'en console, quand je réfléchis que ce qui se passe de mon temps doit être un jour de l'histoire. »

Les cruches

« Rien de plus ridicule, disait un ministre d'État à des courtisans qui l'entouraient, que de voir la manière dont se tient le conseil chez quelques nations nègres. Représentez-vous une chambre d'assemblée où sont placées une douzaine de cruches à moitié pleines d'eau. C'est là que, nus et d'un pas grave, se rendent une douzaine de conseillers d'État. Arri-vés dans cette chambre, chacun saute dans sa cruche, s'y enfonce jus-qu'au cou, et c'est dans cette posture qu'on délibère sur les affaires de l'État. Mais vous ne riez pas de cela, dit le ministre à celui qui était près de lui. — C'est, répondit-il, que je vois tous les jours quelque chose de plus plaisant encore. — Quoi donc ? reprit le ministre. – C'est un pays où les cruches seules tiennent conseil. »

Les manchons et les éventails

La reine Christine, étant en France, fut le sujet de la conversation des duchesses, dans le cercle qu'elles tinrent chez la reine ; on n'épargna pas sa perruque, ses habits, ses gestes, ses expressions, on tourna tout cela en ridicule ; elle apprit qu'elle avait été l'objet de la critique maligne des dames à tabouret. Elle chercha à se venger ; elle sut qu'elles avaient agité la question, si, à cause de l'inconstance de la saison où il faisait souvent beau le matin et froid le soir, elles porteraient un manchon et un éventail tout à la fois. À la pluralité des voix, on décida que, sans être ridicules, elles se muniraient de l'un et de l'autre tout ensemble. La reine de Suède vint à la cour un jour de cercle, et elle dit aux duchesses : « Mesdames, j'ai appris la décision de la célèbre question sur le manchon et l'éventail ; voici comme je l'aurais terminée : j'aurais défendu l'éventail à la plupart de vous autres qui êtes déjà assez éventées, et le manchon à un très grand nombre qui sont déjà d'une complexion assez ardente.

Sagacité d'un jeune homme

Un habitant de Marseille fut assassiné, pendant une nuit, dans sa maison de campagne. On ne s'en aperçut que le matin, et M. Ch..., lieutenant criminel, s'y transporta pour faire la reconnaissance du corps et la recherche des preuves qu'il pourrait trouver. Comme il visitait le logement du paysan qui paraissait désolé de sa mort, et qui, le premier, en avait donné avis, le secrétaire de M. Ch... tira à part ce magistrat, et lui dit : « Monsieur, c'est ce paysan qui a fait le coup. – Comment le savez-vous ? lui répliqua M. Ch... – C'est aujourd'hui mercredi, reprit le secrétaire, et il a une chemise blanche. » Cette observation si juste frappa le lieutenant criminel, qui parvint à faire avouer au paysan son crime, et à trouver la chemise teinte de sang qu'il avait quittée.

Déclaration d'un Gascon

Madame, disait un Gascon à une belle à qui il en contait, et qu'il ne persuadait guère : « Je suis du pays de Complaisance ; si vous êtes de celui d'Obstination, nous ne serons pas compatriotes. »

Un nouveau système d'astronomie

Un ignorant soutenait dans une compagnie que le soleil ne faisait pas le tour du monde. « Mais comment, lui objectait-on, se peut-il qu'étant parvenu à l'occident où il se couche, ou le voit se lever à l'orient, s'il ne passe point par-dessous le globe ? — Vous voilà bien embarrassés, répondit cet ignorant entêté, il reprend le même chemin ; et si on ne s'en aperçoit pas, c'est qu'il revient de nuit. »

Louvois et le député suisse

Pierre Stuppa, fameux général suisse, fut député à Paris par la Confédération, pour réclamer, auprès de Louis XIV, le paiement des appointements des officiers de sa nation, attachés au service de la Cour de France, et qui n'avaient depuis longtemps, rien touché de ce qui leur était dû. Louvois ministre de la Guerre qui était présent à l'audience et à qui cette réclamation ne plaisait pas, dit au Roi : « Sire, nous sommes toujours et à chaque instant tourmentés par des demandes de ce genre ; si Votre Majesté avait tout l'argent qu'elle et les Rois, ses prédécesseurs, ont donné aux Suisses, on pourrait paver d'argent une chaussée de Paris à Bâle. – Cela peut être, répondit froidement sur-le-champ Stuppa ; mais si Votre Majesté avait aussi tout le sang que les Suisses ont versé pour le service de la France, on pourrait faire un fleuve de sang de Bâle à Paris. » Le roi, frappé de cette heureuse réplique, ordonna à Louvois de faire droit sans délai aux justes réclamations des Suisses.

L'incertitude

Un vieux sergent, qui racontait avec délices les exploits militaires de sa jeunesse, détaillait un jour minutieusement toutes les circonstances d'un siège mémorable auquel il avait pris part. Il ne manquait à son récit qu'une seule particularité ; c'est qu'il ne se souvenait plus exactement s'il avait été, dans cette occasion, au nombre des assiégeants ou parmi les assiégés.

Les quatre enfants

Un vieux mouleur allemand avait exécuté en stuc quatre figures d'enfants destinés à soutenir un petit dôme, et commandés par une dame qui voulait faire une surprise à son mari absent depuis longtemps et tout près d'arriver. Peu de temps après le retour du mari, l'artiste lui présenta un mémoire ainsi conçu :

« Pour avoir fait quatre enfants à Madame : vingt écus »

Le mari fut assez magnanime pour rire et pour payer.

La vérité

Le petit père André prêchait devant Louis XIII, sur la vérité et sur la manière dont il fallait la dire aux princes : il feignit de s'endormir. On le laissa quelque temps sans le faire sortir de son état. À la fin on le tira par sa robe, il feignit de s'éveiller et de revenir d'un profond sommeil : « Sire, dit-il, je viens de faire un songe qui convient au sermon que je prêche devant Votre Majesté. J'ai vu la Vérité sous la forme d'une belle dame, sans aucun voile ; craignant la tentation, je lui ai dit de se retirer ; elle m'a dit qu'elle s'appelait la Vérité. Retirez-vous, lui ai-je dit encore avec plus de force, on ne présente point la Vérité toute nue aux rois. »

L'heureux sommeil

Un négociant de Lyon, nommé Grivet, avait été condamné à mort dans le temps de la Terreur. On le déposa dans le cachot destiné aux condamnés, où il trouva déjà un certain nombre de prisonniers qui, comme lui, devaient être exécutés le lendemain. Grivet fut parfaitement accueilli par ses compagnons d'infortune qui l'entourèrent avec empressement, et l'invitèrent à partager leur souper. « C'est notre dernier repas, lui dit l'un d'entre eux ; demain nous serons tous au terme du voyage. » Grivet était calme et résolu ; il accepta sans se faire prier, soupa de très bon appétit et, après souper, se blottit dans la paille au fond du cachot et s'endormit. Le lendemain matin, on vint chercher tous les prisonniers qui furent attachés ensemble et conduits à la mort. Grivet seul ne fut pas aperçu, et ne s'aperçut lui-même de rien de ce qui se passait. À son réveil, il se trouva, non sans quelque étonnement, dans la plus complète solitude. Quatre jours se passèrent ainsi, pendant lesquels il vécut des restes des provisions qu'il trouva dans la prison. Le soir du quatrième jour, on amena un nouveau prisonnier, et le porte-clefs fut saisi d'étonnement, d'une espèce d'effroi même, de retrouver un homme vivant dans un cachot qu'il se croyait bien sûr d'avoir complètement vidé. Il en référa sur-le-champ au tribunal qui fit comparaître Grivet et qui, oubliant pour un moment ses habitudes révolutionnaires, fit mettre cet excellent dormeur en liberté.

L'avarice punie

Un vieux gentilhomme anglais, possesseur dune grande fortune, fit un testament par lequel il donnait tout son bien à un ecclésiastique de son voisinage avec lequel il vivait depuis longtemps dans la plus étroite intimité. Il déposa ce testament entre les mains de cet ecclésiastique lui-même. Quelques années plus tard, et peu de temps avant sa mort, il changea d'avis, et, révoquant ses premières dispositions, il fit un nouveau testament par lequel il donnait toute sa fortune à son neveu, à la charge seulement de remettre à l'ecclésiastique une somme de cinq cents livres sterling (environ 12,000 fr.). Peu de temps après, il meurt, et son neveu, en visitant son sécrétaire avec tout l'empressement et toute l'attention d'un héritier, trouve ce testament, et se souciant assez peu de distraire la moindre chose d'une succession qu'il voulait garder tout entière, brûle le testament, déclare que son oncle n'a fait aucunes dispositions, et demande à être mis en possession de cette fortune à laquelle il a seul des droits. L'ecclésiastique, qui vint en ville par hasard quelques jours après, apprenant la mort de son vieil ami, demande si l'on a trouvé quelque testament dans ses papiers. On lui répond négativement. Il met alors tranquillement la main dans sa poche, en tire froidement un porte-feuille dans lequel se trouve un testament qu'il exhibe à qui de droit, et se fait reconnaître sans difficulté comme le seul héritier de l'immense fortune du défunt, qui ne lui imposait pour toute condition que de remettre à son neveu la somme de cinq cents livres.

Un quiproquo grammatical

« Tu connais bien Marie-Thérèse, ma voisine ? – Oui, eh bien ! – Elle resta avec moi toute la journée, elle parla, elle chanta ensuite, vers dix heures je la *reconduisa* chez elle. – Avec un *i*, donc. – Non, avec une lanterne. »

Une preuve d'amour

Un jeune homme que les liens de la plus tendre affection unissaient à une jeune personne charmante qu'il devait épouser prochainement, vint lui apprendre un jour, avec un profond désespoir, qu'un revers imprévu l'avait complètement ruiné et qu'il en était réduit au point de ne savoir même comment se procurer une somme de cent francs dont il avait le plus pressant besoin. « Quel bonheur ! s'écria sur-le-champ et sans hésiter son amie. – Comment, Mademoiselle, répliqua-t-il tout consterné, comment, vous vous réjouissez… – Eh, oui, mon cher ami, lui dit-elle en l'interrompant, je me réjouis de me trouver assez riche pour vous offrir, avec ma main et mon amour, cent mille écus au lieu des cent francs qui vous manquent. »

La douleur partagée

Madame d'A. venait de perdre son mari et paraissait inconsolable de cette perte. Sa femme de chambre mêlait ses larmes à celles de sa maîtresse et semblait non moins difficile à consoler. On admirait généralement le bon cœur de cette fille, et un ami ne put s'empêcher de lui en faire compliment : « Ah ! répondit-elle en soupirant, c'est qu'en perdant Monsieur, j'ai cru devenir veuve comme Madame. »

L'amour de l'art

Pessier, jeune peintre lyonnais, brûlait du désir d'aller étudier à Rome, et n'avait pas le sou ; il prend un mendiant aveugle par la main et lui dit : « Viens, je serai ton guide, allons en Italie, tu me donneras de temps en temps un morceau de pain ; j'ai de bons souliers, il ne m'en faut pas davantage. »

Le contraire d'un coup de tête

Un mauvais plaisantin ayant, par mégarde, laissé échapper un vent qu'il ne put retenir : « Au moins, s'écria-t-il aussitôt, on ne pourra pas m'accuser aujourd'hui d'avoir fait un coup de tête. »

La proposition du maréchal Moncey

« Je voudrais être maréchal de France avec solde de retraite, disait un joyeux compagnon au maréchal Moncey ; quelle superbe existence ! vous possédez sept ou huit cent mille francs de rente, des hôtels, des châteaux, tous les honneurs vous sont acquis, la fortune vous a comblé de ses faveurs, et tous ces biens vous sont tombés du ciel et venus, pour ainsi dire, en dormant. – Vous le croyez, répliqua le maréchal ; eh bien ! je veux vous les céder pour la cent-millième partie de ce qu'ils m'ont coûté. – Vraiment ? – Je ne plaisante pas ; cette fortune m'embarrasse, et je cherche quelqu'un qui veuille bien s'en charger à vil prix. Postez-vous au bout de cette allée, à soixante-quinze pas, à cent pas même, pour vous prouver combien je suis généreux, je vais faire avancer trente grenadiers, bons tireurs ; vous voyez que je vous traite en ami ; sur votre commandement, ils feront feu sur vous une seule fois ; vous ne serez pas touché, et ma fortune est à vous après cette petite épreuve. » Le joyeux compagnon fit la grimace et ne voulut pas tenter cet essai qu'il trouva périlleux, bien que le maréchal eût été fusillé, pendant trente ans, par deux ou trois millions de soldats qui toujours avaient manqué leur but.

L'âne de Balaam

Un professeur de théologie, en parlant de l'âne de Balaam, disait qu'on avait grand tort de douter que cet âne eût pu parler comme un homme, quand on voyait tous les jours tant d'hommes parler comme des ânes.

L'aîné de sa mère

Une dame encore assez fraîche qui ne pouvait se décider à vieillir, ne manquait pas, tous les ans, de se rajeunir de six mois. Son fils, qui ne savait trop comment lui faire entendre que cette prétention était ridicule, lui dit un jour fort sérieusement : « Prenez-y garde, ma mère, si vous vous ôtez six mois toutes les fois que je prends une année, il arrivera infailliblement quelque jour que je serai votre aîné, et cela paraîtrait quelque peu singulier. » On dit que la mère se mit à rire, mais on ne dit pas ce qu'elle fit l'année suivante.

La surdité

Une vieille femme, qui ne se croyait qu'un peu sourde, entendant le canon tirer un jour de fête publique, dit sur-le-champ à son mari : « Dieu te bénisse, mon cher ami ; » elle croyait qu'il avait éternué.

Le chien qui fuit

Une jeune personne bien élevée, se trouvant dans un salon, remarqua que le petit chien favori de la maîtresse de la maison se laissait aller à quelques incongruités qui n'étaient pas sans inconvénient pour un très beau tapis ; elle ne savait trop comment désigner le fait qu'elle voulait signaler. « Madame, dit-elle enfin, prenez-y garde, votre petit chien fuit. » On devina sans peine, et le petit chien fut éloigné.

Le tuteur et le pupille

Un jeune homme avait pour tuteur un oncle qu'il n'aimait guère, et avec lequel il était sans cesse en discussion. Ils se faisaient peindre un jour chacun de leur côté, et il arriva par hasard que les deux portraits furent placés dans la même galerie, le portrait de l'oncle immédiatement au-dessus de celui du neveu. « Par ma foi, dit le neveu, l'ordonnateur de cette galerie a de l'esprit ; il a deviné, sans que je le lui dise, que, depuis bien longtemps, je porte mon cher tuteur sur les épaules. »

L'influence de la pluie

Un jeune homme, encore un peu neuf, annonça un jour, en arrivant dans un salon qu'il venait du spectacle ; on lui demanda aussitôt quelles pièces il avait vu représenter. « Ma foi, répondit-il, il pleuvait si fort quand j'y suis entré, que je n'ai pu lire l'affiche et par conséquent le titre des pièces. »

Tel maître, tel valet

Un gentilhomme, suivi de son domestique, était allé dîner au château d'un de ses amis : pour revenir chez lui il fallait qu'il passât sur un pont très dangereux et dominant un torrent dont le bruit était capable d'effrayer l'homme le plus hardi. Le vin qu'il avait bu, peut-être un peu trop abondamment, monta à la tête de notre gentilhomme ; mais sûr du cheval qui le portait, il ne vit aucun inconvénient à se laisser aller au sommeil qui le maîtrisait ; seulement, avant de s'endormir, il jugea prudent d'enjoindre à son domestique de l'éveiller quand ils seraient près d'arriver au pont fatal.

Tous deux continuèrent leur route : le maître s'endormit, et le domestique, trop occupé sans doute à repasser dans sa tête l'accueil gracieux qu'il avait reçu de la valetaille du château qu'il venait d'abandonner, oublia le pont, ses dangers et l'ordre qui lui avait été intimé.

Il y avait plus d'une heure que nos voyageurs avaient franchi l'endroit redouté, quand le gentilhomme s'éveillant demanda avec anxiété : « Eh ! Bien, Jean, sommes-nous bientôt arrivés au pont ? – Ah ! Monsieur, il est déjà à une bonne lieue derrière nous. – Comment, maraud, et pourquoi ne m'avoir pas éveillé, puisque je te l'avais commandé ? Si j'avais eu le malheur de tomber dans le torrent et de m'y noyer, je t'aurais brûlé la cervelle sur-le-champ. — Et moi, Monsieur, si vous vous étiez porté à cette violence, je vous aurais demandé mon compte, et ne serais pas resté un instant de plus à votre service. »

La sentinelle

Dans une ville de la Poméranie prussienne se trouvait, dans l'été de 1807, un parc d'artillerie de l'armée française ; un grenadier gardait les caissons, lorsqu'un violent orage éclata. Deux bons bourgeois vinrent à passer dans le moment où le tonnerre grondait avec force ; l'un d'eux s'écria : « O Dieu ! ne permets pas que la foudre tombe sur ces caissons remplis de poudre, notre ville serait perdue. – Il n'y a rien à craindre, répartit sérieusement son compagnon, ne vois-tu pas qu'il y a une sentinelle ? »

Le curé discret

Un vol avait été commis dans une petite paroisse de campagne ; le curé à qui on avait fait des révélations, assemble ses paroissiens, et leur dit : « Mes très chers frères, il y a un voleur parmi vous : comme vous accableriez le coupable de tout le poids de votre mépris, je me garderai bien de le nommer ; mais voilà son chien qui dort tranquillement au pied de cette chaire. »

Le prix des choses

« Réjouissez-vous, chère amie, disait un savant à Mme D**, on vient de présenter à la société d'encouragement un métier au moyen duquel on fera de la dentelle superbe et qui ne coûtera presque rien. — Eh ! répondit la belle avec un regard de souveraine indifférence, si la dentelle était à bon marché, croyez-vous qu'on voudrait porter de semblables guenilles ? »

La consolation

Le roi d'un certain pays, dit le comte d'Oxenstiern, étant à l'article de la mort, parut inquiet de la mauvaise conduite de son règne ; son confesseur lui dit pour le consoler : « Sire, Dieu ne demande rien à l'homme qu'en raison des talents qu'il lui a donnés. Or, comme il n'en a donné aucun à Votre Majesté pour bien régner, il ne vous en demandera aussi aucun compte. » Cette consolation agit si puissamment sur l'esprit de ce pauvre prince, qu'il se rassura et mourut tranquillement.

La harangue de l'aumônier

Un aumônier de vaisseau voyant approcher l'ennemi, fit aux matelots cette courte exhortation : *Amis, vos âmes à Dieu, vos corps à la Patrie ; point de poltrons en Paradis.*

Le double deuil

Monsieur B... se promenait, un jour de l'été 1811, sur les boulevards, vêtu de deux habits de drap noir passés l'un sur l'autre ; un de ses amis le rencontrant avec ce bizarre accoutrement, s'écria : « Bon dieu ! Mon cher, comment ! deux habits par cette chaleur ! – Que veux-tu, le malheur me poursuit, répondit B... d'un ton chagrin : avant-hier mon oncle est mort, et ne voilà-t-il pas qu'hier il me meurt encore une tante ; de là ce double deuil. »

La neige séchée au four

Un homme, d'humeur assez simple, voyant conduire un malfaiteur au gibet, demanda à quelqu'un : « Qu'a donc fait cet homme pour être pendu ? – Une chose épouvantable, répliqua avec le plus grand sérieux l'individu auquel il s'adressait ; figurez-vous, mon cher, que l'hiver dernier il a fait sécher de la neige dans un four, et l'a vendue cet été pour du sel blanc – Ah ! l'infâme coquin, s'écria notre imbécile, et il n'est que pendu ! »

L'hérédité de la gourmandise

Un homme qui aimait les plaisirs de la table, disait : « Mon père mangeait beaucoup et ma mère mangeait longtemps ; je tiens de tous les deux. »

Un Gascon sûr de son fait

Quelqu'un voulut faire tirer l'épée à un Gascon qui l'insultait. Celui-ci appelle un décrotteur : « *Tiens, pétit, boilà quatre sous, ba-t-en à la paroisse diré qu'on sonne à mort, et qu'on bienne chercher ce cadavre.* –

Mais monsieur a l'air de bien se porter ? – *Vélitre, né bois-tu pas, sandis, qu'il beut sé vattre avec moi ?* »

La qualité et la quantité

Un marquis disait à un financier : «Vous devez savoir que je suis homme de qualité. » Le financier répondit : « Et moi, je suis homme de quantité. »

Le siège de Troie

Un jeune homme se disposant à décrire le tableau de Didon à une dame dont il soupçonnait un peu l'ignorance, lui dit : «Vous connaissez le siège de Troie ! – Oui certainement, répondit-elle ; c'est un canapé. »

La double surprise

Un seigneur très dérangé vint un jour trouver M. de Laborde, banquier de la cour, et lui dit : «Monsieur de Laborde, vous allez être bien étonné de ce que, n'ayant pas l'honneur de vous connaître, je viens vous prier de me prêter cent louis. – Monsieur, vous allez être bien plus étonné encore de ce que moi, ayant l'honneur de vous connaître, je vous les prête. »

Définition du fanfaron

On disait d'un fanfaron, qui, avec beaucoup de sottise et de beaux habits, se piquait d'être savant : « C'est un mauvais livre relié en veau et doré sur tranche. »

La fille aguerrie

Une jeune fille, étant à confesse, dit au prêtre, en commençant sa confession, qu'elle avait oublié, la dernière fois qu'elle était venue, de s'accuser d'avoir cédé plusieurs fois dans un même jour aux désirs empressés de plusieurs galants. « Ah ! Ma fille, lui dit le confesseur, ce n'est point un oubli de votre part ; avouez plutôt qu'au tribunal de la pénitence, la honte vous a fermé la bouche. – Non, mon père, reprit la pénitente ; je puis vous certifier que c'est un pur oubli. »

Un reproche de mari

Madame de... perdit son enfant. Son mari lui dit avec humeur : « Madame, vous auriez plus de soin de vos enfants, si vous saviez la peine que j'ai à vous les faire. »

Le père Honoré, prédicateur du XVII° siècle

Le père Honoré, célèbre capucin, traitait les vérités les plus terribles de la religion sous une forme burlesque ; il brisait les cœurs après avoir épanoui les rates. Dans une prédication, il prit en ses mains une tête de mort : « Parle, disait-il en son langage provençal, ne serais-tu point la tête d'un magistrat ? » Il poursuivit : « *Qui ne dit mot consent.* » Il lui mettait alors un bonnet de juge : « Eh bien, disait-il, n'as-tu point vendu la justice au poids de l'or ? n'as-tu pas ronflé plusieurs fois à l'audience ? ne t'es-tu point entendu avec l'avocat et le procureur pour violer la justice ? Combien de magistrats ne se sont assis sur les fleurs de lis que pour y mettre la justice et la droiture mal à leur aise ! » Il jetait alors la tête dans une espèce d'emportement, et en reprenait une autre à qui il disait : « Ne serais-tu point la tête d'une de ces belles dames qui ne s'occupent que du soin de prendre des cœurs à la pipée ? » Il tirait ensuite une fontange d'une de ses poches ; puis répétant de la même figure : « *Qui ne dit mot consent.* » « Eh bien, tête éventée, poursuivait-il, où sont ces beaux yeux qui jouaient si bien de la prunelle, cette belle bouche qui formait ces rires gracieux qui feront tant pleurer de gens en enfer ? Où sont ces dents qui ne mordaient tant de cœurs que pour pouvoir les faire mieux manger au diable, ces oreilles mignonnes, auxquelles tant de godelureaux ont chuchoté si souvent, pour entrer dans le cœur par cette porte ? Où est ce fard, cette pommade et tant d'autres ingrédients dont tu t'enluminais le visage ? Que sont devenus ces roses et ces lis que tu laissais cueillir par des baisers impudiques ? » Il parcourait ainsi toutes les conditions, et coiffait sa tête de mort selon les différents sujets qu'il avait à traiter. Le roi ayant demandé au père Bourdaloue son sentiment sur ce capucin : « Sire, dit-il, il écorche les oreilles, mais il déchire les cœurs ; à ses sermons on rend les bourses qu'on a coupées aux miens. »

L'adroite question

Une dame ayant demandé audience à Jean III, roi de Portugal, et l'ayant obtenue, lui dit : « Sire, Votre Majesté aurait-elle pardonné à mon mari, s'il m'avait surprise et tuée en adultère ? » Après que le roi lui eut répondu « qu'en ce cas, il n'aurait pardonné à son mari, » elle ajouta : « Tout va donc bien, Sire ; car ayant su que mon mari était avec une autre dans une de mes maisons de campagne, j'y suis allée avec deux de mes esclaves, à qui j'ai promis la liberté s'ils m'assistaient dans mon entreprise ; et après avoir brisé la porte, j'ai surpris et tué les deux amants d'un coup de poignard. Je vous demande, Sire, le même pardon que vous n'auriez pas refusé à mon mari, si j'eusse été convaincue du même crime. » Le roi, étonné de la résolution de cette femme, lui pardonna.

La pelisse

Un jour que l'empereur Paul Ier était au milieu d'un cercle nombreux, où se trouvaient plusieurs princes russes, avec le comte Rostopchine, son ministre favori : « Dites-moi, demanda-t-il brusquement à celui-ci, pourquoi n'êtes-vous pas prince ? » Après un moment d'hésitation sur cette singulière demande, le comte Rostopchine répondit : « Votre Majesté Impériale me permettra-t-elle de lui en dire la véritable raison ? — Sans doute. — C'est que celui de mes aïeux qui vint de Tartarie s'installer en Russie y arriva en hiver. — Eh ! que pouvait faire la saison au titre qu'on lui donna ? — C'est que lorsqu'un seigneur tartare paraissait pour la première fois à la cour, le souverain lui donnait le choix entre une *pelisse* et le titre de *prince*. Mon aïeul arriva dans un hiver rigoureux et eut le bon esprit de préférer la pelisse. » Paul rit beaucoup de cette réponse, puis, s'adressant aux princes présents « Allons, Messieurs, leur dit-il, félicitez-vous que vos aïeux ne soient pas arrivés en hiver. »

L'homme impassible

Un riche marchand d'étoffes d'or et d'argent de Paris avait dans son commerce une telle impassibilité qu'il dépliait vingt ou trente pièces sans faire la moindre difficulté, et ne témoignait jamais la moindre humeur, lorsqu'on n'achetait rien. Un jeune homme devant qui l'on vantait cette patience et ce sang-froid à toute épreuve, paria qu'il le ferait mettre en colère. Le pari fut tenu par un autre jeune homme, et tous les deux se rendent chez le marchand. L'incrédule demande des étoffes, on lui en déploie plusieurs pièces : il n'est satisfait d'aucune, celle-ci est trop fine, celle-là trop forte ; le dessin de l'une est trop vieux, le dessin de l'autre trop chargé, enfin, rien ne lui convient. Et le marchand déplie toujours avec la même complaisance ; l'acheteur s'arrête enfin à une pièce, en demande le prix. « Cent francs l'aune. – Eh bien, Monsieur, coupez-m'en pour quarante sous. » Le marchand sans se déconcerter, prend une pièce de quarante sous dans son tiroir, la pose sur l'extrémité de la pièce d'étoffe, et en coupe un morceau de la même grandeur, qu'il présente à l'acheteur bien enveloppé dans du papier. Celui-ci n'y peut plus tenir, et dit à son adversaire : « Il n'y a rien à dire, j'ai perdu. » Le marchand, surpris, attendait l'explication qu'on lui donna, et son impassibilité fut plus confirmée que jamais.

Les jumeaux et le barbier

Deux frères jumeaux, d'une parfaite ressemblance, voulurent un jour se divertir d'un barbier qui ne les connaissait point ; l'un d'eux envoya quérir le barbier pour se faire raser. L'autre se cacha dans une chambre à côté. Celui à qui on fit l'opération étant rasé à demi, se leva sous prétexte qu'il avait une petite affaire, il alla dans la chambre de son frère qu'il savonna, et à qui il mit au cou son même linge à barbe et il l'envoya à sa place. Le barbier voyant que celui qu'il croyait avoir *barbifié* à demi avait encore toute sa barbe à faire fut étrangement surpris. « Comment, dit-il, voilà une barbe qui a poussé en un moment ! Voilà qui me dépasse ! » Le jumeau, affectant un grand sérieux, lui dit : « Quel conte me faites-vous là ? » Le barbier, prenant la parole, lui explique naturellement ce qu'il a fait, qu'il l'a rasé à demi, et qu'il ne comprend pas comment cette barbe rasée est revenue si promptement. Le jumeau lui dit brusquement : « Vous rêvez, faites votre besogne. – Monsieur, dit le barbier, je m'y ferais hacher ; il faut que je sois fou ou ivre, ou qu'il y ait ici de la magie ; » il fit son opération en faisant de temps en temps de grandes exclamations sur cet événement. La barbe étant faite, celui qui était barbifié entièrement va prendre le barbifié à demi, et pendant qu'il se tient caché, il le substitue à sa place. Celui-ci, avec son linge autour du cou : « Allons, dit-il, au barbier, achevez votre besogne. » Pour le coup le barbier tomba de son haut, il ne douta plus qu'il n'y eût de la magie, il n'avait pas la force de parler. Cependant le sorcier prétendu lui imposa tellement qu'il fallut qu'il achevât l'ouvrage ; mais il alla publier partout qu'il venait de raser un sorcier, qui faisait croître sa barbe un moment après qu'on la lui avait faite.

La famille augmentée

Louis XV, à son lever, demandait à un courtisan combien il avait d'enfants. « Quatre, Sire, répondit-il. » Le roi ayant eu occasion de lui parler en public deux ou trois fois dans la journée, lui fit précisément toujours la même question : « Un tel, combien avez-vous d'enfants ? » Et toujours l'autre répondit : « Quatre, Sire. » Enfin, le soir, au jeu, le roi lui ayant demandé encore : « Un tel, combien avez-vous d'enfants ? — Sire, répondit-il cette fois, six. — Comment diable, reprit le roi, mais il me semble que vous m'aviez dit quatre ? — Ma foi, Sire, c'est que j'ai craint de vous ennuyer en vous répétant toujours la même chose. »

Un jour d'ivresse

Un des plus célèbres médecins de Londres, dut sa fortune à une circonstance qui probablement en eût perdu mille autres, et qui mérite d'être citée à cause de sa singularité.

Ce médecin, qui avait exercé quelque temps à la campagne et qui se sentait digne de figurer sur un plus grand théâtre, avait quitté sa résidence habituelle pour venir se fixer à Londres, où il espérait trouver et plus de ressources pour perfectionner son instruction et un emploi plus lucratif de ses talents. Ses débuts, dans une ville où il était inconnu, ne répondirent pas tout à fait à ses espérances, et l'inaction à laquelle son obscurité le condamnait l'avait conduit à fréquenter un cabaret, où il se rendait tous les jours et où, par désœuvrement, il se laissait aller quelquefois jusqu'à oublier toutes les règles de la sobriété. Un soir qu'il avait bu un peu plus encore qu'à l'ordinaire et qu'il se trouvait par conséquent dans un état d'ivresse à peu près complet, le domestique de la maison qu'il habitait vint l'avertir subitement qu'on le priait de se rendre sur-le-champ chez une grande dame, dont l'état alarmant réclamait de prompts secours et sa présence immédiate. La surprise acheva de paralyser le peu de forces et de présence d'esprit que le vin lui avait laissé. Il parvint toutefois à se lever et à suivre tant bien que mal un domestique en grande livrée qui l'attendait, le fit entrer dans un hôtel de grande apparence, et le remit aux soins d'une femme de chambre qui semblait vivement émue et tout à fait hors d'elle-même. Celle-ci, dans son trouble, ne remarque pas l'air assez étrange du docteur qu'on lui amène et l'introduit en toute hâte dans une chambre à coucher, somptueusement meublée, où il trouve au lit une femme jeune encore et assez belle, livrée à la plus vive agitation. Le médecin s'approche en chancelant, fait quelques questions auxquelles on répond à peine, tâte le pouls, puis s'approche d'une table où il s'assied pour écrire son ordonnance. Jusque-là, tout allait à merveille ; mais quand il fut question d'écrire, les yeux et la main refusèrent complètement leur service, et après deux ou trois tentatives impuissantes, le malheureux docteur s'écrie avec impatience et désespoir : « Ivre ! tout à-fait ivre !... » et s'enfuit le plus droit et le plus vite qu'il peut.

Le lendemain, en s'éveillant, il ne pensait pas sans honte et sans douleur à cette triste mésaventure, quand, à sa grande surprise, il reçoit une lettre contenant un billet de cent livres sterling, et dans laquelle sa malade l'assure de toute sa bienveillance et lui promet l'appui de sa nombreuse et puissante famille, s'il consent à garder le plus profond secret sur la scène de la veille. Voilà, comme on l'a sans doute déjà deviné, ce qui avait eu lieu : C'est que la noble comtesse, dans un moment d'exaltation et d'oubli, s'était elle-même laissée aller à boire de l'eau-de-vie mêlée d'opium, que lui avait procurée sa femme de chambre, et qu'elle était arrivée sans trop de peine à cet état fâcheux que le pauvre docteur avait surpris en lui-même et dont il n'avait accusé que lui-même dans son énergique imprécation, qui se trouvait avoir ainsi une double application.

Le bonheur relatif

« Que vous êtes à plaindre ! disait un jour quelqu'un à un homme qui aimait éperdument sa femme et qui n'en était pas aimé ; que vous êtes à plaindre et que je vous plains, mon cher ami ; plus vous avez d'amour et moins vous en obtenez. Vous avez affaire à une ingrate qui, loin de reconnaître votre tendresse, ne laisse pas échapper une occasion de vous montrer son éloignement pour vous. – Ne vous hâtez pas tant de me plaindre, répondit le mari ; je suis bien moins malheureux que ma femme elle-même ; car, j'ai, moi, le plaisir d'être toujours auprès d'une femme que j'adore ; elle, au contraire, elle a le chagrin de vivre, malgré elle, avec un homme qu'elle ne peut souffrir. Réservez donc pour elle toute votre pitié et n'en gardez point pour moi. » Un mari de ce genre méritait pourtant bien d'être aimé de sa femme.

Le dîner symbolique

Un vieux négociant hollandais, qui se retirait des affaires avec une très belle fortune, voulut avant de quitter définitivement son commerce, donner un grand dîner à quelques-uns de ses confrères. Les convives furent reçus dans un salon meublé somptueusement, puis introduits dans une salle à manger non moins splendide, et ils s'attendaient naturellement à un repas qui répondît à ces magnifiques apparences. Ils ne furent donc pas médiocrement surpris de voir le premier service, apporté par deux vieux matelots, qui se composait uniquement de harengs, frais, salés, et fumés, servis sur des assiettes de bois et déposés sur une table couverte d'une étoffe assez grossière et tirant sur le jaune. Nos gourmets désappointés firent assez peu d'honneur à ce premier service qui disparut pour faire place à un autre qui ne se composait à son tour que de bœuf et de légumes. Tout cela était peu séduisant pour des estomacs qui attendaient beaucoup mieux ; mais à ces deux premiers services succéda un troisième d'un tout autre genre, car il était composé des mets les plus recherchés et les plus rares, accompagnés des vins les plus exquis et les plus fins, et eut bientôt fait oublier et pardonner les deux autres. Le dessert était tout à fait du même genre. « Messieurs mes amis, dit le vieux négociant, au moment où l'on se levait de table, j'ai voulu vous rappeler aujourd'hui, d'une manière qui pût laisser quelque impression dans votre mémoire, l'histoire de notre glorieuse République. Nous avons commencé, nous autres Hollandais, par vivre avec une simplicité, une frugalité qui nous a conduits à la fortune ; nous donnons aujourd'hui dans un luxe qui pourrait bien nous ruiner ; croyez-moi, contentons-nous de notre bœuf et de nos légumes, si nous ne voulons pas être contraints d'en revenir à nos harengs. » La leçon fut assez bien accueillie, parce qu'elle était agréablement assaisonnée ; mais je ne voudrais pas jurer qu'elle ait été suivie de bien grands résultats. En tout pays, l'homme n'est guère sage et raisonnable que par force.

Le feuillet déchiré

Un père avare ne pouvait se résoudre à marier sa fille, à cause de la dot qu'il fallait lui donner. Il mourut enfin. On disait à cette fille que cette mort lui procurerait un mari. « Au contraire, dit-elle, nos mariages ne sont-ils pas écrits au ciel ? mon père, qui y est monté, et qui avait résolu de ne point me marier, déchirera sans doute le feuillet où mon mariage est écrit. »

Une chanson mise sur l'air

Un officier gascon sollicitait le paiement de sa pension auprès de M. Desmarets, ministre d'État, qui lui dit que sa pension était une chanson. Il se présenta devant le Roi, tenant le brevet de sa pension à la main en chantant un air entre ses dents. Le roi lui demanda ce qu'il voulait : « Sire, dit-il, j'ai demandé à M. Desmarets le paiement d'une pension que vous m'avez accordée, il m'a dit que c'était une chanson, j'en cherche l'air. » Le roi se prit à rire, et fit payer la pension.

Le Visiteur résolu

Un président au parlement de Bordeaux, fâcheux au suprême degré, s'étant présenté à la porte de Bautru, le demanda. Le laquais lui ayant dit que son maître y était, l'alla avertir de cette visite : « Comment, lui dit Bautru, tu as dit à cet homme-là que j'y étais ? je suis perdu ; va vite lui dire que je suis extrêmement malade. » Le laquais s'acquitta de sa commission : « Cela ne peut pas être, lui dit le président, je le vis hier en parfaite santé ; je veux lui tâter le pouls pour connaître la force de son mal. » Le laquais vint apprendre à Bautru le mauvais succès de son artifice : « Va, lui cria son maître, va lui dire que je suis mort. » Le domestique porta en tremblant cette triste nouvelle au président, qui, levant les yeux au ciel, dit qu'il voulait lui donner de l'eau bénite. Le laquais revint encore avertir son maître de l'obstination du président. « *Eh bien*, dit Bautru outré de colère, *dis-lui que le diable m'a emporté.* »

Une impertinence bien reçue

On ne saurait comprendre jusqu'où va la folie de certaines femmes, lorsque la vanité s'est emparée de leur faible cerveau. Une dame se persuada qu'elle ressemblait parfaitement à madame de Sessac, qui a un air de grandeur et un port que l'on ne trouve chez aucune autre dame. Cette idée flattait tellement cette visionnaire, qu'elle s'efforçait de l'inspirer à tous ceux qui l'approchaient. Le chevalier de Luynes l'ayant aperçue de loin aux Tuileries, dit à deux de ses amis qui se promenaient avec lui : « Je vais donner à une dame un coup de pied au cul, dont elle me saura bon gré, j'en suis sûr. » Il partit sur-le-champ. À peine eut-il régalé la dame de celte faveur extraordinaire, qu'elle se tourna fort émue. « Ah ? Madame, lui dit-il, je vous demande mille pardons : vous ressemblez si parfaitement à madame de Sessac, ma sœur, que je vous ai prise pour elle. » La dame, ravie d'avoir pu donner lieu à une pareille méprise, fit paraître toute sa joie sur son visage, et remercia gracieusement le chevalier.

Il y a ce qu'il y a

Dans le temps que la reine Anne d'Autriche était grosse de Louis XIV, après une stérilité de vingt années, le curé de Saint-Germain-l'Auxerrois, qui était un assez bon homme, annonça cette grande nouvelle dans un de ses prônes : « Si la Reine, dit-il, nous donne une princesse, nous n'en serons guère plus avancés, à cause de la loi salique ; ainsi prions Dieu qu'elle ait un prince dans ses entrailles ; cependant, ajoutait-il, il y a ce qu'il y a. »

La discrétion diplomatique

Le comte de Stainville, ministre plénipotentiaire du duc de Lorraine, avait une fierté bien propre à faire respecter son rang. Le régent le rencontrant au salon d'Hercule, et ayant à se plaindre du duc de Lorraine, s'emporta jusqu'à lui dire : « Monsieur de Stainville, je crois que votre maître se fout de moi. – Monseigneur, il ne m'a pas chargé d'en informer Votre Altesse. »

Chapelain et Richelieu

Le cardinal de Richelieu ayant fait une pièce de théâtre, pria Chapelain de s'en dire l'auteur : « Prêtez-moi votre nom, lui dit-il ; je vous prêterai ma bourse. »

La résolution d'une Veuve

Une veuve de fraîche date pleurait avec une grande abondance de larmes la mort de son époux ; on voulut la consoler : « Non, dit-elle, laissez-moi pleurer tout mon saoul, après cela, je n'y penserai plus. »

Le Souffleur du Te Deum

On louait un organiste sur l'exécution, d'un Te Deum. Le souffleur, qui écoutait, crut devoir se faire connaître, et dit, en redressant la tête : *Messieurs, ce Te Deum, c'est moi qui l'ai soufflé.*

Le bonnet de nuit

Un jeune paysan, encore un peu novice, venait d'entrer au service d'une bonne maison de Paris. Sa maîtresse, qui jugea qu'il avait grand besoin de se former, eut soin de l'avertir qu'un domestique ne doit jamais paraître dans l'intérieur des appartements et devant ses maîtres avec un chapeau sur la tête. Le jeune homme retint si bien cette leçon, qu'appelé un jour par son maître pour une commission pressée, il jeta sur-le-champ son chapeau sur une chaise et courut en toute hâte dans sa chambre prendre son bonnet de nuit, dont il eut soin de s'affubler. M. de..., surpris de ce costume insolite, lui demanda s'il était malade. « Non, Monsieur, répondit-il ; mais comme madame m'a dit qu'il ne fallait jamais paraître devant vous avec mon chapeau, j'ai pensé qu'il fallait mettre mon bonnet de nuit. »

L'Ivrogne et la Veuve

« Croiriez-vous, Monsieur, disait une femme galante à un homme presque toujours ivre, croiriez-vous que depuis dix ans que je suis veuve, il ne m'a pas pris la plus petite démangeaison de mariage ? — Croiriez-vous, Madame, reprit l'ivrogne, que depuis que je me connais je n'ai jamais eu soif ? »

La Conscience de gentilhomme

On disait à un Gascon, qu'un homme qui avait perdu tout son bien était homme à se pendre. « Quoi, dit-il, il se pendrait sans songer qu'il est gentilhomme ! »

Je suis mort

Un homme écrivait une lettre à son correspondant ; il n'a pas le temps de cacheter sa missive, se trouve incommodé et meurt. Son commis écrit au bas de la lettre : « Depuis ma lettre écrite, je suis mort. » la cachette et l'envoie.

Madame de Cornuel

Madame de Cornuel était célèbre, sous le règne de Louis XIII par son esprit et ses bons mots. Elle méritait de le devenir par son intrépidité, si l'anecdote suivante est vraie. Elle fut un soir attaquée par des voleurs. L'un d'eux, entrant dans son carrosse, commença par lui mettre la main sur la gorge ; mais elle lui repoussa le bras sans s'effrayer, en lui disant : «Vous n'avez que faire là, mon ami ; je n'ai ni perles ni tétons. » C'est Tallemant des Réaux qui raconte cette anecdote.

La Crainte motivée

Un pauvre Irlandais, qui était sur son lit de mort, et qui se voyait avec peine forcé de faire le grand voyage, reçut la visite d'un de ses amis, qui, après les consolations d'usage, lui dit : «Allons, un peu de courage ; tu sais bien qu'il faut mourir une fois dans la vie. – Eh ! c'est bien ce qui me fâche, reprit le malade ; si l'on mourait dix à douze fois, cela me serait égal. »

Les femmes et le célibat

On proposait un mariage à M... : il répondit : « Il y a deux choses que j'ai toujours aimées à la folie, ce sont les femmes et le célibat. J'ai perdu ma première passion, il faut que je conserve la seconde. »

Les quarante Gascons

Un Gascon disait : « Nous sortîmes quarante garçons, toute la fleur de la noblesse, de la jeunesse et de la bravoure ; nous étions montés comme des princes, nous aurions battu cinquante grenadiers à cheval. Admirez notre désastre : nous rencontrâmes près d'Orléans quatre coquins, francs bélîtres ; ils nous attaquèrent ; ils nous battirent à plate couture ; il n'y a qu'heur et malheur dans ce monde, rien ne prouve mieux que la bravoure est journalière. Nous nous trouvâmes une quarantaine dans notre jour de poltronnerie. Quel hasard singulier! on n'a rien vu de pareil dans l'histoire. »

Le médecin La Peyronnie

À Rambouillet, une des maîtresses de Louis XV, qui était enceinte, éprouva tout à coup les douleurs d'un travail prochain. Le roi, fort en peine, dit : « Si l'opération presse, qui s'en chargera ? » La Peyronnie, premier chirurgien, répondit : « Sire, ce sera moi ; j'ai accouché autrefois. – Oui, répondit mademoiselle de Charolais ; mais cet exercice demande de la pratique ; vous n'êtes peut-être plus au fait. – N'ayez aucune inquiétude, Mademoiselle, reprit-il un peu piqué du doute ; on n'oublie pas plus à les ôter qu'à les mettre. »

La préférence du mari

Une patrouille est appelée dans une maison, à minuit, pour y rétablir l'ordre ; le commandant, qui était un caporal, trouve dans un appartement fort bien meublé une femme qui, contre la coutume, battait son mari. À l'aspect de la force armée, le chef de la communauté reprend courage. « Ah! monsieur le caporal, s'écrie-t-il, rendez-moi un grand service : soyez assez bon pour m'arrêter ; j'aime bien mieux vous suivre au corps de garde que de passer la nuit sous le toit nuptial. »

Je ne sais pas

Le fameux Duval, bibliothécaire de l'empereur François Ier, répondait souvent, *je ne sais pas*, aux questions qu'on lui adressait sur différents objets scientifiques. « Mais, lui dit un jour un ignorant, l'Empereur vous paie pour le savoir. – Il me paie pour ce que je sais, répondit modestement le savant ; si c'était pour ce que j'ignore, les trésors de l'empire ne suffiraient pas. »

Le vin

Le calife Mahadi aimait passionnément la chasse. Égaré de sa route, il entra chez un paysan, et lui demanda à boire. Celui-ci lui apporta une cruche de vin, dont le calife but quelques coups. Mahadi lui demanda ensuite s'il le connaissait. « Non, répondit l'Arabe. – Je suis, dit le prince, un des principaux seigneurs de la cour du calife. » Il but ensuite un autre coup, et demanda encore au paysan s'il le connaissait. Celui-ci lui répondit qu'il venait de lui dire qui il était. « Ce n'est pas cela, reprit Mahadi ; je suis encore plus grand que je ne vous l'ai dit. » Là-dessus il but encore un coup, et répéta la première demande. L'Arabe, impatienté, lui répliqua qu'il venait de s'expliquer lui-même à ce sujet. « Non, dit le prince, je ne vous ai pas tout appris : je suis le calife devant qui tout le monde se prosterne. » À ces paroles, l'Arabe, au lieu de se prosterner, prit la cruche avec précipitation pour la reporter où il l'avait prise. Le calife, étonné, lui en ayant demandé la cause : « C'est, dit l'Arabe, parce que si vous buviez encore un coup, j'aurais peur que vous ne fussiez le prophète, et qu'enfin, à un dernier coup, vous ne prétendissiez me faire accroire que vous êtes le Dieu tout-puissant. »

Le vieux militaire

Un jour, après le dîner du cardinal de Fleury : « Monseigneur, lui dit le duc D**, pour lequel le ministre avait beaucoup de considération, Votre Éminence aurait-elle assez d'indulgence pour vouloir me délivrer des sollicitations d'un vieux et brave militaire, un peu mon parent, qui dit avoir une affaire aussi pressante qu'importante pour lui, et qu'il prétend ne pouvoir confier qu'à Votre Éminence ? – Avec bien du plaisir, monsieur le duc... Mais la chose est-elle en effet si pressée ? – Si pressée, Monseigneur, que je le crois actuellement dans l'antichambre, attendant ma réponse. — Oh ! dans ce cas, pourvu qu'il promette de s'expliquer en peu de mots, j'y consens volontiers ; car j'ai deux rendez-vous promis d'ici à cinq heures. Ainsi voudrez-vous bien l'en prévenir ? » Sur quoi le duc sort, endoctrine son homme, et de là rentre avec lui. « Monseigneur, dit le vieux soudard, je ne serai pas long. Mais avant de lui détailler mon affaire, Son Éminence permettrait-elle que j'osasse lui faire une question ? – À la bonne heure !... Parlez, Monsieur... – Si monseigneur se trouvait traduit criminellement en justice pour avoir pris de force une fille de vingt-deux ans, grande, forte et résolue comme un grenadier, ne trouverait-elle pas la chose assez extraordinaire ? – Sans doute. – Eh bien ! Monseigneur, quoique de l'âge au moins de Votre Éminence, et certes beaucoup plus cassé, si je me trouvais dans ce cas-là, qu'en penserait monseigneur ? – Que c'est un tour que probablement on vous jouerait. — Nenni, Monseigneur, c'est mon histoire. Obligé de passer par Paris pour aller rejoindre mon corps en Flandre, étant descendu à l'hôtel de ***, une jeune égrillarde, telle que je viens de la peindre à monseigneur s'étant prêtée à quelques menues politesses de ma part, c'est-à-dire de celles dont l'habitude se conserve machinalement, même chez les plus vieux serviteurs du roi, me quitta tout à coup, sous prétexte qu'on l'appelait d'en bas, et me promit que le lendemain je n'aurais aucun reproche à lui faire. Le lendemain, tandis qu'elle préparait mon lit, à peine avais-je repris la conversation de la veille, que..., jugez de ma surprise, Monseigneur ! en voyant la coquine, sans quitter ce même lit, pousser des hurlements affreux, déchirer ses habits, crier au meurtre, au viol, attirer dans ma chambre trois ou quatre témoins, probablement d'intelligence avec elle ; l'instant d'après, un commissaire en robe, le guet et tout le voisinage. – Quoi ! s'écria le ministre en riant, serait-il possible !... – Si possible, interrompit le militaire, qu'après un long procès-verbal, signé par tous les assistants, j'ai vu saisir mes malles ; et qu'à peine ai-je obtenu la permission de sortir, pour aller chercher la somme nécessaire tant pour apaiser mon infante que pour payer les frais du procès. – Allez, Monsieur, et calmez-vous. Passez chez Barjac ; donnez-lui l'adresse du commissaire et la vôtre, vos effets vous seront rendus... Mais aussi disposez-vous à aller rejoindre votre régiment, où votre présence est sans doute plus nécessaire qu'à Paris... et n'oubliez plus que les politesses qui vous ont attiré ce petit esclandre, ne vont, je crois, plus guère aux cadets de notre âge. »

Une leçon d'armes

Un Irlandais alla par curiosité dans la salle d'un maître en fait d'armes, pour voir exercer des écoliers. Son air étranger fut cause qu'on entreprit de le railler. Un jeune écolier, encore plus jeune par l'esprit que par l'âge, un franc petit-maître, vint lui présenter le fleuret pour l'inviter à venir se battre. C'est une civilité que l'on fait ordinairement à des spectateurs. L'Irlandais, en écorchant le français, dit : « Qu'il le priait instamment de l'excuser. » Le petit-maître ne se rendit point, et pressa vivement l'Irlandais, qui lui dit : « Monsieur, il faut vous satisfaire ; mais je ne me bats point, que je ne parie dix pistoles que je porterai la première botte. » Le petit-maître crut que l'Irlandais mettait au jour une gasconnade, il le prit au mot ; l'étranger se déshabilla, et se mit en chemise jusqu'à la ceinture :

224 - Des milliers

il exigea qu'on trempât le fleuret dans la teinture, pour qu'il n'y eût point de supercherie, et que la botte qui serait portée fût bien marquée. Le petit-maître, quand il vit l'Irlandais campé de bonne grâce, ouvrit les yeux et comprit qu'il pouvait avoir affaire à un homme expérimenté; il craignit de perdre, mais son honneur l'empêcha de se dédire. Il se mit aussi en chemise, à l'exemple de son adversaire; on consigna l'argent; malgré son adresse, il eut bientôt reçu la première botte. Il demanda sa revanche, en consignant de nouveau; l'Irlandais le bourra une seconde fois: l'autre, piqué au jeu, demanda son tout, qu'il perdit, toujours en mettant au jeu, condition essentielle; il s'en tint à la perte du tout. Alors l'Irlandais lui dit, toujours en écorchant le français: « Monsieur, demain vous serez peut-être mieux en haleine, je reviendrai pour vous donner votre revanche: mais ne faites jamais de pareilles parties avec des gens dont vous ne connaissez pas le jeu, parce que vous pouvez trouver votre maître dans un inconnu. » Le petit-maître fut berné amplement.

Les frontières du péché

Une précieuse, qui s'était trouvée dans un tête-à-tête dangereux dans lequel sa vertu avait été bien près de succomber, disait qu'*elle avait été sur les frontières du péché mortel.*

L'estime

Une jeune fille, interrogée par son confesseur, lui avoua qu'elle avait eu beaucoup d'estime pour un jeune homme. «Combien de fois?» lui demanda le confesseur.

Réception de Henri IV

Un de nos rois, on croit que c'est Henri IV, passa par la ville de B. Le maire et les consuls voulant signaler leur zèle, firent plusieurs bévues.

Ils portèrent leur attention jusqu'à donner une chemise blanche, et à faire faire la barbe à un pendu qui était exposé à des fourches publiques, devant lesquelles le roi devait passer. Ils mirent un gant avec une frange d'or magnifique à une main de bois, qui servait de guide pour indiquer le chemin de la ville.

Le maire harangua le prince à l'entrée de la ville. En lui présentant les clefs : « Sire, lui dit-il, la joie que nous avons en voyant Votre Majesté est si grande, que... » Il fut alors si interdit qu'il perdit la mémoire. Un seigneur, pour l'aider à se tirer de ce mauvais pas, lui dit alors : « Oui, la joie que vous avez est si grande que vous ne pouvez l'exprimer. »

Le roi trouva fort bons les vins de ce pays-là, dont on le régala ; il loua le terroir. Le maire, pour le faire valoir davantage, lui dit : « Sire, nous avons bien encore de meilleurs vins qu'il a produits. » Un homme de la cour lui dit : « Monsieur le Maire, vous les gardez, sans doute, pour quelque meilleure occasion. »

Le roi témoigna qu'il avait envie de jouer à la paume ; le maire se déroba sur-le-champ ; il fit détendre ses tapisseries ; il emprunta encore plusieurs tentures chez ses voisins pour tapisser le jeu de paume. Le roi y étant arrivé, fut très surpris de cette décoration ; et, comme il souhaitait jouer, il voulut que les murailles fussent toutes nues.

Le roi ayant trouvé que l'eau qu'on buvait dans cette ville était fort bonne, le lendemain on trouva dans son antichambre plus de six cents cantines d'eau, par les soins du maire.

J'épouse le portrait

On voulait faire épouser à un Gascon une Parisienne fort laide ; on lui envoya son portrait, où le peintre, en la faisant belle, l'avait vengée des outrages que lui avait faits la nature. Le Gascon, amoureux de la demoiselle sur ce portrait, se rendit à Paris fort empressé. Mais, dès qu'il l'eut vue, sa passion s'évanouit, et il dit au père et à la mère qu'il était prêt à épouser le portrait.

Le Gascon en paradis

« Si j'avais fait pour mon salut, disait un officier gascon, ce que j'ai fait pour ma fortune, je serais assis en paradis dans un fauteuil de velours cramoisi, qui aurait une crépine d'or de cette hauteur. » En disant cela, il montrait toute la longueur de son bras.

Le Gascon recruteur

Une grande peine pour un officier d'infanterie était autrefois de faire une recrue. Un officier gascon qui était dans cet embarras, disait qu'il ne voudrait être roi qu'un quart d'heure pour pouvoir faire pendant ce temps-là le roi officier d'infanterie, afin que ce prince pût comprendre la peine qu'on a de faire une recrue.

Le comte de Peterborough

Le comte de Peterborough, d'une illustre famille d'Angleterre, se signala à la guerre et dans le parlement. Singulier en tout, et d'un esprit très républicain, il était ennemi déclaré du fameux duc de Marlborough, qui passait pour aimer beaucoup l'argent. Un jour, quelques pauvres demandèrent l'aumône au comte, en l'appelant milord Marlborough. « Je ne suis point milord Marlborough, dit Peterborough avec vivacité ; et pour vous le prouver, je donne à chacun de vous une guinée. »

Les deux soles

Le baron de Plaidenville, quoique Normand, ne voulait avoir que des valets gascons. Il en avait un qui était bon à tout et qui faisait même la cuisine ; il n'avait amené que celui-là à Paris, où il était venu poursuivre un procès. Un samedi qu'il revint fort tard du Palais, il trouva ce valet qui dînait : « Que fais-tu là ? lui dit le baron. — Hé, répond le valet, il est tard, je dînais en vous attendant — À la bonne heure, répliqua le maître ; mais puisqu'il est tard, il est donc temps que je dîne aussi, sers-moi. — Monsieur, reprit le valet, cela est bientôt dit, vous ne savez pas que le chat a mangé votre dîner. — Comment, répliqua le baron, le chat a mangé mon dîner ? — Oui, repartit le valet ; j'avais acheté deux soles, une grande pour vous et une petite pour moi ; ce maudit animal ne s'est point trompé, il a pris la vôtre, et de peur qu'il ne prît aussi la mienne, je la mets à couvert. — Il me semble, reprit le baron, que puisque le chat avait pris l'une, tu pouvais bien me garder l'autre. — Oh ! Monsieur, repartit le valet, je sais mieux vivre que cela ; en fait de dîner, chacun le sien n'est pas trop. Il n'est pas juste qu'un maître bas-normand soit réduit à manger la portion d'un valet gascon. »

M. de Casteras

M. de Casteras écrivit à M. de Louvois : « Vous avez oublié, Monseigneur, que vous avez promis un emploi digne de lui et de moi à un jeune officier qui le mérite : pour vous le persuader, mon sang coule dans ses veines, et pour renfermer tout dans un mot, il est fils de mon frère, et comme moi il s'appelle de Casteras. »

Le cadran solaire

Les magistrats de la ville d'Ar... avaient fait faire à Paris une très belle aiguille supérieurement dorée, pour mettre à un cadran solaire, dont la ville avait été ornée ; mais ayant fait réflexion que la pluie pourrait la gâter, ils ordonnèrent par une délibération prise avec beaucoup de solennité, que l'on élèverait au-dessus de l'aiguille un toit de deux pieds en saillie ; ce qui fut exécuté. Ils ne concevaient pas ensuite pourquoi le cadran n'indiquait plus les heures.

Le guignard

Le guignard, dit-on, est un manger délicieux. On ne trouve cette espèce d'oiseau que dans les environs de Chartres. Deux Gascons, qui aimaient les bons morceaux, se rendirent exprès dans cette ville pour y manger du guignard. Mais ils y arrivèrent lorsque la saison de ces oiseaux était passée ; ils ne purent en trouver qu'un, quelque perquisition qu'ils fissent. Alors l'un d'eux dit : « Il ne faut point le partager, il faut que l'un de nous le mange tout entier ; gardons-le pour demain, celui qui aura fait le plus beau songe mangera seul ce mets friand, sans en faire part à l'autre. » La proposition est acceptée. Nos Gascons après avoir soupé se couchèrent. Le plus gourmand se leva de grand matin, fit rôtir le guignard et le mangea ; il alla ensuite éveiller son camarade, qui, dès qu'il ouvrit les yeux, lui dit : « Le guignard doit être pour moi, car j'ai songé qu'un chœur magnifique d'anges m'enlevait et me conduisait avec pompe dans la gloire ; l'autre interrompit, en lui disant : « Je t'ai vu lorsque tu prenais ton essor vers le ciel, et alors, ai-je dit, il ne se soucie pas du guignard, il aura bien d'autres mets délicieux dans la gloire, et je suis allé dans la cuisine, où j'ai fait mettre le guignard à la broche ; dès qu'il a été rôti, je l'ai mangé en admirant le bonheur suprême dont tu jouissais. »

M. de Chalmazel

Le comte de Talaru de Chalmazel, premier maître d'hôtel de la reine, décoré de l'ordre du Saint-Esprit, était un grand homme, bien sec, bien grave, parlant toujours dogmatiquement, et appuyant sur toutes ses paroles. Il se présente un soir chez le maréchal de Biron où se trouvaient quelques jeunes officiers aux gardes, faisant leur cour à leur colonel. Après les compliments d'usage, il lui dit qu'il était venu pour le prier d'accorder un emploi dans son corps à un jeune homme son parent, ayant assez de fortune pour s'y soutenir, et qui était page de la reine. « M. le comte, répondit le maréchal, dès qu'il a l'honneur d'être votre parent, qu'il est page de la reine, et qu'il a de la fortune, il est bien fait… – Bien fait, M. le Maréchal! interrompit brusquement le comte ; il est fait à peindre. » On juge de l'éclat de rire des jeunes gens à ce quiproquo, et de la peine qu'eut le maréchal à se contenir lui-même.

Le même comte de Chalmazel est rencontré sur l'escalier de Versailles par quelques personnes de sa connaissance, qui lui demandent où il va : « À l'Oeil-de-Bœuf, répond-il. – Il n'y a personne, et nous pouvons vous l'assurer, car nous en sortons. – C'est égal ; j'entendrai toujours ce qu'on y dit. »

Le Gascon et la lettre de change

Un Gascon, qui n'avait pas payé une lettre de change tirée sur lui, disait : « J'ai baissé la tête, j'ai paré le coup. Tirer une lettre de change sur un Gascon, ou lui tirer un coup de fusil, c'est à peu près la même chose. »

Le prix de la douleur

Un mari qui venait de perdre sa femme, et qui avait commandé un enterrement magnifique, disait, par réflexion, au milieu de son chagrin, à l'un de ses amis : « Mais, dites-moi un peu, combien toute cette douleur-là va-t-elle me coûter ? »

La Vestale

Une demoiselle de vingt-cinq ans voulut qu'un peintre la représentât en vestale, et de grandeur naturelle. L'ouvrage étant achevé, la jeune personne trouva que la hauteur de sa taille n'était pas tout à fait rendue ; et comme elle s'en plaignait vivement au peintre, il lui dit : « Excusez-moi, mademoiselle, je vous ai représentée plus petite que vous ne l'êtes en ef-

229 - de Plaisanteries

fet, parce que je n'ai pas cru que, dans le temps où nous sommes, il y eût des vierges aussi grandes que vous. »

L'indiscret

Un prieur des Chartreux étant dans un repas maigre fort splendide, le Frère qui l'accompagnait lui dit : « Mon Père, ne mangez pas d'une telle carpe, j'ai vu dans la cuisine qu'on y avait mis du lard. » Le prieur lui répondit sévèrement : « Qu'alliez-vous faire dans la cuisine, était-ce votre place ? »

La bonne femme

On faisait l'éloge d'une dame qui se faisait un peu trop connaître. « C'est vrai, dit Sophie Arnould. c'est une excellente personne : elle a des préférences pour tout le monde. »

Les imprimeurs & l'armée

Napoléon, disait-on, fait conduire beaucoup d'ouvriers imprimeurs à la grande armée. « Ah! dit une jeune demoiselle, c'est donc pour faire des billets d'enterrement ? »

Le voisinage d'Espagne

Un Espagnol ayant un différend avec M. de Tréville, commandant des mousquetaires, se battit avec lui ; cet officier le désarma, et lui donna la vie. L'Espagnol lui demanda de quel pays il était : « Je suis de Béarn, dit M. de Tréville. – Je ne m'étonne plus, reprit l'Espagnol, si vous êtes si brave, vous êtes de la frontière d'Espagne. »

Le lièvre empaillé

On était réuni à la campagne, on allait partir pour la chasse, on devait faire une halte dans le bois et procéder à un déjeuner copieux. M. Groulard, imbécile de nature et parasite de profession, arrive sans qu'on l'attende et demande à être de la partie ; on accepte, mais on veut le mystifier ; en conséquence, un des chasseurs court à la cuisine, prend une peau de lièvre, la bourre de paille, met ce mannequin dans sa carnassière, et se propose, quand on sera en plaine, de l'exposer à la vue de Groulard, et de le lui faire tirer ; malheureusement, ou heureusement, comme on va le voir, le maître de la maison, qui était bien la meilleure personne du monde, et qui ne voulait pas qu'on s'amusât aux dépens de qui que ce fût, avertit Groulard du tour qu'on se proposait de lui jouer. Mon homme, enchanté de l'avertissement, rit sous cape, et se promet bien de faire retomber la plaisanterie sur ceux qui se proposaient de rire à ses dépens. On part, on entre en chasse (ce sont toujours les maladroits qui voient le plus de gibier) ; on est à peine à trois cents pas de la maison, qu'un lièvre gîté se lève et part sous le nez de Groulard. « Tire donc, Groulard, tire donc, lui crie-t-on de tous côtés. – Pas si bête, dit-il en restant les bras croisés et regardant d'un air malin, pas si bête ! c'est un lièvre empaillé. »

Le Tasse et l'Arioste

Un gentilhomme napolitain soutint quatorze duels pour maintenir que le Tasse valait mieux que l'Arioste. Cet enthousiaste du Tasse étant au lit de la mort, s'écria douloureusement : « Je n'ai pourtant jamais lu ni l'un ni l'autre ! »

L'équivoque

« J'ai connu, disait Voltaire, une estimable dame qui confessait qu'un jour, après avoir crié à l'insolence, il lui était enfin échappé de dire : « Charmant insolent ! »

Faut-il écrire comptant ou content ?

Un libraire venait de payer un ouvrage à un auteur ; celui-ci lui faisait son reçu, et écrivait qu'il avait reçu *content*. Le libraire lui fit observer fort à propos, qu'un auteur devrait savoir l'orthographe, et que *comptant* ne s'écrivait pas ainsi. « C'est, reprit-il, que je suis toujours content quand je reçois de l'argent. »

Le fermier et les oiseaux de basse-cour

Le ministre Calonne avait pour doctrine qu'au roi seul appartenait le droit de fixer l'impôt, et que l'assemblée des Notables n'avait à donner d'avis que sur la manière de le percevoir. On colporta secrètement, à ce sujet, une caricature représentant un fermier au milieu de sa basse-cour. Il s'adressait aux poules, coqs, dindons, canards, rassemblés autour de lui : « Mes bons amis, leur disait-il, je vous ai tous réunis pour savoir à quelle sauce vous voulez que je vous mange. » Un coq répondait en dressant sa crête : « Nous ne voulons pas être mangés. – Vous vous écartez de la question : il ne s'agit pas de savoir si vous voulez qu'on vous mange, mais à quelle sauce vous voulez être mangés. »

Je le croyais hier

Un officier français arrivant à la cour de Vienne, l'impératrice-reine, Marie-Thérèse, lui demanda s'il croyait que, comme on le disait, la princesse de *** fût la plus belle personne du monde. « Madame, lui dit-il, je le croyais encore hier. » On attribue ce joli mot à Maupertuis.

Diderot pris au dépourvu

Diderot avait été appelé en Russie par l'Impératrice. Dans l'un des soupers de l'Ermitage, le philosophe fit une sortie violente contre les flatteurs, qu'il termina en disant qu'il faudrait un enfer exprès pour eux. Catherine interrompit la conversation pour lui demander ce qu'on disait à Paris de la mort du dernier czar (sa victime). Diderot, qui sentit sur-le-champ la perfidie d'une pareille question, balbutia quelques mots de nécessité politique, de raison d'État... « Monsieur Diderot, lui dit froidement l'Impératrice, prenez-y garde ; vous prenez tout au moins le chemin du purgatoire. »

Les tuyaux d'orgues

Un prédicateur, déclamant contre la multitude des plis qui étaient autrefois dans les habits des femmes, les comparait à des tuyaux d'orgues, ajoutant que c'était le diable qui les faisait jouer.

Les férules du duc d'Ossone

Le duc d'Ossone, étant vice-roi de Sicile, défendit le couteau à deux tranchants, le stylet, le pistolet, le poignard, et autres armes courtes. Quatre jeunes gens d'assez bonne famille firent faire des stylets et des pistolets en carton, dont la ressemblance était parfaite, et dont la couleur imitait tellement celle des stylets et des pistolets, qu'on s'y méprenait d'abord ; ils allèrent se promener sous le balcon du vice-roi en étalant ces armes : le vice-roi commanda qu'on les arrêtât et qu'on les lui amenât. Dès qu'ils parurent devant lui, il leur dit : « Comment osez-vous vous moquer si insolemment de mes ordres ? » L'un d'eux lui répondit : « Nous ne nous moquons point des ordres de Votre Excellence ; elle nous a défendu les armes réelles et effectives ; mais non pas la simple figure des armes. » Le vice-roi prit alors ces armes de nouvelle fabrique, il les admira : « Voilà, dit-il, de jolis bijoux d'enfants. » Il fit garder à vue ces jeunes gens, et envoya chercher un maître d'école avec deux bonnes férules, afin que l'une pût suppléer à l'autre en cas de besoin ; il fit tenir ces jeunes gens, chacun à son tour, par deux sbires forts et robustes et ordonna au maître d'école de donner à chacun cinquante coups de férule, ce que celui-ci exécuta pendant que le duc disait : « Frappez ferme et fort. » Il leur fit mettre ensuite dans leurs poches, des biscuits, des confitures sèches, et les congédia en leur disant : « Mes enfants, soyez sages une autre fois. »

Dieu et le Tasse

« N'est-il pas vrai, disait-on à un Italien enthousiaste du Tasse, que si Dieu voulait faire un poème épique, il en composerait un comme la *Jérusalem délivrée* ? – *Se potesse* (s'il le pouvait), *Signor, se potesse*, » répondit cet enthousiaste.

Un cadeau de Louis XIV

Louis XIV disait au comte de Grammont : « Avouez-moi la vérité, vous avez bien quatre-vingts ans. » Le comte se jeta aux genoux du roi et lui baisa les mains en lui disant : • Votre Majesté ne se lasse jamais de me donner. » Comme les courtisans qui l'entendirent voulaient le féliciter, il leur dit : « Le roi vient de me donner deux ans de plus que je n'ai. »

Le valet modeste

Une dame ayant ordonné à son domestique d'aller lui chercher son manteau chez sa couturière, lui recommanda, s'il pleuvait, de prendre un fiacre en revenant, de peur de le mouiller. Le domestique fit ce que sa maîtresse lui avait prescrit ; mais il lui rapporta le manteau tout trempé. « Pourquoi donc n'avoir pas fait ce que je vous avais recommandé ? lui dit la dame en courroux. – Madame, j'ai exécuté vos ordres, j'ai pris une voiture ; mais comme je sais que ce n'est pas à moi à aller en carrosse, je me suis tenu derrière, comme c'est l'usage. »

Manuel et Legendre

Manuel, membre de la Convention, avait des réparties vives et mordantes ; on peut en juger par celle-ci. Le député Legendre, qui avait été boucher, piqué de ce que Manuel venait de combattre avec succès l'une de ses motions, s'écria : « Eh bien ! il faudra décréter que Manuel a de l'esprit ! – Il vaudrait bien mieux décréter, répondit celui-ci, que je suis une bête, parce que Legendre, exerçant sa profession, aurait le droit de me tuer. »

La précaution anticipée

Une nouvelle mariée paraissant rêveuse le jour de ses noces, quelqu'un lui demanda le sujet de ses graves réflexions : « Je cherche, dit-elle, quel serait celui que j'épouserais, si je devenais veuve. »

Le courtisan modèle

Louis XIV, qui avait la faiblesse de ne pas savoir vieillir, s'informait de l'âge d'un ancien officier qui demandait sa retraite. « Quel âge a-t-il donc ? » demanda le roi au maréchal de Villeroy. « Mais, Sire, répondit celui-ci, l'âge de tout le monde, soixante-six ans. » Louis, qui trouva cette réponse toute simple, rit pourtant beaucoup de celle d'un apprenti courtisan, à qui ce prince demandait quand accoucherait sa femme, et qui lui répondit avec un profond salut : « Sire, quand il plaira à Votre Majesté. »

Le cocher de M. de Clermont-Tonnerre

M. de Clermont-Tonnerre, traversant la terre de Pontchartrain en voiture, rencontra sur un pont étroit celle de M. de Pontchartrain. Le postillon de celui-ci ayant nommé son maître afin que l'autre s'arrêtât, le cocher de M. de Clermont répondit brusquement : « Je me moque de ton *pont*, de ton *char* et de ton *train*; je mène le *tonnerre*, il faut que je passe. »

Réponse d'un député

Quelqu'un ayant demandé à un membre de l'Assemblée nationale pourquoi il ne montait jamais à la tribune : « Eh ! dit-il, il y a tant de mes collègues qui parlent, il faut bien qu'il y en ait quelques-uns qui écoutent. »

La sagesse facile

Phéron, roi d'Égypte, étant devenu aveugle, demanda à l'oracle un remède pour le guérir. On lui ordonna l'urine d'une femme fidèle à son mari. Il essaya inutilement de celle de sa femme et de toutes les femmes de son royaume, ce qui l'obligea d'avoir recours aux royaumes voisins ; enfin, après de grandes recherches, il trouva une femme qui le guérit. Il l'épousa, après avoir fait brûler la sienne. Elle ne fut pas chaste dans la suite. Le roi lui demanda un jour comment elle avait été fidèle à son premier mari ? Elle répondit naïvement que personne ne lui avait jamais rien demandé.

Le mouchoir

Un vieux seigneur s'étant trouvé dans une compagnie de très jolies femmes, on leur demanda à laquelle il avait donné le mouchoir. « Il y a longtemps que M. de B... ne se mouche plus » répondit en riant l'une de ces dames.

C'est trop cher

Le docteur Kelly ayant été mandé par un porteur de chaise pour accoucher sa femme, se rendit auprès d'elle et la délivra d'un fort bel enfant. Le porteur lui demanda ce qu'il lui fallait : « Une guinée, reprit le docteur. — Une guinée ! comment ! je suis obligé de mener le plus gros homme qui puisse entrer dans ma chaise, à un mille, pour un shilling[6], et

---

6   Le *shilling* britannique correspondait au sou (origine étymologique commune : le *solidus* romain) français. Comme ce dernier, il correspondait à 1/20ème de *livre* (ou franc, en France). Quant à la *guinée*, elle correspond à

vous me demandez une guinée pour avoir amené de si près un petit mar-mot gros comme le poing ! «

Le vent de S. E.

Un jeune homme, lisant tout haut une gazette devant un cardinal, s'ex-prima ainsi : « La flotte sous les ordres de l'amiral Keppel est partie hier de Torbay avec un bon vent de Son Éminence... » Chacun le regarde ; le lecteur soutient qu'il a bien lu : on vérifie sur la gazette ; il y avait : avec un bon vent de S. E. (sud-est), que le bon jeune homme avait pris pour *Son Éminence.*

L'avertissement

Sur la route d'Orléans, au milieu d'un carrefour où cette route se croise avec celle de Tours, on avait placé, à la fin du XVIII° siècle, un écriteau pour servir de guide aux voyageurs, sur lequel se trouvaient ces mots : *Route d'Orléans, route de Tours ;* et l'on avait ajouté par forme de note : *Ceux qui ne sauront pas lire iront tout droit.*

À tout seigneur tout honneur

Dans une ville du fond de la Bretagne, où l'on avait élevé une statue équestre du roi Louis XIII, le maire, en personne, se chargea de haran-guer la statue, et les échevins haranguèrent le cheval.

L'homme timide

Quelqu'un présenta, il y a peu d'années, dans une bonne maison de Pa-ris, un gentilhomme de province qui avait toutes les qualités requises pour paraître avec distinction dans le monde, mais qui était malheureu-sement d'une extrême timidité. L'introducteur entre le premier, le pro-vincial le suit, et au premier pas qu'il fait dans l'appartement, la timidité le trouble ; l'aspect d'une brillante assemblée le déconcerte, il enfonce maladroitement son pied entre le tapis et le parquet ; il sent un obstacle, il le force pour avancer, emporte le tapis avec lui, renverse tous les sièges qui l'arrêtent, et arrive à la maîtresse de la maison avec le tapis au cou en guise de cravate. En saluant, il glisse et tombe sur elle ; il se relève, fait

1 livre et 1 shilling, soit 21 shillings.

ses excuses. Les laquais réparent au plus tôt le désordre. On lui offre un siège, il se méprend, et s'assied dans un autre sur la guitare de madame, qu'il met en cannelle ; il se relève tout effrayé, se jette dans un autre siège, et écrase la petite chienne. Il tombe en confusion, perd contenance, et ne voit d'autre parti que celui de se sauver sans rien dire. En fuyant avec précipitation, il coudoie le valet de chambre, lui fait tomber des mains le cabaret de chocolat qu'il allait servir à la compagnie, casser toutes les tasses et renverser le chocolat sur les robes de toutes les dames du cercle. L'ami sort après lui, pour tâcher de le ramener, et de raccommoder les choses ; mais son homme avait disparu et court encore.

L'à-peu-près

Un jeune homme avait épousé une femme surannée, qui lui avait fait sa fortune ; il disait à ses amis : « J'ai épousé une femme assez fraîche, qui a de trente à soixante ans. »

La puissance de Dieu

Un homme aveugle se faisait lire la Bible par un de ses gens. Dans un endroit il lut : « *Dieu lui apparut en singe.* – Dis donc en songe, lui dit le vieillard. – En songe ou en singe, je crois que Dieu était bien le maître, répliqua le lecteur. »

L'inconvénient de la musique

Un musicien un peu ivrogne conseillait à un de ses amis d'apprendre la musique. « Ah ! mon ami, répondit l'autre, je ne suis déjà que trop adonné au vin. »

Les gens

Deux hommes se prirent de querelle dans le parterre de l'Opéra : l'un d'eux, qui faisait le seigneur, dit à l'autre que s'il était dehors, il lui ferait donner cent coups de bâton par ses gens ; celui-ci répliqua : « Monsieur, je ne suis pas grand seigneur et n'ai point de gens ; mais si vous voulez prendre la peine de sortir d'ici, j'aurai l'honneur de vous les donner moi-même. »

La statue de la Vérité

Une des plus belles statues du cavalier Bernin est celle de la Vérité.

La reine Christine était enchantée de ce monument ; un jour qu'elle le regardait avec beaucoup d'attention et qu'elle en faisait le plus grand éloge, un cardinal lui dit : « Votre Majesté est la première parmi les têtes couronnées, à qui la vérité ait eu le bonheur de plaire. – Monsieur le cardinal, toutes les vérités ne sont pas de marbre. »

Le réchaud

Une jeune personne répétait une ariette, qu'il fallait chanter très *amoroso* ; son maître de musique lui dit : « Voilà un *ré* qui est trop froid. – Si vous voulez un *ré chaud*, reprit-elle, passez à la cuisine. »

Le pouvoir de l'excommunication

Le comte du Lude était fort tourmenté de la goutte, qui le contraignait à garder la chambre. Deux capucins qui partaient pour Rome vinrent prendre congé de lui et lui demander ses ordres pour cette ville. « Mes pères, leur dit-il, faites-moi l'amitié de prier le pape de m'excommunier, car on dit que les excommuniés courent les champs. »

La harangue du boucher

Louis XIII, passant par une petite ville de Languedoc, jeta le maire et les consuls dans un grand embarras sur la réception qu'ils devaient lui faire. Ils consultèrent un boucher du lieu, qui passait pour un homme d'esprit. Cet artisan, fier de se voir recherché, voulut leur servir d'introducteur auprès du roi. C'est ainsi qu'il débuta en les présentant à ce prince : « Sire, comme je suis boucher de mon métier, voici des bêtes que je vous amène. » Le maire et les consuls firent alors une profonde révérence.

L'explication

Un amant en danger de perdre sa maîtresse, qui était malade, cherchait partout un médecin sur la science duquel il pût se reposer. Il trouva en son chemin un homme possesseur d'un talisman par la vertu duquel on apercevait des êtres que l'œil ne peut voir. Il donne une partie de ce qu'il possède pour avoir ce talisman, et court chez un fameux médecin. Il vit une foule d'âmes à la porte : c'étaient les âmes de ceux qu'il avait tués. Il en voyait plus ou moins à toutes les portes des médecins, ce qui lui ôtait l'envie de s'en servir. On lui en indiqua un dans un quartier éloigné, à la porte duquel il n'aperçoit que deux petites âmes. « Voici enfin un bon médecin, dit-il en lui-même ; je vais aller le trouver. » Le médecin étonné lui demande comment il avait pu le découvrir. « Parbleu ! dit l'amant affligé, votre réputation et votre habileté vous ont fait connaître. – Ma réputation ! ce n'est que depuis huit jours que je suis ici, et je n'ai encore vu que deux malades. »

L'argent bien placé

À la suite d'un différend, M. de S... et le major de B... se donnèrent rendez-vous au bois de Boulogne. Le premier tire et manque : le second, qui se piquait d'adresse au pistolet, ajuste à son tour, vise au cœur, et surpris de ne pas voir tomber son homme, lui dit avec humeur : « Monsieur n'est pas mort ? – Non, Monsieur. – Cela est singulier ; quand je tire sur quelqu'un, ordinairement je le tue. » Pendant ce dialogue, le major, qui s'était insensiblement approché, aperçut, sur le gilet de son adversaire, la marque de la balle, qui paraissait avoir glissé, et il découvrit que le coup avait porté sur deux ou trois pièces de cinq francs qui se trouvaient dans la poche de son gilet « Parbleu, Monsieur, lui dit-il, vous aviez là de l'argent bien placé ! »

L'âge d'une femme

Une coquette, déjà sur le retour, dit à une dame de ses amies qui lui demandait son âge : « Donnez-moi l'âge que vous voudrez ; j'en conviendrai, pourvu que vous ne me donniez pas plus de trente ans. »

L'utilité des machines à vapeur

Un bon bourgeois du Marais, auquel personne ne connaissait d'entreprises industrielles d'aucun genre, se réjouissait outre mesure, il y a quelques années, des progrès que faisait de toutes parts l'usage des machines à vapeur. « En quoi cela vous intéresse-t-il donc si vivement ? lui demandait un de ses amis. – En quoi! répondit-il vivement; il y a dix ans, mon cher, que les vapeurs de ma femme me font tourner la tête; je suis sûr maintenant qu'on va les utiliser, et alors j'en serai tout à fait débarrassé, ce qui sera un grand soulagement pour moi. »

La carte de visite

Une jeune femme d'un esprit assez vif et d'un naturel un peu trop libre peut-être, faisait ses visites du premier jour de l'an. Elle arrive chez une amie qu'elle trouve dans une toilette très élégante, mais plus gracieuse que bien entendue; car la robe, un peu plus ouverte qu'elle n'aurait dû l'être, indiquait plutôt la disette que l'abondance. La nouvelle venue, tout en faisant ses compliments les plus affectueux, lance une carte de visite dans le fichu de son amie. « Que fais-tu donc là, lui dit la maîtresse de la maison toute surprise. – Ma chère amie, lui répondit l'espiègle à mi-voix, aujourd'hui, partout où je ne trouve personne, je laisse ma carte de visite. » L'amie rougit un peu, ne se fâcha pas; mais elle eut soin de fermer sa robe.

La barbe

Une jeune personne exigea d'un officier, son amant, qui partait pour la guerre, qu'il ne se fît point raser de toute la campagne. L'amant promit et tint loyalement sa parole. Quand il revint, il était pourvu d'une barbe tout à fait propre à faire honneur à un sapeur; mais il trouva sa maîtresse infidèle.

La mémoire modeste

Une grande dame qui avait été blanchisseuse, étant devenue l'épouse d'un homme qui l'avait mise à la tête d'une grande fortune, et se trouvant un jour obsédée des adulations d'un personnage qui la traitait comme une femme de la plus haute condition, lui dit moitié en riant, moitié d'un air sérieux : « Monsieur, vous me devez deux écus pour un blanchissage que je vous ai fait autrefois. – Je m'en souvenais bien, Madame, répondit le flatteur déconcerté, mais je n'osais pas vous payer. » Il n'y a que bien peu de personnes, hommes ou femmes, dans le monde, qui eussent le courage ou l'esprit d'avoir une si bonne mémoire.

La serviette blessée

Un barbier qui nous écorche ne veut pas convenir qu'il ait la main pesante ! Il rejette la faute sur le rasoir ou sur l'imagination de celui qu'il rase. Mon barbier m'ayant coupé, la douleur m'avertit sur-le-champ de sa maladresse. Je m'en plaignis avec douceur. « Monsieur se trompe, me répondit-il avec un parfait aplomb. » Je portai ma serviette au visage, et je la lui fis voir tachée de sang ; « vous voyez, lui dis-je avec le même calme. – Oh ! Monsieur se trompe, répliqua-t-il aussi avec la même assurance ; c'est la serviette qui saigne. »

Barbin

Le libraire Barbin avait une belle femme fort appétissante, dont la coquetterie réunissait autour d'elle de nombreux adorateurs. Elle mit au monde un beau garçon qui ressemblait au marquis de B... comme un portrait fait par un habile homme ressemble à son original, et tout le monde regardait cette ressemblance comme une preuve décisive de la paternité du marquis. Barbin fut, comme il arrive presque toujours, le seul qui ne voulut pas se rendre à ce qui était l'évidence pour le public : un poète fit à ce sujet les deux vers suivants :

> O trop heureux Barbin, ce n'est pas d'aujourd'hui
> Qu'on te voit mettre au jour les ouvrages d'autrui.

Le respect filial

Madame de..., vieille et laide, était en loge à l'Opéra, coiffée comme aurait pu l'être une jeune et jolie femme. Un étranger qui était au parterre riait beaucoup de cette singulière figure : « Avouez, Monsieur, dit-il à son voisin, que cette vieille femme est bien ridicule avec cette coiffure qui lui sied si mal. – Je penserais comme vous là-dessus, Monsieur, répondit le voisin, si cette vieille femme n'était pas ma mère. »

La dissimulation involontaire

On a dit d'une manière fort heureuse, en parlant d'un homme qui ne savait jamais s'exprimer d'une manière claire : « qu'il semblait n'employer ses paroles que pour cacher ses pensées. »

Ce mot, qui date du XVIII° siècle, n'est autre chose, sauf une légère modification, que l'aphorisme attribué malicieusement à M. de Talley-rand : « La parole a été donnée à l'homme pour dissimuler sa pensée. »

Celui qui a inventé cet aphorisme n'a pas dû faire à cet égard de grands frais d'esprit ou d'imagination, puisqu'il le trouvait presque tout fait dans un livre imprimé en 1725. Voilà comme avec un peu de lecture, il est facile de se convaincre que la plupart de nos nouveautés ne sont que des vieilleries.

La mère et le fils

Un prince disait à sa mère qui lui demandait une injustice : « Vous me vendez bien cher les neuf mois que vous m'avez porté. »

Le crédit fait aux gens d'esprit

Un homme d'esprit, dans une conversation avec sa maîtresse, ne lui di-sait que des choses très communes. On s'étonnait qu'il ne se montrât pas plus ingénieux, et que sa maîtresse parût pourtant l'écouter avec autant de plaisir que d'intérêt. « Ne vous scandalisez pas trop de cela, Mes-sieurs, dit la jeune femme, on fait aisément crédit de l'esprit à un homme dont on tient le cœur. »

Le cousin de la sainte Vierge

On sait que la famille de Levis prétend descendre de la sainte Vierge. Un capucin, qui prêchait un jour devant le duc de Lévis-Ventadour, ter-mina ainsi l'exorde de son sermon : « Je croirais, Monseigneur, manquer à mon devoir et rendre mes exhortations impuissantes, si je n'invoquais avant tout, madame votre cousine, en lui disant ; *Ave Maria.* »

L'incendie et le déluge

L'auteur de plusieurs pantomimes disait à une personne qui le félicitait sur leur succès : « Monsieur, vous n'avez encore rien vu ; j'ai dans mes poches le programme de deux nouvelles pantomimes que je ferai jouer le même jour. Je suis sûr que le public en sera satisfait, attendu qu'il n'en a pas encore vu de ce genre : la première est l'*Embrasement de Troie.* – Ah ciel ! dit la personne, quel spectacle ! Mais vous courez les risques d'in-cendier la salle ! – Ne craignez rien, répliqua l'auteur, j'ai prévu cet acci-

242 - Des milliers

dent ; car la seconde pantomime, que j'ai toute prête, c'est le *Déluge universel.* »

Le secret de paraître belle

Une très jolie personne se trouvant un jour dans un grand cercle où était Fontenelle, cherchait à fixer exclusivement l'attention sur elle par beaucoup de minauderies. Quelqu'un s'approchant du philosophe, lui dit : « Convenez qu'on ne peut pas être plus belle. – J'en conviens, répondit Fontenelle ; mais elle le serait encore plus si elle le savait moins. »

Le maître et la maîtresse

Un savetier battait sa femme ; les voisins lui en demandèrent la raison : « Elle ne veut pas être la maîtresse, leur répondit-il. – Voilà qui est bien extraordinaire, dirent les spectateurs. — Elle veut être le maître, ajouta le savetier ; et c'est ce que je n'entends pas. »

Le hasard des gens d'esprit

Dans une société où se trouvait Fontenelle, un homme fit coup sur coup plusieurs reparties fort heureuses, ce qui amena la conversation sur les saillies. Quelqu'un voulut les comparer à des bonnes fortunes. « Cela est vrai, dit Fontenelle, mais les bonnes fortunes de ce genre n'arrivent jamais qu'aux gens d'esprit. »

Le quatorze de dames

M. de la Mothe, évêque d'Amiens, ayant à dîner quatre dames de la cour, fut embarrassé pour les placer convenablement, sans que la vanité d'aucune en fût blessée. Il prit son parti sur-le-champ, et un bon mot le tira d'affaire : « Mesdames, leur dit-il, quand j'ai un *quatorze de dames*, je ne puis me résoudre à en *écarter* aucune. Voyez vous-mêmes à vous placer. » Cette plaisanterie réussit, et les dames se placèrent sans cérémonie.

L'écurie

M. le chancelier de Lamoignon reprochait vivement au Capitoul de

Toulouse, l'animosité que lui et ses collègues avaient mise à poursuivre la malheureuse famille des Calas. « Monseigneur, dit le capitoul, il n'y a si bon cheval qui ne bronche. — Cela est vrai, reprit le magistrat : mais toute une écurie ! »

La mémoire en défaut

Un célèbre magistrat, fort âgé, ayant manqué de mémoire dans un discours qu'il prononçait en audience solennelle, dit sur-le-champ et sans se déconcerter à ses collègues : « Messieurs, ma mémoire est une ancienne domestique qui se lasse de me servir ; mais si elle me rend un mauvais office, elle vous en rend un bon, en vous épargnant la peine de m'entendre. »

Le miracle du prédicateur

Une mère extasiée du premier sermon que son fils venait de prononcer, demanda à un autre de ses fils ce qu'il en pensait. Celui-ci, feignant de partager l'enthousiasme de sa mère, répondit « que son frère ferait un jour bien des miracles, puisqu'il en avait déjà fait un dès son premier sermon. — Quel miracle a-t-il donc fait ? » demanda la mère, qui croyait qu'il n'était question de rien moins que de la conversion du plus grand de tous les pécheurs. « Ah ! ma mère, dit le fils, mon frère m'a bien fait suer, quoiqu'en hiver et sans feu. »

Un petit-fils de roi

Un jeune prince, âgé de dix ans, petit-fils du roi Louis XIV, paria avec ses deux frères, qui étaient ses aînés, qu'il entrerait dans l'appartement de son aïeul le chapeau sur la tête, le matin à son lever. Ils l'accompagnèrent pour être témoins de ce qu'il ferait, et ils s'attendaient à gagner la gageure. Mais le petit espiègle entra fièrement le chapeau sur la tête, en disant : « Tiens, grand papa, n est-il pas vrai que je te ressemble avec le chapeau sur la tête ? » Tous les courtisans d'affirmer à l'envi que l'enfant était ainsi le vrai portrait du roi. Celui-ci, enchanté de la gentillesse de l'enfant, l'embrassa ; et le petit rusé, se tournant aussitôt du côté de ses frères, leur dit en sautant : « J'ai gagné. » Le roi s'étant fait raconter ce qui avait donné lieu à cette plaisanterie, en rit de tout son cœur.

La garantie

La laideur fait présumer la vertu dans une fille. Ainsi Arlequin affirmait-il d'après ce principe qu'une certaine fille, dont il était question devant lui, devait être un modèle de sagesse et de vertu. « J'en jurerais, ajoutait-il, non pas sur sa parole mais sur sa figure. »

Les Écossais ont un proverbe qui dit en d'autres termes la même chose qu'Arlequin : « Une forteresse qu'on n'attaque pas n'a pas besoin de se défendre, et ne court pas le risque d'être prise. »

Le proverbe en défaut

Un acteur du nom de Morisot, excellent pour les caricatures et très bon musicien dans son temps, mais qui se trouvait mieux au cabaret que partout ailleurs, n'ayant pu rentrer chez lui par suite de trop copieuses libations, fut rencontré ce jour-là, vers les cinq heures du matin, par un de ses amis, qui, le voyant fort en colère, lui en demanda la raison. « Mon cher ami, lui dit Morisot, tu me vois en ce moment-ci furieux contre un proverbe. – Comment ! contre un proverbe ? répliqua celui-ci. – Oui, tu connais celui qui dit : *Comme on fait son lit, on se couche.* Eh bien ! j'avais très bien fait mon lit hier, et je n'en ai pas moins été obligé de coucher cette nuit dans la rue. Vois si je n'ai pas mille fois sujet d'être furieux. »

La définition du génie

On demandait un jour à un homme d'esprit de définir le génie. « Si vous en aviez, répondit-il au questionneur, vous ne me feriez pas une pareille question ; si vous n'en avez pas, vous ne parviendriez jamais à comprendre ma définition. Vous voyez bien que je ne saurais vous satisfaire. »

Sterne et Garrick

Sterne, l'auteur du *Voyage sentimental*, traitait fort mal sa femme. Il était de cette classe d'hommes, trop communs en tout temps, qui affectent la morale et la sensibilité dans leurs écrits, pour n'en faire aucun usage dans leur conduite. Il dînait un jour avec l'acteur Garrick, et la conversation tomba sur les devoirs respectifs des deux époux dans le mariage. Sterne s'étendait avec complaisance sur les charmes d'une union fondée sur une tendresse et des égards réciproques, et termina sa tirade oratoire par cette sentence : « Un mari qui traite mal sa femme mérite d'avoir sa maison brûlée avec lui dedans. – La vôtre est-elle assurée ? » lui demanda le spirituel comédien.

La physionomie

Bien des gens n'ont que la façade, ainsi que les maisons que, faute de fonds, on n'a pu achever de bâtir. L'entrée est un palais, et le logement une baraque.

Le dictionnaire de Johnson

Une belle dame faisait un jour compliment au docteur Johnson, auteur d'un excellent dictionnaire anglais, du soin édifiant qu'il avait mis à n'admettre dans son livre aucun mot qu'on pût taxer d'indécence. « Vous les avez donc cherchés, Madame. » lui répondit brusquement le docteur peu galant[7].

Torstenson et Gustave-Adolphe

Le suédois Torstenson, un des grands capitaines de l'Europe, était page de Gustave-Adolphe en 1624. Le roi, près d'attaquer un corps de Lituaniens en Livonie, et n'ayant point d'adjudant auprès de lui, envoya Torstenson porter ses ordres à un officier général, pour profiter d'un mouvement qu'il vit faire aux ennemis. Torstenson part et revient ; cependant les ennemis avaient changé leur marche. Le roi était désespéré de l'ordre qu'il avait donné.

« Sire, dit Torstenson, daignez me pardonner ; voyant les ennemis faire un mouvement contraire, j'ai donné un ordre contraire. » Gustave-Adolphe ne dit mot ; mais le soir, ce page servant à table, il le fit souper à côté de lui, lui donna une enseigne aux gardes, quinze jours après une compagnie, ensuite un régiment.

---

7   La même anecdote court au sujet du lexicographe Pierre Boiste (1765-1824).

Un conseil de Mme de Sévigné

Une jeune femme d'un esprit médiocre et d'un bavardage insuppor-table, se plaignait un jour à de Sévigné de l'importunité d'une foule de galants qui l'assiégeaient et dont elle ne savait comment se débarrasser. « Cela me paraît pourtant bien facile, Madame, lui répondit celle-ci, vous n'avez qu'à parler[8]. »

Conditions de l'amitié

On dit qu'il faut avoir trois choses ouvertes pour son ami : La bourse, le visage et le cœur.

La réplique

Une bourgeoise assez vaine et fort laide, qui avait quelque démêlé avec une fille de condition aussi aimable que jolie, lui dit avec dépit et impa-tience : «Vous faites, ma foi! une jolie demoiselle. – Pour vous, lui ré-pondit l'autre sur-le-champ, vous n'êtes ni jolie, ni demoiselle. »

L'homme sans façon

M. Baillon, fils d'un riche armateur de Saint-Malo, ayant entrepris la carrière de la magistrature, était parvenu, non par ses talents, qui n'a-vaient rien de bien saillant, mais par sa probité et une assiduité cons-tante au travail, à la place éminente de conseiller d'État. Son éducation avait été tellement négligée, qu'il n'avait aucune espèce d'usage du monde, et qu'il n'était remarqué dans les sociétés que par les ridicules qu'il s'y donnait. Ayant été nommé intendant à Lyon, le prévôt des mar-chands, commandant de la ville, vint, selon l'étiquette prescrite, le com-plimenter à la tête du corps de ville, et en grande cérémonie. Il écoutait fort gravement, debout, et le dos appuyé contre sa cheminée, lorsque, s'apercevant que son feu n'allait pas bien, il se retourne brusquement, et se met à le souffler. On se tait, et l'intendant, sans se déranger, dit : «Parlez toujours, vous autres, je vous entends. » On pense bien que le harangueur ne fut pas tenté de continuer.

Ayant chez lui une nombreuse société des femmes les plus aimables et les plus distinguées de la ville, il tire le cordon de sa sonnette ; un valet

---

8   Le trait est également attribué à Sophie Arnould.

de chambre parait : « Apportez du bois, lui dit-il ; le feu fait compagnie, Mesdames. » Comme, dans cette même soirée, il bâillait beaucoup, quelqu'un lui demanda s'il était incommodé. « Oh ! non, répondit-il naïvement, je ne bâille que quand je m'ennuie. »

Une dame de Saint-Chamond, petite ville de sa généralité, qui avait quelque intérêt à se ménager la faveur de l'intendant, avait grand soin de lui envoyer en cadeau de superbes dindes de ce pays-là, où elles sont estimées pour leur grosseur et la délicatesse de leur chair. Il y avait quelque temps qu'elle n'avait fait de présents de ce genre, lorsque invitée à dîner chez lui, elle en vit servir une énorme sur la table. Elle crut devoir en faire compliment. « Monsieur l'intendant, vous avez là une bien belle dinde. – Ah ! Madame, répliqua-t-il bonnement, c'est vous qui êtes la reine des dindes. »

Faisant sa tournée dans son département, il se trouva, à Villefranche, à un grand dîner avec une jeune femme et son mari, connus l'un et l'autre pour être très bons musiciens. On les engage à chanter ; ils ne se font pas prier, et commencent ensemble le duo, alors fort en vogue, d'*Annette et Lubin* : *Monseigneur, voyez nos larmes*, etc. L'intendant qui, le matin, avait reçu du mari une requête pour la diminution de ses impositions, ne doute pas que la chanson ne s'adresse à lui, qu'elle n'ait été faite exprès, et à chaque répétition du mot *Monseigneur*, fait une inclination. La femme, assez espiègle, s'aperçoit de la bévue, et ne manque pas, chaque fois qu'elle répète *Monseigneur*, de se tourner d'un air suppliant du côté du magistrat, qui, se trouvant très flatté de cette attention, lui promit d'avoir le plus grand égard à sa demande.

M. Baillon racontait souvent que, dans sa jeunesse, s'étant fait dire sa bonne aventure par une Bohémienne, elle lui avait surtout conseillé de prendre garde à l'échafaud, qui lui serait funeste. Son état et sa conduite le mettaient certainement à l'abri de toute crainte à cet égard. Cependant le triste horoscope s'est malheureusement accompli, quoique d'une manière bien différente du sens que l'on attribue à ce mot pris en mauvaise part. Étant à Paris, et se faisant bâtir un hôtel, il voulut voir par luimême si les ouvriers exécutaient bien ses ordres. Monté sur un échafaud(age) mal construit, qui cassa sous lui, il tomba de trente pieds de hauteur, et resta mort sur le coup.

Le courtisan adroit

Les évêques de Winchester et de Durham, Andrews et Neale, étaient un jour au dîner du roi Jacques Ier. «Milords, leur dit-il, ne puis-je pas prendre l'argent de mes sujets, quand j'en ai besoin, sans toutes ces formalités de Parlement?» L'évêque de Durham, Neale, répondit sur-le-champ: «À Dieu ne plaise, Sire, que vous n'ayez point ce droit-là, c'est par lui que nous vivons!» Le roi s'adressant ensuite à l'évêque de Winchester: «Et vous, Milord, qu'en pensez-vous?—Sire, je n'entends point les affaires du Parlement. — Point de subterfuges, milord; une réponse directe. — Eh bien, Sire, j'imagine qu'il est permis à V. M. de prendre l'argent de mon frère Neale, car il vous l'offre.»

La présence d'esprit

Le comte de Voisenon, capitaine aux gardes-françaises, homme très riche et tenant une fort bonne maison, cherchait à y attirer des gens aimables, pour dissiper les ennuis que lui donnait fréquemment sa femme, aussi connue par ses caprices que par son esprit. Ayant trouvé dans plusieurs sociétés l'abbé de la Féronays, il l'engagea à venir chez lui. Celui-ci, acceptant l'invitation, répondit qu'il aurait l'honneur auparavant de rendre ses devoirs à madame la comtesse, et le pria de vouloir bien l'en prévenir. Il se présenta en effet le lendemain chez elle, se fit annoncer, et la trouva seule, un livre à la main. Il lui adressa les compliments d'usage en pareille circonstance: mais sans paraître l'écouter, sans se déranger, elle détourne nonchalamment les yeux sur l'abbé, le toise du haut en bas, et se remet à lire. L'abbé croit alors n'avoir pas été entendu, se nomme et recommence son compliment; mais il est accueilli de même. Alors il avance un grand fauteuil près du feu, s'y étend, tire son bréviaire de sa poche, fait semblant de marmotter quelques prières, fait le signe de la croix, se lève et s'en va, sans avoir l'air de regarder la maîtresse de la maison. La comtesse de Voisenon, qui ne faisait cas que des gens qu'autant qu'elle ne pouvait les déconcerter par ses impertinences, et qu'ils y répondaient avec esprit, trouva la conduite de l'abbé plaisante, se garda bien de raconter cette petite scène à son mari, lui dit, au contraire, qu'elle avait vu son ami, qu'elle l'avait trouvé extrêmement aimable, et le pria de l'engager à la venir voir souvent. Mais l'abbé ne fut point tenté de se rendre aux instances que lui fit à cet égard le comte de Voisenon, dont la bonhomie aimable contrastait parfaitement avec l'humeur capricieuse de sa femme.

Un trait de patience

Un Américain a pris la peine d'employer trois ans de suite, à huit heures de travail par jour, pour connaître exactement le nombre des versets, des mots et des lettres employés dans la Bible. Il a trouvé qu'elle contenait 51,173 versets, 773,692 mots, et 3,566,480 lettres Le nom de Jéhovah se trouve dans la Bible 6,855 fois, et la conjonction *et* 46,227 fois. Le chapitre qui forme le milieu de la Bible est le 117ème psaume.

Les verges

Dans une petite ville, un financier petit-maître fit à son gré, dans une compagnie, l'histoire des jolies femmes du lieu : les dévotes étaient, selon lui, en commerce amoureux avec leurs directeurs. Il citait des particularités de leurs rendez-vous, des scènes mystérieuses ; on aurait dit qu'il s'était caché exprès pour en être le témoin. À l'égard des femmes du monde, il les dépeignait toutes comme étant libérales de leurs faveurs : les unes étaient plus chères, les autres l'étaient moins. En les taxant ainsi, il les nommait. La compagnie fut scandalisée, on l'entreprit ; il soutint toujours sa thèse et ne se déconcerta point : « Messieurs, dit-il, je sais ce que je sais ; quand on a vu les dames d'un peu près, on peut en parler savamment. » Les propos de ce petit-maître furent bientôt répandus partout ; plusieurs dames méprisèrent ses discours ; il y en eut une pourtant qui résolut de se venger. C'était une des plus jolies femmes de la ville et sa conquête pouvait tenter. Elle écrivit au financier en ces termes :

« Quand on vous compare, Monsieur, aux autres hommes, on en perd absolument le goût pour ne s'attacher qu'à vous. Ils doivent bien vous haïr, car vous les enlaidissez furieusement. Pourra-t-on ce soir vous posséder ? Mon mari est parti pour la campagne ; il m'a laissée maîtresse de moi-même. Je vous attends à souper : venez, et gardez-vous bien de vous défaire de ces manières qui vous rendent le plus aimable homme du monde. »

Le mari de la dame était effectivement absent ; elle ne lui avait point communiqué son dessein. Le financier eut à peine reçu la lettre qu'il la fit voir à tous ses amis ; bientôt tout le monde sut qu'il avait un rendez-vous avec la dame. Il vint à l'heure qu'on lui avait assignée. La dame se mit à table tête-à-tête avec lui. La conversation ne roula pendant le repas que sur le mérite du petit-maître, que la dame éleva le plus haut qu'elle put. Après le souper, les domestiques s'étant retirés, la dame se mit en déshabillé, et donna au galant la robe de chambre de son mari. Il se repaissait des plus agréables idées. Un des plus grands plaisirs dont il se flattait était celui de répandre son bonheur parmi ses amis. La dame, après avoir causé quelque temps avec lui, en lui donnant toujours une espèce d'avant-goût, sans qu'elle lui permît néanmoins aucune liberté, l'envoya se déshabiller dans un petit cabinet, et lui fit signe qu'elle l'allait attendre dans son lit. À peine gagna-t-il la ruelle du lit de la dame, qu'une autre scène commença. À un signal donné, un officier entra avec un laquais des plus vigoureux : « Madame, dit-il, voilà donc l'indigne rival que vous me préférez ? Je traiterai votre amant comme il le mérite. » On s'empare du financier tout transi de frayeur ; on lui met un bâillon ; on l'étend sur une grande table de marbre, et, pendant qu'on le tenait ainsi, le laquais robuste lui rafraîchit cruellement la mémoire du supplice qu'il avait souffert en classe et laboura avec vigueur le champ qui avait été travaillé autrefois par l'exécuteur de la justice du collège. Pendant ce temps-là, la dame disait d'un ton railleur à l'officier : « Monsieur, n'épargnez pas, je vous prie, mon amoureux. » On le mit ensuite à la rue, en lui disant : « Apprenez à respecter les dames ; si vous profitez de la leçon, vous l'aurez achetée à bon marché. » On lui jeta ses habits par la fenêtre. Dans son infortune, il ne trouva que des railleurs, même dans ses juges, lorsqu'il voulut implorer leur secours. Ils lui dirent que dans cette occasion la dame avait pu emprunter les verges de la justice pour venger son injure.

L'aloyau

Au printemps de 1827, deux jeunes gens d'une ville de Languedoc s'aimaient tendrement ; mais l'éternel ennemi des amours, l'argent, s'opposait à leur bonheur. Le père de mademoiselle Victorine la refusait au jeune Paul, dont la tendresse était le principal bien. Désespérant de le fléchir, les deux amants, qui n'étaient pas d'humeur à attendre, résolurent de s'enfuir. Mais la demoiselle n'a pas dix-sept ans ; et pour éviter une accusation de rapt, Paul s'arrange avec des témoins, qu'il a postés à l'heure et au lieu convenus.

Cependant, malgré toute sa bonne volonté, la jeune personne ne peut s'enfuir à l'heure promise ; les témoins s'impatientent et s'en vont. Quand nos amants arrivent tout haletants, ils trouvent le rendez-vous désert. Comment faire ? M. Paul conduit sa bien-aimée dans une ferme à quelque distance, puis court se mettre en quête de nouveaux témoins.

Il faisait à peine jour quand l'amoureux arriva près des faubourgs de la ville. Par bonheur, un individu s'approche ; Paul s'avance vers lui : « Monsieur, lui dit-il, aimez-vous les aloyaux à la sauce piquante ? — Oui, Monsieur, répond le personnage, très étonné de la question. – Voulez-vous en venir manger avec moi ? – Je ne vous connais pas. – Nous ferons connaissance. — Vous payerez – Bien entendu, et je vous en serai on ne peut plus obligé. – Allons, ma foi, répond l'inconnu en riant, je consens à vous rendre ce service. – Donnez-moi votre nom et votre adresse, s'il vous plaît. »

Les deux nouveaux amis cheminaient gaiement, lorsque Paul aperçoit un homme à quelques pas : « Vous serait-il désagréable, lui dit-il, que ce monsieur qui vient à nous mangeât sa part de l'aloyau ? – Nullement, pourvu que cela ne rogne pas trop la mienne. – Ne craignez rien. – Mais enfin, dans quel but ?...— Vous le saurez bientôt » interrompt Paul, qui se hâte d'aller faire au nouveau venu sa proposition d'aloyau. La partie est encore acceptée. Tout en causant et en riant, on approche de la ferme : nos deux inconnus voient avec surprise une jeune personne venir à eux, se jeter au cou de leur conducteur, et leur étonnement devient de la stupéfaction, quand les jeunes gens s'écrient : « Messieurs, soyez témoins que nous nous enlevons. » Ils se nomment, et montent dans une voiture qui part au galop. « Et l'aloyau, l'aloyau ? s'écrient-ils. – Nous le mangerons à la noce », répondent les amants, en se montrant à la portière. Le couple fugitif, bientôt de retour, a tenu plus que sa parole ; car l'aloyau a été arrosé de bon vin.

Le *Courrier des Tribunaux* a enregistré, en 1846, cette plaisante histoire.

L'homme propose

« Me voilà donc propriétaire de ma ferme, qui vaut bien 500 livres sterling de rente, disait le vieux et dur Grégoire, ancien fermier du comte de Derby, en montant une colline qui faisait partie de sa nouvelle acquisition ; me voilà propriétaire d'un bien de 500 £ de rente, et je ne suis que dans ma soixantième année, jouissant, Dieu merci, d'une bonne santé et d'une constitution robuste. Je puis donc boire et manger à ma volonté ; je puis braver à mon aise tous ces lords si insolents et si durs envers nous autres ; je puis me venger de tous ces villageois qui ne m'ôtaient pas leur chapeau, et qui continuent de m'appeler grossièrement maître Grégoire ! Je vais passer joyeusement le reste de ma vie.

« Me voilà propriétaire d'une belle terre et d'une belle maison, continua-t-il, en arrivant au sommet de la colline, d'où il découvrait toute l'étendue de ses domaines. Ici je planterai un verger ; là j'aurai une pépinière ; plus loin, mes nombreux troupeaux disputeront le prix de l'embonpoint avec ceux du duc de Bedford ; plus près, je bâtirai une maison d'été, où je rassemblerai les personnes distinguées du pays, afin que leur conversation enjouée puisse me distraire et me divertir. J'aurai un intendant. – Et quels seront les avantages de vos fermiers ? — Demandez à mon intendant, ce sont ses affaires, répondait le vieux Grégoire.

« Ce petit bras de rivière qui fait aller le moulin, je veux le détourner et le faire entrer dans mon parc. — Et qui moudra le grain du village, si, faute d'eau, le moulin s'arrête ? – Demandez à mon intendant, répondait le vieux Grégoire ; ce ne sont pas mes affaires. Le presbytère gêne ma vue : je forcerai le ministre à m'en céder le terrain ; ferai creuser un bassin dont les eaux jailliront dans les airs et animeront cette perspective... — Et qui fera le service de la paroisse, si vous en chassez le ministre ? – Demandez à mon intendant, ce ne sont pas mes affaires,» répondait toujours le vieux Grégoire.

En s'entretenant ainsi tout seul, le vieux Grégoire retourne à sa maison, mange gaillardement un morceau de roast-beef, boit une bouteille d'Oporto, fume deux pipes de tabac, et s'endort d'un sommeil si profond, qu'il ne se réveilla plus. Le ministre resta dans son presbytère, le moulin continua de moudre le grain du village, les fermiers ne furent point vexés, et les paysans, en se réjouissant de la mort du vieux Grégoire, disaient : *L'homme propose, et Dieu dispose.*

Les sauts périlleux

Un vice-roi de Naples se promenant dans les rues de cette ville, rencontra une infinité de mendiants qui prétendaient avoir été estropiés au service du roi, et qui l'importunaient de leurs demandes. De retour dans son palais, il s'en plaignit à quelques-uns de ses officiers, qui ne lui cachèrent point que le nombre en était encore plus considérable qu'il ne pensait. Le vice-roi, persuadé que la plupart de ces mendiants étaient des fourbes que la fainéantise engageait à faire ce métier, résolut de les punir d'une façon exemplaire; mais craignant de confondre le coupable avec l'innocent, il eut recours à un expédient assez singulier.

Il fit publier un édit par lequel il annonça qu'ayant reçu du roi son maître l'ordre de récompenser les soldats estropiés au service, tous ceux qui se trouvaient dans ce cas étaient invités à se rendre dans la grande place de Naples, pour y recevoir la récompense qui leur était destinée. La foule des estropiés fut prodigieuse, ainsi qu'on peut le croire. Le vice-roi ne les fit point attendre, et s'étant placé dans un endroit d'où il pouvait facilement être entendu de tous, il leur adressa le discours suivant :

« Les fonds que j'ai reçus ne sont pas suffisants pour satisfaire aux besoins de tant de monde. Il y a peu d'apparence qu'une seule ville renferme tant de gens estropiés au service du roi, dont l'intention n'est pas d'ailleurs d'étendre ses libéralités sur ceux que la maladie ou quelque autre accident ont privés de leurs membres. Comme on doit croire que ceux qui ont été maltraités dans des occasions honorables, quoiqu'ils manquent de force, ne manqueront point de courage, voici le moyen dont je vais me servir pour les distinguer. »

En même temps il fit tendre au milieu de la place une corde assez élevée, et proposa de la franchir à ceux qui prétendaient avoir mérité les récompenses du prince. « Je tiendrai, dit-il, pour lâches et pour indignes des bienfaits du roi, mon maître, tous ceux qui refuseront ce parti. »

De tous ces estropiés, il n'y en avait pas le tiers qui le fussent véritablement; l'espoir du gain avait engagé à cette feinte un grand nombre de fainéants qui, n'ayant aucune incommodité, sautèrent lestement par-dessus la corde. Le vice-roi les comblait de louanges, faisait écrire leurs noms, et ensuite on les mettait à part. Tous ceux qui, malgré leurs efforts, ne pouvaient sauter, passaient d'un autre côté, accablés de mépris et de railleries.

Mais à la fin des épreuves on vit un changement de scène fort inattendu : les sauteurs furent condamnés aux galères, et ceux qui n'avaient pu franchir la corde furent récompensés, et reçurent chacun deux pistoles.

Un nouvel Hercule, Barsabas

L'histoire sacrée, l'histoire profane, l'histoire même de notre temps, nous montrent des hommes qui ont été des prodiges de force. Samson, Hercule, Milon de Crotone, un Boufflers, dont descendait le maréchal de Boufflers, Barsabas ; quels robustes personnages !

Ce dernier commença à faire connaître sa force extraordinaire en Flandre, dans un chemin où le carrosse du Roi était embourbé. Tous les bœufs et les chevaux qu'on avait attelés n'avaient fait que des efforts inutiles ; le moyeu d'une roue était enseveli entièrement. Barsabas, qui était pour lors garde du roi, offrit de dégager le carrosse ; il souleva la roue, et fit signe au cocher, aux postillons qui fouettèrent les chevaux, piquèrent les bœufs, et le carrosse alla à souhait. Le roi lui donna une pension ; il fit son chemin, il devint major de Valenciennes.

Un Gascon lui ayant fait un défi de se battre : « Je le veux bien, dit Barsabas, en lui présentant la main, touchez là. » Le Gascon lui tendit la sienne. Ce major en la lui serrant, lui en fracassa les os, et le mit hors de combat.

Un autre Gascon profita de l'exemple ; car ayant eu un démêlé avec Barsabas. Il lui dit qu'il voulait vider son différend par la voie des armes. Barsabas lui présenta la main afin de lui témoigner qu'il acceptait le combat. Le Gascon, qui se douta de son dessein, mit l'épée à la main, et la lui plongea dans le corps ; heureusement le coup ne fut pas mortel : « Voilà comme je pare, lui dit-il, la trahison d'un homme comme vous. »

Barsabas demanda dans un village le maréchal ; on lui en montra la boutique, il y entra : « Mon ami, dit-il à l'ouvrier, donne-moi des fers à cheval. » Il rompit sans peine tous ceux qu'on lui présenta, disant qu'ils étaient d'un fer aigre et cassant. Le maréchal voulut en forger d'autres : Barsabas prit alors l'enclume et la cacha sous son manteau. L'ouvrier voulant battre son fer, ne comprenait point ce que pouvait être devenue son enclume : mais quel fut son étonnement lorsqu'il la revit un instant après, Barsabas l'ayant remise à sa place. Il crut avoir affaire à un diable, il abandonna sa boutique, et il n'y voulut rentrer qu'après que ce diable eut disparu.

Il avait une sœur aussi forte que lui. Afin de perpétuer la race, on aurait marié ensemble le frère et la sœur, si on avait pu obtenir une dispense. Comme il quitta la maison paternelle de bonne heure, et que sa sœur vint au monde plusieurs années après lui, il ne la connaissait point. Il la rencontra dans une petite ville de Flandre, où elle était cordière ; il lui marchanda les plus grosses cordes qu'elle eût. Il les rompit comme les plus petits filets, en disant qu'elles ne valaient rien. « Je vous en donnerai de bien meilleures, dit la cordière, mais me les payerez-vous bien ? – Tout ce que vous voudrez, ma chère, lui répondit-il, en lui montrant plusieurs écus. » Elle les prit et en rompit deux ou trois « Vos écus, lui dit-elle, ne valent pas mieux que mes cordes ; donnez-moi de l'argent de meilleur aloi. » Barsabas, surpris de la force de cette fille, lui demanda alors son pays et sa famille, et reconnut qu'elle était sa sœur.

La précaution du mari

Isaac, paysan jovial des environs de Lyon, avait une femme prédestinée à le faire enrager. Un jour sa patience étant épuisée, il se souvint de la leçon d'Arlequin, qui dit qu'il faut battre sa femme et son blé, et battit la sienne à outrance. Il la crut morte, soit qu'elle fût aux portes du trépas, soit qu'elle jouât le rôle d'une défunte. Sur-le-champ il prit son parti : avec un bâton blanc à la main, il se mit en chemin pour aller en cour, obtenir des lettres de grâce, et arriva à Fontainebleau où elle était. Il s'adressa à l'archevêque de Lyon, le célèbre Camille de Villeroy, à qui il raconta son aventure. Ce prélat, qui s'était diverti plusieurs fois des plaisanteries de ce paysan, lui fit une mercuriale fort vive. Il lui obtint pourtant ce qu'il demandait. Isaac s'en retourna chez lui avec sa pancarte en parchemin. À peine fut-il de retour à son logis, qu'il y trouva sa femme ressuscitée et jouissant d'une parfaite santé. Il ne s'étonna point de sa résurrection. « Je suis ravi, lui dit-il, que tu ne sois pas morte, tu n'as qu'à faire ton devoir, et qu'à me complaire en toutes choses, car je puis te tuer quand la fantaisie m'en prendra. Voilà ma grâce que j'ai obtenue par avance, poursuivit-il en lui montrant ses lettres. À la cour on fait si peu de cas de la vie d'une femme, qu'on accorde la permission à un mari de la tuer, et on lui donne sa grâce en même temps. » La femme d'Isaac qui vit le parchemin qu'on lui disait être en bonne forme, crut son mari, et devint plus raisonnable.

Le baiser de Mlle Quinault

Mademoiselle Quinault la cadette, si célèbre par son esprit et son excellent cœur, qui lui concilièrent l'estime et l'amitié de ses plus illustres contemporains ; mademoiselle Quinault, dis-je, rassemblait chez elle, sous le nom de Société du *Bout-du-Banc*, tout ce que la cour et la ville renfermaient alors d'hommes aimables et éclairés. Voltaire, Pont-de-Vesle, Destouches. Marivaux, le comte de Caylus, le marquis d'Argenson, etc., étaient les commensaux les plus assidus de ces soupers célèbres où le plat du milieu était une écritoire dont les convives se servaient tour à tour avec autant d'esprit que de gaieté. C'est de cette écritoire que sont sortis les *Étrennes de la Saint-Jean*, le *Recueil de ces Messieurs*, et autres ouvrages ingénieux et piquants qui ont paru depuis dans les œuvres du comte de Caylus. Vers ce temps, M. d'Argenson fut nommé ministre. Lors de sa première audience, mademoiselle Quinault s'empressa de lui faire son compliment ; le ministre la reçut avec des grâces infinies, la combla d'amitiés, et finit par l'embrasser devant tout le monde en la reconduisant.

Un chevalier de Saint-Louis, témoin de cet accueil, et persuadé que mademoiselle Quinault était en grande faveur auprès du nouveau ministre, et qu'elle allait devenir le canal des grâces, courut après elle pour lui demander sa protection.

Mademoiselle Quinault se retourne, l'envisage, et lui tendant les bras : « Monsieur, lui dit-elle, je ne puis mieux faire pour vous que de vous rendre ce que le ministre m'a donné » – et aussitôt, sans le connaître, elle l'embrasse devant tout le monde.

La vengeance

On ne peut se venger des femmes ; on n'est cependant point à l'épreuve de leurs insultes. Comment donc faire ? il faut en sortir par quelque manière toute nouvelle, et sur laquelle on ne puisse trouver à redire, comme fit ce cavalier dont je vais parler.

On jouait un jour à plusieurs tables chez une personne de qualité. Une de ces tables était occupée par un abbé et une dame qui jouaient au piquet. La dame perdait, ce qui la fâchait d'autant plus que l'abbé était de ces gens qui font payer les dames comme les autres. Outrée de perdre son argent, elle s'en prenait à tout le monde. Un cavalier qui était auprès d'elle, crut lui faire plaisir que de l'empêcher de jeter une carte mal à propos. Cet avis augmenta son irritation. « De quoi vous mêlez-vous,

Monsieur ? dit-elle en donnant un soufflet à ce cavalier ; apprenez qu'on ne parle jamais sur le jeu quand on n'en est pas. » Et après cela, elle continua son jeu, sans faire aucune attention à ce qu'elle venait de faire. Pendant que toute l'assemblée était émue de son emportement, elle n'en avait que contre l'abbé qui gagnait toujours. Cette aventure fit cesser toutes les autres tables ; tous les joueurs entouraient le cavalier offensé, et très en colère. On le consolait sur sa disgrâce ; cela ne faisait que l'aigrir contre la joueuse, qui cessa enfin de jouer et paya l'abbé. Elle se leva et s'assit dans un fauteuil près de la cheminée. Tout le monde en fit autant, excepté notre cavalier, qui se promenait à grands pas dans la chambre, derrière le cercle, en rêvant apparemment à sa disgrâce. Quelqu'un de la compagnie, à qui il faisait de la peine en l'état où il était, l'invitait à s'asseoir ; il ne répondait rien et se promenait toujours ; il le fit tant même, qu'il y accoutuma l'assemblée, qui ne pensait plus à lui, quand s'approchant de la chaise de la dame qui l'avait insulté, il la prit par-dessous les jambes, la renversa, et dit à l'assemblée dont les yeux se fixaient vous savez où :

« Messieurs et Mesdames après ce qui me vient d'arriver, j'ai intérêt de savoir si c'est un homme ou une femme : je vous prie de me dire ce qui en est : car si c'est un homme, il faut que je m'égorge avec lui ; et si c'est une femme, elle est indigne de mon ressentiment. »

Le Jeu de cartes

Pendant le service divin, dans l'église de Glasgow, Richard Middleton, simple soldat, au lieu de tirer de sa poche une Bible, pour y chercher, comme ses camarades, l'évangile du jour, étala devant lui un jeu de cartes. Cette étrange conduite fut bientôt remarquée par le ministre et par le sergent de sa compagnie. Ce dernier lui ordonna de serrer ses cartes, et, sur son refus, le conduisit, après l'office, devant le principal magistrat de la ville, à qui il porta plainte de la conduite indécente de Richard. « Quelle excuse, lui dit le juge, pouvez-vous donner à une conduite si bizarre et si scandaleuse ? Si vous avez des raisons légitimes à faire valoir, je vous écoute ; mais dans le cas contraire, soyez sûr que vous serez sévèrement puni. - Puisque votre bonté, répliqua Richard, me permet de plaider ma cause, je vous supplie de m'entendre ; j'ai fait une marche de huit jours avec une solde de six pence[9], ce qui suffit à peine, vous en conviendrez, pour fournir à un homme sa nourriture et les premières nécessités de la vie ; il peut donc manquer de Bible, de livres de prières et de tout autre. Or, voici comment je m'en passe. » Alors Richard tira ses cartes, présenta un as au magistrat, et continua en ces termes : « Quand je vois un *as*, permettez-moi de le dire, je me souviens qu'il est un seul Dieu. Quand je regarde un *deux* ou un *trois*, je me rappelle le Père et le Fils, ou le Père, le Fils et le Saint-Esprit ; le *quatre* me fait songer aux évangélistes Marc, Luc, Mathieu et Jean ; le *cinq* aux cinq vierges sages qui devaient mettre de l'huile dans leur lampe ; dix en avaient reçu l'ordre, mais votre grâce se souvient qu'il y avait cinq vierges sages et cinq folles ; le *six* me dit qu'en six jours Dieu créa la terre ; le *sept* qu'il se reposa le septième ; le *huit* me rappelle qu'il y eut huit personnes vertueuses sauvées du déluge, savoir : Noé et sa femme, ses trois fils et leurs épouses ; le *neuf*, les neuf lépreux purifiés par notre Sauveur ; ils étaient dix, mais un seul le remercia ; le *dix*, les dix commandements de Dieu. » Richard prit ensuite le valet, (Knave[10]), et le mit de côté ; passant alors à la reine, il observa ce qui suit : « Cette *reine* me fait souvenir de la reine de Saba, qui vint des extrémités de la terre pour admirer la sagesse du roi Salomon ; et le *roi*, son compagnon, me rappelle le roi du ciel et notre monarque Georges III. – Fort bien, dit le magistrat, vous m'avez donné une explication satisfaisante sur toutes les cartes, sauf le *valet*. – Si votre grâce, répondit Richard, veut bien ne pas se fâcher contre moi, je vous donnerai sur celle-ci une explication aussi juste que sur toutes les autres. – Non, certes, je ne me fâcherai point, dit le juge. – Eh bien donc ! les *valets* sont des *coquins*, et le plus grand de tous est le sergent qui m'a conduit devant vous. – Je ne sais pas, dit le magistrat, si c'est le plus grand coquin ; mais à coup sûr, c'est le plus fou des deux. » Le soldat poursuivit : « Quand je compte le nombre de points qui sont dans les cartes, j'en trouve *trois cent soixante-cinq* : autant de jours dans l'année. Quand je compte le nombre des cartes, j'en trouve *cinquante-deux* : autant de semaines. Quand je compte le nombre de levées, j'en trouve *douze* : autant de mois. Ainsi, ce jeu de cartes est en même temps pour moi une Bible, un almanach et un livre de prières. » Le magistrat appela ses domestiques, leur ordonna de bien traiter ce jeune homme et de lui

---

9   Six sous anglais, douze sous de France.

10   *Knave*, en anglais, signifie *valet* et *coquin*.

donner quelque argent, et convint que c'était le drôle le plus spirituel et le plus facétieux de tout le régiment.

La livrée respectée

À Naples, un commandeur de Malte, homme riche et avare, laissait user sa livrée au point qu'un savetier du voisinage, voyant les habits de ses gens tout troués, s'en moquait. Ils s'en plaignirent à leur maître, qui fit venir le savetier, et le tança sur son insolence. « Moi, Monseigneur, répondit humblement celui-ci, je sais trop le respect que je dois à Votre Excellence pour me moquer de sa livrée. – Mes gens cependant assurent que tu ne peux t'empêcher de rire en voyant leurs habits troués. – Il est vrai, Monseigneur, mais je ris des trous où il n'y a point de livrée. »

L'argument sans réplique

Un savetier persécutait M. de Brancas, évêque de Lisieux, pour être démarié, parce que sa femme avait accouché peu de temps après leur mariage. L'évêque, pour s'en débarrasser, lui dit : « Mon ami, par les statuts de votre profession, ne vous est-il pas défendu de travailler *sur du neuf* ? – Oui, Monseigneur, répondit le bonhomme – Eh ! bien, reprit l'évêque, ne vous plaignez donc pas de votre femme. »

L'arbre généalogique

On demandait à un homme de qualité très borné, qui voulait se faire présenter à la cour, si ses titres de noblesse étaient en règle. « Oui, répondit-il, rien n'y manque. — Vous avez sans doute, ajouta-t-on, votre arbre généalogique ? – Ma foi, repartit notre homme, j'en ai beaucoup dans ma terre, mais je ne sais pas si celui-là s'y trouve : je le demanderai à mon fermier. »

Les armes d'un parvenu

On demandait à un parvenu, homme de beaucoup d'esprit, devenu comte et ministre, pourquoi ses armes ne se trouvaient pas sur ses voitures. « Il m'est aisé d'en rendre raison, répondit-il : c'est que mes voitures sont plus anciennes que ma noblesse. »

L'homme de précaution

Un des domestiques de Frédéric le Grand l'avait tellement impatienté qu'il lui donna un soufflet ; les cheveux de cet homme en furent un peu dérangés. Le valet, sans se déconcerter, va se placer devant la glace de la chambre du roi, et refait devant lui la boucle qui était tombée. « Comment, maraud, dit Frédéric, tu as l'audace... — Sire, répond l'autre, c'est seulement afin que les gens qui sont dans l'antichambre ne s'aperçoivent pas de ce qui s'est passé entre nous deux. » Le roi ne put s'empêcher de rire, et passa dans une autre pièce.

La mère infortunée

Madame la maréchale de ***, à quatre-vingt-huit ans, ayant perdu la dernière de ses filles, âgée de soixante-dix ans : « Je suis bien malheureuse, dit-elle ; de cinq enfants que j'ai eus, il ne m'a pas été possible d'en élever un. »

Le célibat justifié

Le caractère franc et droit du maréchal d'Uxelles est bien marqué dans la réponse qu'il fit à Louis XIV, qui le raillait sur son célibat : « Je n'ai point encore, dit-il, trouvé de femme dont je voulusse être le mari, ni d'homme dont je voulusse être le père. »

L'abbé Malotru

Un abbé français, nommé Malotru, personnage tout à fait singulier, et qui vivait en 1640, s'aperçut en disant la messe, qu'un M. Lasson, homme de beaucoup d'esprit, riait avec un de ses amis. Cet abbé n'eut pas plutôt achevé sa messe, qu'il envoya chercher un sergent, et fit assigner Lasson en réparation d'honneur, pour avoir osé rire de lui pendant qu'il disait la messe. Comme M. Lasson peignait parfaitement bien, il fit le portrait de sa partie adverse, et se tint tranquille. L'affaire fut portée au bailliage, où tout Caen se rendit, pour entendre les plaidoyers de ces deux personnages, l'un célèbre par sa folie, et l'autre par son esprit. Avant de raconter la suite de ce procès il est bon de faire observer que l'abbé Malotru était fort laid, et s'habillait toujours d'une manière grotesque. Il avait en tout temps neuf calottes sur la tête, afin de se garantir du froid : sa perruque n'était jamais peignée, et il semblait prendre à tâche de la mettre de travers ; ajoutons encore qu'il portait neuf paires de bas l'une sur l'autre, et autant de culottes. On se doute bien que le portrait d'un tel original devait être fort plaisant. Après que l'abbé eut fait son plaidoyer, dans lequel il remonta jusqu'à la création du monde, Lasson déploya le portrait et parla de la sorte : « Il est vrai, Messieurs, que je n'ai pu m'empêcher de rire en voyant la figure de M. l'abbé, et je l'apporte ici, telle qu'elle était alors, persuadé que, tout Catons que vous êtes, vous suivrez mon exemple ; je demande que cette figure soit mise au greffe, et paraphée *ne varietur*[11], comme la meilleure pièce de mon sac. » Les juges, qui ne purent s'empêcher de rire à l'aspect d'un portrait aussi burlesque, renvoyèrent les parties hors de cour et de procès, dépens compensés.

Le silence utile

Il y a des gens qui parlent très peu et à qui on croit de l'esprit. M... est de ce nombre. Une femme, qui en avait beaucoup, disait de lui, « qu'il n'avait d'esprit que ce qu'il en fallait pour cacher qu'il n'en avait pas. »

La curiosité insatiable

M. le comte de C*** avait beaucoup d'esprit, mais il avait de fréquentes distractions, qui quelquefois lui faisaient commettre des bévues singulières. Le désir de voir ce qu'il y avait de curieux à Rome, l'engagea à y faire un voyage : le pape, informé de son dessein, ne négligea rien pour que sa curiosité fût pleinement satisfaite, en lui montrant ce qu'il y avait à Rome de plus beau et de plus magnifique : il lui demanda ensuite s'il était satisfait. « On ne peut davantage, répondit-il ; il ne me manque plus, Saint-Père, que de voir un conclave. — Ah ! pour ceci, reprit le pape, vous pouvez être sûr que je vous ferai attendre le plus longtemps que je pourrai. »

Un poète mortifié

Dorat, le versificateur le plus fécond des ruelles de Paris, gâté, à ce titre, par toutes les jolies femmes du jour, devait être, et était en effet

---

11 Sans possibilité de changement.

bouffi d'amour-propre sur la célébrité qu'il croyait due à ses ouvrages. Il en avait fait faire une très belle édition, que le luxe typographique et les gravures multipliées d'Eisen et des plus habiles artistes rendaient fort précieuse.

Il était, un matin, chez son libraire, lorsque arrive un Anglais qui, avec l'accent caractérisé de sa nation, demande la belle édition des *Œuvres* de M. Dorat. « La voilà, Monsieur. — Combien vaut-il ? – Six louis. – Ché paye tout de suite. – Monsieur, je vais envoyer le paquet chez vous. – Non, non, pas nécessaire ; être si léger le collection, être si charmant ; m'en fier à moi seul pour l'emporter. » On juge de la jouissance de l'auteur, en voyant que l'enthousiasme de son mérite avait pénétré au-delà des mers. Déjà il préparait dans sa tête une épître sublime à cette nation intéressante qui, dégagée des liens de la servitude, sait mieux que toute autre apprécier les élans du génie, lorsqu'en se retournant il voit l'acheteur qui, d'un grand sang-froid, prend volume à volume, en détache avec soin toutes les estampes, les ploie précieusement dans un papier, et dit en sortant : « Oh ! Pour les vers, jé en veux pas, être bon pour jeter dans le rue. »

M. de Sartines

Ce fut M. de Sartines qui établit le premier cette excellente organisation de la police de Paris, qui, en prévenant les crimes dans une population aussi nombreuse, faisait régner la plus grande sûreté au sein de la capitale.

Tout le monde sait que M. de Sartines, ayant reçu une lettre du ministre de l'Empereur, qui le priait avec instance de faire arrêter à Paris un fameux voleur qu'on croyait s'y être réfugié, et dont le gouvernement autrichien avait le plus grand intérêt à s'assurer, il répondit peu de jours après, que l'homme qu'on cherchait n'était point à Paris, mais à Vienne même, logé dans une maison d'un des faubourgs, dont il désigna le numéro, indiquant en même temps les heures auxquelles il avait coutume de sortir, et les déguisements sous lesquels il se cachait. Tous ces renseignements se trouvèrent exactement vrais ; et c'est d'après cela que le coupable fut arrêté.

M. de Myons, premier président d'une cour supérieure à Lyon, fort lié avec M. de Sartines, prétendait, devant lui, que la clairvoyance de la police ne pouvait atteindre que les gens suspects, et que n'étant point dans ce cas-là, il pourrait venir à Paris, y séjourner plusieurs jours, sans qu'on en fût informé. Le lieutenant général de police soutint le contraire, et offrit même à cet égard une gageure qui fut acceptée. Quelques mois après, M. de Myons qui était retourné dans sa patrie, en partit précipitamment, courut jour et nuit, arriva à Paris à onze heures du matin, et alla loger dans un quartier fort éloigné de celui qu'il habitait ordinairement. À midi précis, il reçut un billet de la part du lieutenant-général de police, qui l'engageait à venir dîner ce jour-là chez lui. Il s'y rendit, et convint qu'il avait perdu la gageure.

L'assemblée peu nombreuse

Un major de place avait indiqué l'exercice pour une heure fixe. Il arrive et ne voit qu'un trompette. « Parlez donc, messieurs les b..., dit-il, d'où vient donc que vous n'êtes qu'un ? »

Les mollets

M. de Bièvre disait d'une femme qui n'avait pas la gorge très ferme, qu'elle avait les mollets sous le menton.

L'évêque et le paysan

M. de Maupéou, évêque de Châlons-sur-Marne, demandait à un paysan combien il y avait de Dieux : « Parguié, Monseigneur, répondit-il en son patois, il n'y en a qu'un, encore est-il bien mal servi par vous autres gens d'église. »

L'enfant trouvé

Le président d'une cour d'assises demandait, selon l'usage, à un témoin s'il était parent ou allié de l'accusé. « Ma foi, je n'en sais rien, répondit le témoin, car je suis des Enfants-Trouvés. »

Mène-moi boire

Un vieil officier, dînant chez un seigneur, prétendait qu'on était obligé d'inviter ses convives à boire. Le maître défendit d'en présenter, et ordonna de servir simplement à boire lorsqu'on le demanderait. L'officier mangeait de tout avidement, et sans mouiller. Enfin, lassé de ne pas boire, il fit venir le palefrenier, à qui il demanda ce qu'il faisait à ses chevaux lorsqu'ils avaient bien mangé : « Je monte, dit celui-ci, sur leur dos, et je les mène à l'eau. – Monte, dit l'officier, un peu sur le mien, car j'ai diablement soif. »

Un portrait de singe

Le marquis de..., qui est extrêmement laid, s'était fait peindre ; la figure était de grandeur naturelle. Il ne voulut pas donner ce que le peintre lui demandait. Celui-ci lui dit : « Eh ! bien, Monsieur, je garderai votre figure. » Le marquis lui demanda ce qu'il en ferait. « Je n'en suis pas embarrassé, répondit le peintre ; je lui mettrai une queue, ce sera le tableau d'un singe habillé : je sais à qui le vendre. »

M. Gobelet, échevin et bonnetier

Un monsieur Gobelet, échevin, qui avait été longtemps bonnetier, faisait partie de l'assemblée des notables ; il se plaignait à un ami de l'embarras où il allait se trouver pour remplir dignement son rôle. « Ce que je vous conseille, lui répliqua celui-ci, c'est de parler bas et d'opiner du bonnet. »

Trente-neuf hommes d'esprit

Après sa réception à l'Académie française, Fontenelle dit : « Il n'y a plus que trente-neuf personnes dans le monde qui aient plus d'esprit que moi.

La Foi

Un enfant était au catéchisme, et fut interrogé à son tour : « Qu'est-ce que la Foi ? lui dit le curé. – La foi, c'est le jeudi. – Comment ? – Oui, le jeudi, c'est la fois que je ne vais pas à l'école. »

La mine

Guillot Gorju disait à Turlupin : « Tu m'as fait la mine. – Non, dit Turlupin ; si je te l'avais faite, tu l'aurais meilleure. »

BIBLIOGRAPHIE

– Un million de plaisanteries, calembours, naïvetés, jeux de mots, facéties, réparties, saillies, anecdotes comiques et amusantes, inédites ou peu connues ; Hilaire le Gai, Paris, 1856.

– Nouveau million de bêtises et de traits d'esprit, bons contes, bons mots, bouffonneries, calembours, facéties anciennes et modernes ; Hilaire le Gai, Paris, 1855.